मृगतृष्णा

मृगतृष्णा

सुधा मूर्ति

प्रभात प्रकाशन, दिल्ली
ISO 9001:2008 प्रकाशक

प्रकाशक • **प्रभात प्रकाशन**
4/19 आसफ अली रोड,
नई दिल्ली-110002
☎ 011-23289777

सर्वाधिकार • सुरक्षित

संस्करण • प्रथम, 2014

अनुवाद • दीपिका रानी

मूल्य • दो सौ पचास रुपए

मुद्रक • भानु प्रिंटर्स, दिल्ली

MRIGTRISHNA *novel* by Smt. Sudha Murthy   Rs. 250.00
Published by Prabhat Prakashan, 4/19 Asaf Ali Road, New Delhi-2
e-mail: prabhatbooks@gmail.com   ISBN 978-93-5048-604-7

Mrgatrshna by Sudha Murti

चुपचाप दर्द सहन करनेवाली नारी
की अस्मिता और उसके
गौरवबोध को समर्पित

1
गाँव

उत्तरी कर्नाटक में पाँच से आठ हजार की जनसंख्यावाला एक छोटा सा गाँव है। उसमें एक रमणीय झील है, जिसके तट पर भगवान् हनुमान का मंदिर है। उस इलाके में बहुत से बरगद के पेड़ हैं। कन्नड़ भाषा में अलादामारा का अर्थ होता है, बरगद का पेड़ और हल्ली का अर्थ है गाँव, इसलिए उस गाँव का नाम अलादाहल्ली है।

अलादाहल्ली में सिर्फ एक मुख्य सड़क है, जिसके दोनों तरफ घर हैं और उसके बीचोबीच एक बस स्टैंड है। अधिकतर लोग यहाँ रहकर नजदीकी शहरों—हुबली और धारवाड़ तक जाना-आना करना पसंद करते हैं। अलादाहल्ली में रहने का लाभ एक शांतिपूर्ण जीवन, कम शोरगुल और लगभग प्रदूषण रहित वातावरण है। सबसे बड़ा आकर्षण यहाँ का स्कूल है, जो शहर के किसी भी अन्य स्कूल की टक्कर का है और विषयों को अंग्रेजी एवं कन्नड़, दोनों में पढ़ाया जाता है। शहर के स्कूलों की तरह ही विद्यार्थियों को मेरिट के आधार पर रैंक दिया जाता है। भीमन्ना की बेटी मृदुला अपनी कक्षा के प्रतिभाशाली विद्यार्थियों में है और अपनी बुद्धिमत्ता के लिए जानी जाती है।

भीमन्ना का परिवार समृद्ध है और उनके पास बहुत सी उपजाऊ जमीन है। उसका पुश्तैनी घर बहुत पुराना और विशाल है। पीछे का हरा-भरा आँगन तरह-तरह की फूल-पत्तियों और सब्जियों से भरा हुआ है। पिछवाड़े में मोगरे की बेलें हैं, क्योंकि मृदुला के बाल काले, घने हैं और वह अपने बालों में फूलों की लड़ियाँ लगाए बिना घर से नहीं निकलती।

भीमन्ना की पत्नी रुकमा बाई या रुक्मिणी पड़ोसी गाँव की है। उसका स्वभाव भीमन्ना से अलग है और वह अपने पति की अपेक्षा कम बोलती है। उनके दो बच्चे—कृष्णा और मृदुला हैं।

जब कृष्णा का जन्म हुआ था तो भीमन्ना अपने पुत्र का नाम हनुमान रखना चाहता

था, लेकिन रुकमा बाई ने उसे कृष्णा पुकारना शुरू कर दिया। कुछ समय बाद भीमन्ना अपनी पत्नी की दृढ़ता के आगे परास्त हो गया और उसने भी बेटे को कृष्णा नाम से पुकारना शुरू कर दिया। लेकिन जब तीन साल बाद मृदुला का जन्म हुआ तो उसने फैसला कर लिया। उसने एक बार एक उपन्यास पढ़ा था, जिसमें नायिका का नाम मृदुला था। उसे यह नाम पसंद आया, क्योंकि कर्नाटक के इस हिस्से में यह एक अलग सा नाम था। इसलिए भीमन्ना ने अपनी बेटी का नाम मृदुला रखने पर जोर दिया।

नन्ही मृदुला एक प्रतिभाशाली छात्रा है। रुकमा बाई अकसर लोगों से कहती है कि बुद्धिमत्ता के जींस मृदुला को उसके मायके के परिवार से मिले हैं। ऐसे समय में, बातूनी भीमन्ना आमतौर पर चुप हो जाता है।

बालिका मृदुला हनुमान मंदिर के सामनेवाले बरगद के विशाल पेड़ पर टँगे झूले पर बैठी है।

यह उगडी का समय है, जो कन्नड़ लोगों के लिए नववर्ष का त्योहार होता है और फरवरी या मार्च में आता है। गरमियाँ शुरू ही हुई हैं। आम के पेड़ों पर नरम लालिमा लिये हरे पत्ते आए हैं और कोयल मीठी आवाज में कुहू-कुहू कर रही हैं। गाँव में हर कोई इस त्योहार की तैयारी में लगा है। फिर भी मंदिर के नजदीक पूर्ण निस्तब्धता है।

लेकिन मृदुला को किसी बात से मतलब नहीं है। वह निश्चिंत होकर झूला झूल रही है। वह प्रसन्न है।

मृदुला हर किसी की तरह नहीं है। वह अलग है। झूले से वह अपना घर देख सकती है। उसमें जीवन के प्रति बहुत उत्साह है और पढ़ने, खाना बनाने तथा स्केचिंग के लिए असीमित ऊर्जा है। वह अपने हर पल को उपयोगी बनाना चाहती है। सूरज उसके लिए निकलता है और इंद्रधनुष के रंग सिर्फ उसके लिए हैं। हर दिन को पूरी तरह से जीना है और हर खूबसूरत पल का आनंद उठाना है।

❑

समय बीतता है। यह परिवार संतुष्ट और प्रसन्न है। भीमन्ना इस बीच अपने घर को बुनियादी आधुनिक सुख-सुविधाओं से सुसज्जित कर लेता है।

इस बीच नन्ही मृदुला बड़ी हो जाती है और स्कूल में अच्छा प्रदर्शन करती है। वह दसवीं कक्षा में अच्छी रैंक लाती है। उसके शिक्षक जोर देते हैं कि उसे मेडिसिन या इंजीनियरिंग की पढ़ाई करनी चाहिए। लेकिन मृदुला इसके लिए तैयार नहीं है। भीमन्ना सिर्फ समाज में अपनी हैसियत बनाए रखने के लिए कोई फैसला नहीं लेता। वह यह निर्णय मृदुला पर छोड़ता है और वह शिक्षिका बनना चाहती है। लेकिन रुकमा बाई की यह इच्छा नहीं है। उसका भाई सत्यबोध हुबली में एक बैंक अधिकारी है। उसकी बेटी सरला, मृदुला से छह माह बड़ी है और उतनी प्रतिभासंपन्न नहीं है। लेकिन वह भी

हुबली में इंजीनियरिंग की पढ़ाई कर रही है। भीमन्ना रुकमा से कहता है, ''समय बदल गया है। हम बच्चों पर यह थोप नहीं सकते कि उसे वकील या डॉक्टर बनना है या हमारी पसंद के व्यक्ति से विवाह करना है। शिक्षा और विवाह हमारे बच्चों की मरजी से होने चाहिए, क्योंकि वह हमेशा के लिए होते हैं। आखिरकार यह उनका जीवन है और उन्हें अपनी दिल की बात सुनने तथा खुद निर्णय करने का हक है।''

मृदुला की बात आने पर भीमन्ना हमेशा नरम पड़ जाता है। मृदुला उसका जीवन है। जब लोग मृदुला से पूछते हैं कि वह अपनी माँ की पसंदीदा है या पिता की तो वह कहती है, ''मैं अम्मा की बेटी हूँ और अप्पा की दुनिया।''

मृदुला को बचपन में अपने पिता से हुई बातचीत याद है। गाँव में जब कोई पशु बीमार पड़ता तो उसका पिता तत्काल अपने बगीचे में पौधों से औषधि निकालकर उस पशु की चिकित्सा में जुट जाता, इसके लिए वह पशु के स्वामी की इजाजत की प्रतीक्षा नहीं करता था। उपचार के बाद भीमन्ना को फीस के रूप में एक कटोरी चावल तथा गुड़ और पाँच एक-एक रुपए के सिक्के दिए जाते। वह कभी पशुओं की चिकित्सा से मिले शुल्क को अपने पास नहीं रखता। वह इन सिक्कों को भगवान् हनुमान को चढ़ा देता और कहता, ''मृदुला, सारा चावल, गुड़ और नारियल एक साथ पीस दो तथा उसमें थोड़ा घी मिलाकर गायों को दे दो। यह उनके लिए अच्छा होता है।''

जब वह अपना काम करती तो भीमन्ना उससे पूछता, ''तुम्हें पता है कि ईश्वर ने बोलने की क्षमता मनुष्यों को क्यों दी है, पशुओं को क्यों नहीं?''

मृदुला बालसुलभ भोलेपन से जवाब देती, ''बात करने के लिए।''

''नहीं, बेटी। सिर्फ बात करने के लिए नहीं। दूसरों से अपनी चीजें बाँटने के लिए भी। इसलिए जब कभी आपको कोई परेशानी हो या खुशी हो, आपको उसे दूसरों के साथ बाँटना चाहिए। परंतु सभी पशुओं के बारे में सोचो—वे बेचारे अपनी परेशानी किसी को बता भी नहीं सकते। उन्हें अकेले उसे सहना पड़ता है। मृदुला याद रखना, तुम्हें हमेशा स्पष्टवादी होना चाहिए। कोई भी बात छिपाना नहीं। छिपाना पाप है।''

मृदुला बहुत ध्यान से उसकी बात सुनती।

वह ऐसे सौहार्दपूर्ण और ईमानदार वातावरण में पलती है कि वह अपने पिता की तरह बहिर्मुखी और परोपकारी हो जाती है।

अपने माता-पिता के सहयोग से मृदुला रोज हुबली जाना-आना करती है और अच्छी श्रेणी से स्नातक की उपाधि प्राप्त करती है। उसे जल्दी ही गाँव के हाईस्कूल में सरकारी नौकरी मिल गई। मृदुला के विपरीत कृष्णा को अपनी पढ़ाई पूरी करने में अधिक समय लगता है। वह नौकरी करने की बजाय परिवार के खेतों की देखभाल करने का फैसला करता है।

भीमन्ना इस फैसले को लेकर खुश है, क्योंकि इससे उसे सामाजिक कार्यों के लिए अधिक समय मिल पाएगा। नतीजतन आजकल उसे शादी-ब्याह कराने, अंतिम संस्कार में मदद करने और यहाँ तक कि पंचायत में अधिक सक्रिय देखा जाता है।

रुकमा को जल्दी ही मृदुला के विवाह की चिंता होने लगी। एक दिन उसने पति से कहा, ''मृदुला इक्कीस वर्ष की हो गई है। मेरा भाई सरला के लिए वर ढूँढ़ने भी लगा है। अच्छी बात यह है कि वे बड़े शहर में रहते हैं। बहुत से अच्छे लड़के उपयुक्त वधू की तलाश में हुबली आते हैं। लेकिन कोई नहीं जानता कि हमारी लड़की अलादाहल्ली में है। अब आप आलस न करें और कोई उपयुक्त वर ढूँढ़ें।''

भीमन्ना ने उसकी बात को हँसी में उड़ा दिया, ''तुम्हारी भतीजी सरला को अभी कई बाधाएँ पार करनी हैं। वह सुंदर नहीं है और सिर्फ विदेश में बसे लड़के से विवाह करना चाहती है। परंतु मृदुला के लिए ऐसी कोई शर्त नहीं है। हमारी बेटी खूबसूरत है। अर्जुन सा ने कहा है कि वर खुद हमारे घर उसका हाथ माँगने आएगा।''

अर्जुन सा बाधनी हुबली का एक प्रसिद्ध ज्योतिषी है। भीमन्ना का जवाब सुनकर रुकमा ने गुस्से में आकर फर्श पर बरतन पटकते हुए कहा, ''तुम्हारे मित्र ने और क्या-क्या भविष्यवाणी की है?''

भीमन्ना ने अपनी रुष्ट पत्नी को शांत कराने का प्रयास किया, ''बरतन मत पटको। वे मेरी दादी ने दिए हैं। रुकमा, अपना काम छोड़ो और मेरी बात सुनो। बाधनी का कहना है कि उसका पति विवाह के बाद काफी संपन्न हो जाएगा। तुम्हें चिंता करने की कोई जरूरत नहीं है।''

''तुम कैसे ऐसी भविष्यवाणियों पर भरोसा करके हाथ-पर-हाथ रखकर बैठ सकते हो? उसके लिए कोई अच्छा लड़का ढूँढ़ने की जिम्मेदारी हमारी है। क्या उसकी भविष्यवाणियों की वजह से तुम बेटी की शादी किसी भिखारी से कर दोगे?''

''यदि वह भिखारी भी होगा तो वह उसे अमीर बना देगी।'' भीमन्ना उठकर पड़ोसी के घर चला गया। वह जानता था कि ऐसा करने से ही बहस समाप्त हो सकती है।

जैसी कि उम्मीद थी, थोड़ी ही देर बाद रुकमा झगड़े को भूलकर बगीचे में काम करने चली गई।

भीमन्ना के घर के सामने उनकी सत्तर वर्षीया पड़ोसिन चंपा बाई कामितकर रहती है। उसके घर के पिछवाड़े एक बड़ा सा बगीचा है, जिसमें बहुत से फूल लगे हैं। हर पौधा उसे अपने बच्चे की तरह प्यारा है। वह हर दिन तीन से चार घंटे पौधों को पानी देने और फूल तोड़ने में बिताती है। हालाँकि वह काफी सारे फूल उगाती है, लेकिन उनका इस्तेमाल वह अपने लिए नहीं करती। वह सारे फूल गली के घरों में भेज देती है।

चंपा बाई के पति की बहुत पहले मृत्यु हो चुकी है और उसका कोई बच्चा नहीं है। इसलिए उसने अपने एक भतीजे चंद्रकांत को गोद ले लिया। उसने अलादाहल्ली में पढ़ाई की और फिर अपने हाई स्कूल की पढ़ाई पूरी करने के लिए धारवाड़ चला गया। उसके बाद उसने बंबई में मेडिसिन की पढ़ाई की और विदेश चला गया। वह चंद वर्षों बाद लौटा और बंबई की एक लड़की से शादी कर ली। अंत में उसने अपना एक अस्पताल खोल लिया और वहीं बस गया।

अकसर चंद्रकांत चंपा से बंबई आकर रहने का आग्रह करता है, परंतु वह लगातार इनकार करती रही है, ''चंद्रू, अलादाहल्ली मेरे लिए स्वर्ग है। यहाँ के लोग शांत स्वभाव के हैं। हमारा भीमन्ना मेरे बेटे की तरह है। मैं इस उम्र में बंबई की भीड़ सहन नहीं कर सकती।''

चंपा बाई को अपनी बहनों से बहुत प्यार है, जो विभिन्न शहरों में रहती हैं। इसलिए वह अकसर उनसे मिलने जाया करती है। उस दौरान मृदुला उसके बगीचे का अच्छा खयाल रखती है और इसका शुक्रिया अदा करने के लिए चंपा बाई फूलों का सबसे बड़ा हिस्सा उसे देती है।

2

जवाँ सपने

जब डॉ. संजय बंबई के केईएम अस्पताल में शाम छह बजे की घंटी सुनता है तो उसकी तंद्रा खट से टूट जाती है और वह वर्तमान में आ जाता है। उसे याद आता है कि उसे शाम रेलगाड़ी से यात्रा करनी है। अंतर्मुखी प्रकृति का संजय अपने काम को लेकर बहुत गंभीर है। उसे अपने काम से संतुष्टि मिलती है। काम करते समय वह सबकुछ भूल जाता है। काम की वजह से उसे कई बार दोपहर और रात का भोजन करना याद नहीं रहता। लेकिन आज उसे ट्रेन पकड़नी है और वह इसे नहीं भूल सकता। उसने अपने ओपीडी की सिस्टर इंदुमती से यह याद दिलाने का अनुरोध किया था। और उसने याद दिलाया भी था। फिर भी उसके दिमाग से यह बात निकल गई। वह तुरंत निकलने की तैयारी करने लगता है।

बंबई में सिस्टर इंदुमती डॉ. संजय के सबसे करीब हैं। वे सफेद बालोंवाली एक बुजुर्ग महिला हैं। वे संजय को देखकर मुसकराती हैं और लाड़ से डाँटती हैं, ''संजय, इस तरह से तो तुम अपनी शादी में भी समय से नहीं पहुँच सकते और मैं तुम्हारी दुलहन की शादी किसी और से करा दूँगी!''

मुसकराते हुए वे कहती हैं, ''मैं तुम्हें जानती हूँ। इसलिए मैंने तुम्हारा सामान डॉ. एलेक्स के साथ रेलवे स्टेशन भिजवा दिया है। उसने बताया कि कंपार्टमेंट नंबर ए 17 है। अब भागो।'' संजय कृतज्ञता के साथ मुसकराता है और शीघ्रता से निकल जाता है।

डॉ. एलेक्जेंडर उसी अस्पताल में संजय का सहकर्मी है। वह साँवला, आकर्षक, लोकप्रिय है, सलीके से कपड़े पहनता है और बहुत अच्छा वक्ता है। एलेक्स गोवा का है और वह अपनी एक रिश्तेदार से मिलने के लिए उसी ट्रेन से लोंडा स्टेशन तक जा रहा है, जहाँ से वह आगे पणजी जाएगा।

संजय फटाफट बंबई के वीटी स्टेशन के लिए निकलता है। प्लेटफॉर्म खचाखच भरा हुआ है। प्लेटफॉर्म पर यात्रियों से दोगुनी भीड़ है। हर कोई ट्रेन में चढ़ने की या अपने प्रियजनों को विदा करने की प्रतीक्षा कर रहा है। ट्रेन चलने ही वाली है, तब संजय अपने कोच में चढ़ने के लिए पी.टी. ऊषा से भी तेज दौड़ लगा देता है। वह ट्रेन के खुलते-खुलते उसमें चढ़ जाता है।

वह हाँफते-हाँफते अपने कंपार्टमेंट में आया और एलेक्स के साथ बैठ गया। संजय ने चारों ओर नजर घुमाई तो उसे यह देखकर हैरानी हुई कि वहाँ कुछ ही लोग हैं। फिर उसे समझ में आता है कि गरमी की छुट्टियों के बाद स्कूलों के खुल जाने की वजह से भीड़ कम है। अपनी फूलती साँसों पर काबू पाते हुए उसके दिमाग में आता है कि हम किस तरह अपना जीवन चिंताओं में जीते हैं। वह हमारे जीवन का हिस्सा है और हम उसपर काबू पाने की पूरी कोशिश करते हैं। संजय अपने ही विचारों में खो जाता है।

एलेक्स सिगरेट जलाते हुए पूछता है, ''संजय, तुम हुबली क्यों जा रहे हो? तुम तो अधिक यात्राएँ नहीं करते।''

उनके पास बैठी एक महिला यात्री को सिगरेट के धुएँ से परेशानी होती है और वह एक रूमाल से अपनी नाक ढक लेती है। लेकिन एलेक्स को कोई फर्क नहीं पड़ता और वह सिगरेट पीते हुए संजय से बात करना जारी रखता है।

संजय संकोच के साथ जवाब देता है, ''मेरे मित्र संतोष का विवाह होनेवाला है।''

''मुझे नहीं लगता कि तुम सिर्फ एक शादी में शामिल होने जा रहे हो। वह भी तब जब इस सप्ताह तुम्हारे पास काफी सारा काम है। क्या तुम वहाँ बैस्ट मैन हो? या वहाँ किसी खूबसूरत लड़की को मिलने का समय दे रखा है?'' एलेक्स मजाक करता है।

''एलेक्स, हमारी शादियों में बैस्ट मैन नहीं होता है। संतोष मेरा अच्छा दोस्त है, लेकिन मैं वर्षों से उससे नहीं मिला हूँ क्योंकि अब वह मध्य-पूर्व में बस गया है।''

''तुम हुबली में कितने दिन रहोगे? तुम गोवा क्यों नहीं आते? हम मजे करेंगे।''

''नहीं, मैं नहीं आ सकता। मैं कुछ ही दिनों के लिए हुबली जा रहा हूँ। प्रोफेसर

जोग ने मुझे उस इलाके में रहनेवाले किसी व्यक्ति के लिए एक पैकेज दिया है।''

डॉ. चंद्रकांत जोग जी.एस. मेडिकल कॉलेज में स्त्रीरोग विज्ञान के प्रोफेसर हैं और संजय उनका सहयोगी है। संजय आमतौर पर शादियों में जाना पसंद नहीं करता, लेकिन संतोष ने मुश्किल समय में उसकी मदद की है।

ट्रेन गति पकड़ लेती है। ठंडी हवा संजय के चेहरे का स्पर्श करती है। वह थका हुआ है और उसने कुरसी पर सिर टिका लिया है। वह एलेक्स से पूछता है, ''क्या तुम किसी खास काम के लिए गोवा जा रहे हो?''

''हाँ, मैं अपने माता-पिता और अपनी महिला मित्र अनीता से मिलने जा रहा हूँ। मैं अगले महीने मध्य-पूर्व जा रहा हूँ। मैं तुम्हारी तरह संन्यासी नहीं हूँ। अनीता तो मेरे सपनों में भी आती है।''

संजय चुप रहता है। फिर वह कहता है, ''तुम्हारे पास यहाँ अच्छी नौकरी है। अगले साल तुम्हें एक पोस्ट ग्रेजुएट सीट मिल सकती है। मध्य-पूर्व जाने की क्या जरूरत है? गोवा एक छोटा राज्य है और उसमें दो मेडिकल कॉलेज हैं। पोस्ट ग्रेजुएशन के बाद तुम्हें उनमें से किसी में भी नौकरी मिल सकती है।''

''रहने दो संजय, प्रोफेसर कौन बनना चाहता है? मैं ढेर सारा पैसा कमाना चाहता हूँ। अगर भारत में आप किसी सरकारी नौकरी में पैसा कमाना चाहते हैं तो आपको भ्रष्ट होना पड़ेगा। लेकिन यदि मैं मध्य-पूर्व में चार साल काम कर लूँ और वापस आकर यहाँ एक अस्पताल खोलूँ तो मैं खूब पैसा कमा सकता हूँ।''

संजय उत्सुकता से पूछता है, ''तुम्हें लगता है कि अनीता तुम्हारे लौटने तक तुम्हारा इंतजार करेगी?''

एलेक्स मुसकराते हुए खिड़की की ओर देखने लगता है।

ट्रेन करजात स्टेशन पहुँची है। एलेक्स बटाटा-वड़ा बेच रहे एक ठेलेवाले को आवाज लगाता है। बेचनेवाला लड़का कहता है कि वड़े गरम और अच्छे हैं, लेकिन वह संजय को ठंडा बटाटा-वड़ा देता है। संजय नाराज नहीं होता। वह कहता है, ''भाई वड़े तो आइस क्यूब की तरह हैं। हमें कोई गरम चीज दो।''

''ऐसा है तो मेरे मालिक का सिर ले लो। वह हमेशा गरम रहता है। लेकिन फिलहाल तो मुझे पाँच रुपए दे दो।''

एलेक्स हँसते हुए उस लड़के को पैसे दे देता है, लेकिन संजय गंभीर हो जाता है। वह उस गरीब लड़के की असहाय अवस्था के बारे में सोचने लगता है। ट्रेन फिर खिसकने लगती है और बटाटा-वड़ा की खुशबू पूरे कंपार्टमेंट में फैली हुई है।

जल्दी ही रात के भोजन का समय हो जाता है। रेलवे कैंटीन के दो लड़के सबका ऑर्डर लेते हैं। एलेक्स अपने लिए मांसाहारी और संजय के लिए शाकाहारी भोजन का

ऑर्डर कर देता है। एलेक्स ने अनीता के बारे में पूछे गए संजय के सवाल का जवाब नहीं दिया है। उसे लगता है कि शायद उसे इतना व्यक्तिगत प्रश्न नहीं पूछना चाहिए था। अचानक एलेक्स कहता है, ''अनीता अधिक-से-अधिक एक वर्ष तक इंतजार करेगी। मैंने उसे कहा है कि मेरे लिए उससे अधिक प्रतीक्षा न करे। हमें व्यावहारिक होना चाहिए। जब हम अधिक भावुक हो जाते हैं तो खुशी-खुशी जीवन बिताना मुश्किल हो जाता है।''

''तुम अनीता से कहाँ मिले थे?''

''मैं मापुसा चर्च में उससे मिला था। मैं अपने मित्र मार्क्स की शादी में बैस्ट मैन था और अनीता मेड ऑफ ऑनर थी। मैंने तब पहली बार उसे देखा था। फिर मैं नए वर्ष की पार्टी में उससे मिला। गोआ कैथोलिक सोसाइटी की बदौलत हमें मिलने के बहुत से मौके मिले और हम जल्द ही अच्छे दोस्त बन गए।''

''क्या वह भी गोवा की है?''

''नहीं, वह मंगलौर की है जो आपके राज्य कर्नाटक में है।''

''अच्छा, अच्छा।''

चलती ट्रेन के बाहर अँधेरा छाने लगा है। एलेक्स अनीता के बारे में सोचता है, ''वह गोवा की लड़कियों से अलग है। वह काफी अलग है।''

पिछले दो वर्षों से वह गोवा की राजधानी पणजी में है और अपने मामा फ्रेडी रॉडरिक के साथ काम कर रही है। बैचलर ऑफ आर्ट्स की पढ़ाई पूरी करने के बाद उसके मामा ने उससे पूछा, ''तुम घर बैठकर क्या करोगी? मैं एलेंबिक फार्मास्यूटिकल कंपनी का एक डीलर हूँ। क्यों नहीं तुम इस काम में मेरी मदद करतीं?''

उसकी मामी ने भी आग्रह किया। फिर अनीता ने गोवा में अपने मामा के ऑफिस में काम करना शुरू कर दिया।

उसे वहाँ लाने का मुख्य कारण यह था कि उसके मामा-मामी उसे गोवा के युवा और विवाह के लिए उपयुक्त लड़कों से मिलवाना चाहते थे। अनीता एक अच्छी गायिका थी और वह हमेशा चर्च के लिए गाती थी। उसकी पढ़ाई में अधिक दिलचस्पी नहीं थी। उसने अपनी पढ़ाई पूरी कर ली थी, लेकिन उसकी रुचि इंटीरियर डेकोरेशन में थी। हालाँकि वह अपने मामा के ऑफिस में मेहनत से काम करती थी, लेकिन उसने अपनी मामी के घर को सजाने में और भी अधिक मेहनत की थी। लड़कों के मामले में अनीता कभी खुद पहल नहीं करती थी। मार्क्स की शादी में एलेक्स ने देखा कि वह दुलहन से अधिक खूबसूरत है और उसे वह पसंद आ गई। वह गोरी थी और उसके बाल काले-घने थे। बहुत से कुँवारे लड़के उसके सपने देखते थे।

एलेक्स मुसकराता है। हालाँकि उसने संजय से यह कहा है कि वह उसकी मित्र

है, लेकिन वह जानता है कि वह उसी से विवाह करेगा। उसे याद है कि किस तरह उसने अनीता का फोन नंबर लेने और उसके जाने-आने का पता करने के लिए कितने पापड़ बेले थे। वह बिना वजह अंकल फ्रेडी के घर जाता और घंटों बैठा रहता। उसे डर था कि कोई युवक उससे तेज न निकले और वह अनीता को खो न दे। लेकिन अंकल फ्रेडी स्मार्ट थे। उन्होंने कहा, ''चिंता मत करो बेटा। उसे पार्टियों में ले जाओ, पिकनिक पर ले जाओ और उससे जान-पहचान बढ़ाओ। लेकिन फिलहाल शादी की बात मत करना।''

अंकल फ्रेडी उम्रदराज, अधिक समझदार और अनुभवी थे। वे एलेक्स को पसंद करते थे। कभी-कभार अंकल फ्रेडी के घर जाकर एलेक्स असहज महसूस करता। उनकी आर्थिक स्थिति एलेक्स और उसके परिवार से कहीं बेहतर थी। उनके पास एक अच्छा घर और कार थी। यदि वह अनीता से विवाह करना चाहता है तो उसे अपनी जीवनशैली बेहतर करनी होगी। अन्यथा चर्च के लोग उसका मजाक उड़ाएँगे। अनीता के साथ बाहर जाने पर उसने महसूस किया कि वह संकोची थी और उसके विचार अन्य लड़कियों से अलग थे। उसे पैसों की परवाह नहीं थी। लेकिन एलेक्स जब उसके पिता से मिला तो स्थिति भिन्न थी।

अनीता के पिता मिस्टर पिंटो सख्त अनुशासनवाले व्यक्ति हैं। उनका मानना है कि स्त्रियों को अवश्य काम करना चाहिए। वह मंगलौर फर्टीलाइजर्स के एक वरिष्ठ और ईमानदार अधिकारी हैं। बेटी अनीता के अलावा उनके दो पुत्र भी हैं, जिनमें एक मर्चेंट नेवी में है और दूसरा दिल्ली में रहता है। पिंटो का परिवार धार्मिक है और वे कभी रविवार की प्रार्थना नहीं छोड़ते। वे नियमित रूप से चर्च में आर्थिक सहायता देते हैं और पक्के ईसाई हैं।

जब पिंटो अनीता से मिलने मंगलौर से आए तो एलेक्स उनसे मिला, लेकिन पिंटो ने उससे बात तक नहीं की। उन्होंने कमेंट किए, ''ओह, हमारी अनीता इतनी खूबसूरत है। उसे मर्चेंट नेवी जैसे स्थानों से विवाह-प्रस्ताव मिल रहे हैं।''

एलेक्स ने स्वयं महसूस किया कि वह सिर्फ एक एम.बी.बी.एस. डॉक्टर है और वह इनमें से किसी प्रस्ताव की बराबरी नहीं कर सकता, जब तक कि वह कोई नर्सिंग होम न खोल दे। अनीता से विवाह करने का एकमात्र तरीका यही था कि वह मध्य-पूर्व जाए, पैसा कमाकर लौटे और फिर उससे विवाह करे।

लेकिन यह सब वह संजय को कैसे बता सकता है?

इन विचारों के बीच संजय गोवा के एक कॉलेज में एक प्रोफेसर के रिक्त पद की बात करने लगता है। एलेक्स कहता है, ''संजय बताओ, क्या तुम हमेशा के लिए डॉ. जोग का सहायक बनकर रहना चाहते हो या कभी-न-कभी पैसा भी कमाना चाहते हो?''

संजय जवाब नहीं देता। फिलहाल उसका लक्ष्य अधिक-से-अधिक अनुभव प्राप्त करना और फिर एक पोस्टग्रेजुएट डिग्री हासिल करना है। पैसा उसकी प्राथमिकता नहीं है, हालाँकि वह किसी अमीर परिवार का नहीं है। कुछ समय बाद रात का भोजन आता है। संजय पूछता है, ''एलेक्स, यह ट्रेन किस समय हुबली पहुँचती है।''

''तुम तो ऐसे बात कर रहे हो मानो तुम अपने ही राज्य को नहीं जानते। गोवा के बारे में मुझसे कुछ भी पूछ लो। मैं तुम्हें वहाँ के बारे में कुछ भी बता सकता हूँ।''

''गोवा एक छोटा राज्य है और वहाँ तुम्हारे बहुत से रिश्तेदार हैं। लेकिन हुबली में मेरा कोई रिश्तेदार नहीं है। मैं कभी वहाँ नहीं गया हूँ। मुझे सिर्फ यह पता है कि वह धारवाड़ के निकट है, जो अपने पेड़ों के लिए मशहूर है।''

''तुम्हें कैसे पता?''

''कभी-कभार प्रोफेसर जोग धारवाड़ से पेड़े लाते हैं और अपने स्टाफ को देते हैं।''

''तो तुम्हारे रिश्तेदार कहाँ रहते हैं?''

''अरे मेरा एक छोटा परिवार है, जिसमें मेरी माँ और एक बहन है। मेरे पिता नहीं हैं। मेरी बहन का विवाह एक बैंक क्लर्क से हुआ है और वे लोग बेलूर में रहते हैं। मेरी माँ टी. नरसीपुरा में रहती हैं।''

''तुम्हें पता है संजय, धारवाड़ हिंदुस्तानी संगीत, अच्छे कॉलेजों, महान् संगीतकारों और भैंसों के लिए भी मशहूर है।''

''ऐसा लगता है कि धारवाड़ के बारे में तुम मुझसे अधिक जानते हो।''

''हाँ, बेलगाम से पणजी जाने में कार में लगभग तीन घंटे लगते हैं। मेरे कुछ कजिन हैं, जो हुबली और धारवाड़ में पढ़ते हैं। लेकिन हुबली चोरी के लिए भी कुख्यात है। सबसे अधिक चोरी हुबली जंक्शन पर होती है। लोग कहते हैं कि वह बंबई जितना बुरा है।''

एक और सहयात्री बातचीत में शामिल हो गया, ''यह सच है। एक बार, मेरा सारा सामान उस जंक्शन पर खो गया।''

वह आगे कहता है, ''मेरा नाम केशव राव है। मैं बेंगलुरु में सरकारी सचिवालय में काम करता हूँ। अपनी एक यात्रा के दौरान मैं हुबली होते हुए कोल्हापुर जा रहा था और रात को मेरे सभी बैग गायब हो गए। अगली सुबह मुझे बनियान और लुंगी में बेंगलुरु उतरना पड़ा, जो मैंने पिछली रात पहना हुआ था।''

एलेक्स बोला, ''हुबली में जितनी भीड़ होती है, वहाँ हमेशा चोरियाँ होती रहेंगी। एक बार लोंडा जंक्शन पर मैं भी अपने बैग खो चुका हूँ।''

संजय अनुभवी यात्री नहीं है। इसलिए वह केशव राव की बात सुनकर आश्चर्यचकित

रह जाता है। वह डर जाता है कि यदि उसके कपड़ों का छोटा बैग खो गया तो उसे भी अपनी बनियान और लुंगी में ही शादी में शामिल होना होगा। वह अपना छोटा बैग फर्श से उठाकर अपने सिर के नीचे रख लेता है, ताकि वह सुरक्षित रहे और वह अपनी बाकी यात्रा में उसे तकिए की तरह इस्तेमाल कर सकता है। जल्दी ही उसकी आँख लग जाती है।

3
खूबसूरत चोर

सुरेखा की हथेलियों पर मेंहदी की एक विस्तृत डिजाइन लगाने के बाद मृदुला उठकर अपनी पुरानी साड़ी से अपने हाथ पोंछती है। वह अपने काम से संतुष्ट और खुश है। गाँव में उसके जैसी मेंहदी कोई नहीं लगा सकता। इसलिए उसकी सभी सहेलियों की शादी में उसे बुलाया जाता है। वह सभी की मदद करती है और शादी के बाकी कामों में भी हाथ बँटाती है। सुरेखा मृदुला की सहपाठिनी और पक्की सहेली है। हुबली में उस शाम उसकी मेंहदी की रस्म के लिए उसकी कक्षा की सभी अविवाहित लड़कियों को आमंत्रित किया गया है।

शादी की शाम आसमान में काले बादल छाए हुए हैं, जो कभी भी बरस पड़ने को बेताब हैं। श्रावण—यानी बरसात का मौसम खत्म ही होनेवाला है। शाम को सात बजे ही आधी रात जैसा अँधेरा हो गया है। दुलहन सुरेखा विवाह-स्थल के अपने कमरे में है। वह उदास है। अब तक वह अपने स्नेहिल परिवार के सुरक्षित घेरे में रही है, लेकिन अब उसे एक अनजान व्यक्ति के साथ बाहर की दुनिया में कदम रखना होगा। उसकी आँखें भी बादलों की तरह हैं, जो किसी भी समय बरस सकती हैं।

विवाह-स्थल पर हँसी-खुशी का माहौल है। सिल्क साड़ियों की सरसराहट, अगरबत्तियों की सुगंध, ताजे मोगरा के फूलों की खुशबू और मुँह में पानी लानेवाली मिठाइयाँ पूरे वातावरण को उत्सवपूर्ण बना रही हैं।

सुरेखा के पिता ने कई शहरों और नगरों में काम किया है, इसलिए उनके बहुत से परिचित और मित्र हैं। अधिकतर लोग इस विवाह के लिए आए हैं। वर का परिवार बेंगलुरु का है, इसलिए वहाँ से बहुत कम लोग आ पाए हैं। उनके ठहरने का इंतजाम उसी भवन में पहली मंजिल पर किया गया है।

मृदुला बाथरूम में अपने हाथों में लगी मेंहदी को साफ कर रही है, जब उसे बारिश की बूँदों की टिपटिप सुनाई देती है। बूँदाबाँदी से शुरू होकर बारिश धीरे-धीरे जोर पकड़ती है। खुली खिड़कियों से पानी की बौछारें विवाह हॉल में घुसने लगती हैं।

बारिश अलग-अलग लोगों में भिन्न-भिन्न भावनाएँ जगाती है। मृदुला के लिए बरसात खुशी का पर्याय—प्रकृति का उपहार है। वह सोचती है, गरमियों में धरती धूल से भर जाती है और सूख जाती है। बारिश धूल को जमा देती है, गंदगी बहा ले जाती है और दुनिया को हरा-भरा कर देती है। वह कवियों और कलाकारों में रचनात्मकता को प्रेरित करती है, लेकिन किसी विवाह में वह सिर्फ चिंता लेकर आती है।

अचानक भारी बारिश के कारण बिजली चली जाती है। सुरेखा की माँ लीला घबरा जाती हैं, ''हे भगवान्! दूल्हे का परिवार और मित्र बेंगलुरु से आए हुए हैं और उन्होंने हमसे बहुत उम्मीदें रखी हैं।''

फिर उन्हें मृदुला नजर आती है और वह मृदुला से कहती हैं, ''जल्दी करो, कुछ मोमबत्तियाँ और माचिस लेकर पहले तल पर वर पक्ष के कमरों में जला आओ। दुर्भाग्य से जेनरेटर चलने में थोड़ा समय लेगा। मैं सुरेखा के पिता से कहकर पेट्रो लैंपों की व्यवस्था करवाती हूँ।''

मृदुला किसी को ''ना'' नहीं कह सकती। उसका स्वभाव ही ऐसा है। इसलिए वह मुसकराते हुए कहती है, ''आंटी, चिंता मत कीजिए। मैं देखकर आती हूँ कि हर कमरे में मोमबत्ती है या नहीं।''

सबसे पहले वह सुरेखा के कमरे में एक मोमबत्ती जलाती है। सुरेखा गीली मेंहदी को सुखाने के लिए अपनी हथेलियाँ फैलाए बैठी थी और उसकी सहेलियाँ उसे घेरकर बात कर रही थीं तथा उसे छेड़ रही थीं।

उनके सामने पंडित थिप्पा भट्टा बैठे हैं। सुरेखा की शरारती सहेली मेघना उन्हें छेड़ रही है, ''पंडितजी, कृपया हमें पाणिग्रहण के बारे में बताइए।''

''जब वर पहली बार वधू का दाहिना हाथ अपने हाथ में लेता है तो उसे पाणिग्रहण कहते हैं।''

''क्या कोई लड़का कभी भी वधू का हाथ थाम सकता है?''

''नहीं। लड़का और लड़की दोनों को अविवाहित होना चाहिए तथा दोनों को एक-दूसरे का हाथ शुभ घड़ी में थामना चाहिए।''

''यदि कोई लड़का किसी बस स्टॉप पर किसी लड़की का हाथ पकड़ ले तो?'' कोई पूछता है?''

मेघना बीच में ही टोक देती है, ''पंडितजी, शुभ घड़ी क्या है?''

थिप्पा भट्टा एक अनुभवी व्यक्ति हैं और सवालों से नहीं डरते। ''वह कई कारकों पर निर्भर होता है। जैसे कुछ समय हमेशा शुभ होते हैं। अभी के समय को गोधूलि कहते हैं और वह बहुत अनुकूल होता है। अगर आप हाँ कहें तो मैं अभी आपके लिए एक लड़का ढूँढ़ता हूँ और साढ़े छह से सात बजे के बीच आपका विवाह

करा देता हूँ।''

मेघना शरमा कर चुप हो जाती है।

मृदुला अब भी हर कमरे में जाकर मोमबत्तियाँ जला रही है, लेकिन वह नीचे हो रही बातचीत भी सुन रही है।

इस बीच बिजली चली जाने और बारिश के कारण वर की माँ नाखुश है। उसकी बहन कहती है, ''आपको जोर देना चाहिए था कि शादी बेंगलुरु के एक बढ़िया हॉल में हो। इस समय तक जेनरेटर चलने लगता। जरा इस अव्यवस्था को देखो। अगर अंदर पानी घुस गया तो हम सोएँगे कहाँ?''

उन्हें पैरों की आहट सुनाई देती है। मृदुला अंदर आती है और कहती है, ''आंटी ने असुविधा के लिए माफी माँगी है। पेट्रो लैंप बस आते ही होंगे। आंटी ने बिजली बोर्ड में फोन भी किया है। क्या मैं यहाँ मोमबत्ती जला दूँ?''

दोनों बहनें उसे ध्यान से देखती हैं। यह लड़की कौन है? यह तो दुलहन से भी सुंदर है! फिर संतोष की माँ कहती है, ''ठीक है, लेकिन चिंता मत करो। हम देख लेंगे।''

मृदुला अगले कमरे में जाती है। वर संतोष ने एक मैसूर पगड़ी पहन रखी है और वह उत्साहित लग रहा है। उस कमरे में कई पुरुष हैं। मृदुला वहाँ अधिक देर तक नहीं रहती। वह जल्दी-जल्दी हर कमरे में जाती है और फिर आखिरी कमरे में पहुँचती है।

वहाँ कोई नहीं है। खिड़की खुली है और बारिश अब भी झमाझम हो रही है। वह खिड़की की सिल पर एक छोटा बैग रखा देखती है। मृदुला के दिमाग में आता है, ''अगर मैं खिड़की न बंद करूँ तो फर्श गीला हो जाएगा और रात में सोना मुश्किल होगा।''

वह दरवाजे के पास एक मोमबत्ती रखती है, खिड़की के पास जाती है और बारिश में अपना हाथ आगे बढ़ाती है। जैसे ही वह बैग को उठाने के लिए पकड़ती है, एक गरम और मजबूत हथेली धीरे से उसकी हथेली को जकड़ लेती है। ठीक उसी समय, नीचे हॉल में लगी घड़ी की टन-टन सुनाई देती है। छह बजकर तीस मिनट हुए हैं। मेघना जोर से चिल्लाती है, ''अरे, शुभ घड़ी आ गई।''

उसके साथ हर किसी की हर्षध्वनि गूँजती है।

वहाँ अँधेरा है और एक मिनट के लिए मृदुला भयभीत होती है। वह व्यक्ति न तो वहाँ से हिलता है, न उसका हाथ छोड़ता है। तभी एक कठोर पुरुष स्वर सुनाई देता है, ''मैंने तुम्हें पकड़ लिया।''

''क्या मतलब है तुम्हारा?'' मृदुला अपना हाथ छुड़ाने की कोशिश में प्रतिरोध करती है।

''मुझे पता है कि शादियों और रेलवे स्टेशनों पर खूब चोरियाँ होती हैं।''

''किसी चोरी के लिए मैं जिम्मेदार नहीं हूँ। जाकर पुलिस में शिकायत करो।''

''जब मैंने चोर को रँगे हाथों पकड़ लिया है तो मैं पुलिस के पास क्यों जाऊँ? यहाँ अँधेरा है और बिजली भी नहीं है। तभी तुम्हें लगा कि तुम मेरा बैग चुरा सकती हो।''

अब मृदुला को समझ में आता है कि वह पुरुष, जिसे वह अँधेरे की वजह से ठीक से देख नहीं पा रही, उसे चोर समझ रहा है। वह गुस्से में आकर कहती है, ''मैं चोर नहीं हूँ।''

''सभी चोर यही कहते हैं। लेकिन मुझे ट्रेन में ही इस शहर की हरकतों के बारे में पता चल गया था?''

''क्या पता चल गया था?''

''कि हुबली चोरों का स्वर्ग है। मेरी तबीयत ठीक नहीं है और मैं थोड़ा गरम पानी लेने नीचे गया था। अगर मैं समय पर नहीं आता तो तुम मेरे हाथ से निकल जाती।''

''मेरा हाथ छोड़ो। मैं चोर नहीं हूँ। मैं यहाँ मोमबत्ती जलाने आई थी और देखा कि खिड़की से पानी आ रहा था। मैं उसे बंद करने और बैग को गीला होने से बचाने जा रही थी।''

''मुझे तुम पर विश्वास नहीं है!'' पुरुष कहता है।

अचानक बिजली आ जाती है। तेज रोशनी में संजय और मृदुला पहली बार एक-दूसरे को देखते हैं। उसकी साड़ी मुड़ी हुई है, उसके बाल खुले हुए हैं और चेहरे पर थकान है। उसके गाल गुस्से से दहक रहे हैं। फिर भी वह अपने घने लंबे बालों, बेदाग त्वचा और बड़ी-बड़ी चमकीली आँखों के साथ बेहद खूबसूरत लग रही है। संजय बिना किसी झिझक के उसपर नजरें टिका देता है—मानो कोई प्यासा पानी से अपनी प्यास बुझा रहा हो।

एक डॉक्टर के रूप में उसने कई युवतियों के हाथों को स्पर्श किया था, लेकिन उनके बीच के रिश्ते सख्ती से परिभाषित होते थे—उससे अधिक नहीं और उससे कम नहीं। जहाँ तक उसे याद है, उसने पहली बार एक अनजान लड़की का हाथ पकड़ा है। उसकी किसी लड़की से जान-पहचान नहीं है और चूँकि वह संकोची स्वभाव का है, वह अपनी महिला सहकर्मियों से भी अधिक घुलता-मिलता नहीं है।

मृदुला भी संजय को देखती रह जाती है। वह लंबा है और हालाँकि वह उसके जितना गोरा नहीं है, मगर साँवला भी नहीं है। उसके बाल घुँघराले और बदन कसरती है। उसके चेहरे पर सुखद आश्चर्य दिख रहा है। उसके नाक-नक्श सुंदर और तीखे हैं। हालाँकि उसने एक साधारण सी काली पैंट और सफेद शर्ट पहन रखी है, लेकिन वह

आसानी से मॉडल बन सकता है।

तब तक नीचे से मेघना की जोर की आवाज सुनाई देती है, ''मृदुला, कहाँ हो तुम? बिजली आ गई है। जल्दी आओ।''

मृदुला फर्श पर बैग फेंककर संजय के हाथों से अपना हाथ छुड़ाती है और नीचे भाग जाती है। अजीब बात है कि मृदुला नाराज नहीं है। वह उस व्यक्ति के बारे में सोचती है। हालाँकि उसका हाथ मजबूत है, वह असामान्य रूप से गरम है और वह जानती है कि उसकी तबीयत ठीक नहीं है। वह इस युवक के प्रति एक अजीब सा आकर्षण महसूस करती है। लेकिन उसे शर्मिंदगी भी महसूस होती है कि शायद वह अपनी भीगी हुई साड़ी में गीली और अस्त-व्यस्त लग रही थी।

संजय अपने बैग की ओर देखता है। वह खुला नहीं है और बारिश अब भी खुली खिड़की से अंदर आ रही थी। उसे लड़की पर तरस आया, ''बेचारी लड़की, वह जरूर इस विवाह में मदद करने आई होगी। वह मोमबत्ती जलाने ही ऊपर आई होगी।''

वह उसपर चोरी का आरोप लगाने पर शर्मिंदा होता है। गरीबी बुरी चीज है और वह यह बात जानता है। वह अपने-आप को झिड़कता है, ''मुझे बोलते समय थोड़ा खयाल रखना चाहिए था। मृदुला कितना खूबसूरत नाम है।''

संजय उधर नजर डालता है, जहाँ मृदुला खड़ी थी। वह फर्श पर एक फ्लोरल हेयरबैंड पड़ा हुआ देखता है। वह उसे उठा लेता है। उसे उम्मीद है कि हेयरबैंड वापस करने के बहाने वह उससे माफी माँग सकता है।

जल्दी ही विवाह-पूर्व जश्न शुरू हो जाता है। संजय तीन सालों बाद संतोष से मिल रहा है। लेकिन उसके बावजूद उनकी बातचीत चंद मिनटों में ही खत्म हो जाती है। समारोह में संतोष के नए मित्र भी हैं, जिन्हें संजय नहीं जानता। उसे लगता है कि उसने इस शादी के लिए दो दिन की छुट्टी बरबाद कर दी। फिर उसे याद आता है कि उसे प्रोफेसर जोग का पैकेज हुबली के पास कहीं पहुँचाना है। उसे वहाँ पहुँचने का रास्ता जानना है। इसलिए वह रात के भोजन के समय किसी से पूछने का फैसला करता है।

वह इधर-उधर देखता है और फिर उसे मृदुला नजर आती है। उसने एक पीली सिल्क साड़ी पहनी हुई है और अपनी लंबी चोटी में चंपक के फूलों की लड़ी सजाए हुए है। उसने गहने भी पहने हुए हैं और वह एक सुनहरी मूर्ति की तरह लग रही है। वह उसकी सुंदरता से सम्मोहित हो जाता है, लेकिन अपने व्यवहार को याद करके बहुत बुरा महसूस करता है।

रात्रि भोज के समय वह खुद को एक बुजुर्ग के बगल में पाता है, उसे लगता है कि बात करने के लिए वे बुजुर्ग सबसे सही रहेंगे, क्योंकि बुजुर्ग लोग आमतौर पर

अधिक बातें करते हैं। उसके कुछ कहने से पहले ही बुजुर्ग पूछते हैं, ''तुम दुलहन के पक्ष के हो या वर पक्ष के?''

''वर पक्ष का।''

''अच्छा, मैं वधू के पक्ष का हूँ।''

संजय पूछता है, ''आपको पता है कि अलादाहल्ली कहाँ है?''

''हाँ, हाँ। यहाँ से तीस किलोमीटर दूर। तुम वहाँ किससे मिलना चाहते हो?''

''चंपा बाई कामितकर।''

''तुम उन्हें कैसे जानते हो?''

''असल में मैं उन्हें नहीं जानता। वे मेरे प्रोफेसर की रिश्तेदार हैं।''

''तुम्हारे प्रोफेसर का नाम क्या है?''

संजय से इस व्यक्ति का इतने सारे सवाल पूछना अच्छा नहीं लगता लेकिन उसके पास कोई चारा नहीं है। इसलिए वह कहता है, ''डॉ. जोग।''

''ओह, चंद्रकांत। मैं उसे अच्छी तरह जानता हूँ। लेकिन चंपा बाई अकसर सफर पर रहती हैं। अगर वे तुम्हें घर पर न मिलें तो तुम भीमन्ना से मिलकर जा सकते हो।''

''भीमन्ना कौन हैं?''

''अलादाहल्ली के एक महत्त्वपूर्ण व्यक्ति।''

''मुझे उनका घर कैसे मिलेगा?''

''बहुत आसान है। उनका घर हनुमान मंदिर के बगल में है और चंपा बाई का घर उनके घर के सामने है।''

''अलादाहल्ली कैसे जा सकते हैं?''

''उसमें कोई समस्या नहीं है। कल दोपहर दो बजे एक नॉन स्टॉप बस है। या फिर हर घंटे एक रेगुलर बस चलती है।''

संजय जल्दी से अपना भोजन समाप्त करता है। जब वह पानी की ओर हाथ बढ़ाता है तो देखता है कि पानी गरम है। संजय परोसनेवाले लड़के से पूछता है, ''मुझे गरम पानी देने के लिए तुम्हें किसने कहा?''

लड़का मृदुला की ओर इशारा करता है, ''उन्होंने कहा।'' मृदुला उसे देखकर मुसकराती है, लेकिन संजय शर्मिंदा है। वह बस उसे देखकर सिर हिलाता है।

अगले दिन बारिश नहीं होती, शादी आराम से हो जाती है। हँसी-खुशी का माहौल है। संजय नए जोड़े को उपहार दे देता है और अलादाहल्ली के लिए दो बजेवाली बस पकड़ने का फैसला करता है। बस स्टैंड पर उसे मृदुला खड़ी दिखती है। वह उसे किसी आम लड़की की तरह साधारण कपड़ों में देखकर हैरान रह जाता है। यह माफी माँगने का सबसे अच्छा समय है। वह उसके पास जाकर सौम्यता से कहता है, ''सॉरी,

मिस मृदुला।''

वह मुड़कर उसे देखती है। अचंभित होकर कहती है, ''आप यहाँ कैसे?''

''मैं अपने कठोर शब्दों के लिए माफी चाहता हूँ।''

''हाँ, आपने मुझे गलती से चोर समझ लिया। शायद मेरे गीले कपड़ों की वजह से। आप इतने अधीर थे कि आप मेरी बात सुन ही नहीं रहे थे, मिस्टर...''

''मैं संजय, बंबई में डॉक्टर हूँ।''

''मैंने आपसे परिचय नहीं पूछा,'' मृदुला ने शरारत से कहा।

''मैं वाकई शर्मिंदा हूँ।''

''नहीं, आपकी गलती नहीं है। व्यक्ति का पहनावा महत्त्वपूर्ण होता है।''

बस आती है और दोनों उसमें चढ़ जाते हैं। मृदुला चिंता में पड़ जाती है। संजय आकर्षक है और उसी ने बताया कि वह डॉक्टर है, लेकिन वह उसका पीछा क्यों कर रहा है? जहाँ तक वह जानती है, अलादाहल्ली में कोई उसे नहीं जानता। अगर वह उसके पीछे-पीछे उसके घर तक पहुँच गया तो पुराने विचारोंवाली रुकमा चुप नहीं बैठेंगी। वे अपने सवालों से उसे मार ही डालेंगी और उसके आने की खबर उस छोटे से गाँव में आग की तरह फैल जाएगी। सबसे अच्छा तरीका यह है कि उसे अभी वापस भेज दिया जाए। मृदुला उससे पूछती है, ''आप अलादाहल्ली में किसके घर जा रहे हैं?''

संजय उसकी ओर देखता है। उसका चेहरा खुली किताब है। वह जानता है कि यह मासूम लड़की अपनी भावनाओं को छिपा नहीं सकती, इसलिए वह उसे छेड़ता है।

''आपके।''

''क्यों?''

''मैं आपके माता-पिता से मिलकर उन्हें समझाना और उनसे माफी माँगना चाहता हूँ।''

''मैंने आपको माफ कर दिया है। आपको वहाँ आने की जरूरत नहीं है।''

''आपके माता-पिता से माफी माँगना मेरा कर्तव्य है।''

मृदुला और परेशान हो जाती है। कंडक्टर के आने पर संजय अलादाहल्ली के दो टिकट लेता है। मृदुला पूरे सफर के दौरान असहज रहती है। वह अपने-आप को कोसती है, ''मैं मोमबत्ती लेकर ऊपर गई ही क्यों।''

बस के अलादाहल्ली पहुँचने पर मृदुला जल्दी से नीचे उतर जाती है।

एक छोटा लड़का बुदनसबी उसका इंतजार कर रहा है। उसके पैर पर एक जख्म है। वह कहता है, ''दीदी, कल साइकिल की चेन से मुझे चोट लग गई थी, तब मुझे आपकी बहुत याद आई। क्या आप देखकर बताएँगी कि मुझे क्या करना चाहिए?''

संजय उस लड़के से कहना चाहता है कि तुरंत एक टेटवैक इंजेक्शन लगवा ले। लेकिन मृदुला बोल पड़ती है, ''अपने घाव को डेटॉल से साफ करके मेरे घर आ जाओ। मैं तुम्हें दवा दे देती हूँ।''

बुदनसबी कहता है, ''ठीक है'' और चला जाता है।

संजय को अच्छा नहीं लगता। मृदुला सुंदर है और उसका परिवार इस गाँव में अमीर होगा, लेकिन वह डॉक्टर नहीं है। उसे नतीजों के बारे में सोचे बिना लोगों को सलाह नहीं देनी चाहिए। वह खुद को बोलने से नहीं रोक पाता, ''मृदुला, आपको गाँववालों को भ्रमित नहीं करना चाहिए। डेटॉल कोई हल नहीं है। उसे टेटवैक की जरूरत है। वह बहुत आवश्यक है। वरना उस लड़के को काफी परेशानी हो सकती है।''

मृदुला उसकी बातों पर ध्यान न देकर मुसकराती है, ''अच्छा, ऐसा है क्या?''

''मुझे नहीं मालूम कि आपने कौन सी पढ़ाई की है, लेकिन आपको किसी के जीवन से खेलने का हक नहीं है। आपको उसे डॉक्टर के पास जाने की सलाह देनी चाहिए थी।''

''हाँ, मैं एक शिक्षिका हूँ, लेकिन इसका यह अर्थ नहीं कि मुझे उनकी मदद करने की कोशिश नहीं करनी चाहिए। चलिए, अब से ऐसा करते हैं, जब भी कोई मरीज आएगा, हम उसे बंबई भेज देंगे। लेकिन आपको उसके जाने-आने का किराया देना होगा।''

वह जवाब का इंतजार किए बिना चल देती है। संजय को मृदुला द्वारा अपने पेशे का मजाक उड़ाया जाना बुरा लगता है। वह सोचता है, ''वह एक लापरवाह लड़की है जो एक संपन्न परिवार का होने का फायदा उठा रही है। मैं इन सब पचड़े में नहीं पड़ना चाहता। मैं यहाँ एक काम से आया हूँ—पैकेज पहुँचाने, चंपा बाई के बारे में पता करने और अपने प्रोफेसर को इस बारे में सूचित करने। मैं अपना काम करके तुरंत निकल लूँगा।''

कुछ मिनट बाद वे हनुमान मंदिर के सामने से निकलते हैं। मृदुला संजय से आगे-आगे चल रही है। वह चिंतित है कि संजय उसके पिता से क्या कहेगा, जबकि संजय इस बात से हैरान है कि यह लड़की उसी दिशा में क्यों जा रही है जिधर वह जा रहा है।

आखिरकार वे भीमन्ना के घर पहुँचते हैं। भीमन्ना बरामदे में बैठा है। संजय पूछता है, ''मि. भीमन्ना कौन है?''

भीमन्ना उठ कर कहता है, ''मैं हूँ, बताइए।''

''मैं चंपा बाई कामितकर से मिलना चाहता हूँ।''

''ओह, वह तो नारागुंड गई हुई हैं।''

"मैं संजय राव हूँ, बंबई का एक डॉक्टर। मेरे प्रोफेसर डॉ. जोग ने मुझे यहाँ एक पैकेज पहुँचाने के लिए भेजा है।"

भीमन्ना आगंतुक को देखकर प्रसन्न होता है। वह उत्साहपूर्वक कहता है, "आप बाहर क्यों खड़े हैं? यहाँ आकर बैठिए। संकोच मत कीजिए। चंपा बाई एक घंटे में लौट आएँगी। आप यहाँ प्रतीक्षा कर सकते हैं।"

फिर भीमन्ना अपनी बेटी की ओर देखता है, "तुम वहाँ अजनबी की तरह क्यों खड़ी हो? देखो, एक डॉक्टर साहब घर आए हैं। शादी कैसी रही?"

मृदुला के जवाब देने से पहले ही भीमन्ना आगे बोल पड़ता है, "संजय राव, मृदुला मेरी बेटी है। वह हुबली में अपनी सहेली की शादी में गई थी। सुरेखा उसकी सहपाठी थी और मैं सुरेखा के पिता को लंबे समय से जानता हूँ। मृदुला हम दोनों के लिए दो कप कड़क चाय बनाओ।"

मृदुला अंदर जाती है और चंद मिनटों में दो कप चाय लेकर बाहर आती है। वह मुसकरा रही है। संजय चाय ले लेता है और वह पैकेज भीमन्ना को दे देता है। वह कहता है, "मेरे खयाल से मुझे जाना चाहिए। आज रात की ट्रेन से मुझे वापस जाना है। कृपया यह सामान चंपा बाई को दे दें।"

"नहीं, नहीं, आप इस तरह नहीं जा सकते। आपको हमारे साथ रात का भोजन करना पड़ेगा। मैं आपको समय पर रेलवे स्टेशन पहुँचाने की व्यवस्था कर दूँगा। आप चंद्रकांत के सहायक हैं और वे मेरे अच्छे मित्र हैं। मैं उनके सहायक को भोजन कराए बिना कैसे वापस भेज सकता हूँ? वे क्या सोचेंगे? हमारी चंपा बाई क्या सोचेंगी?"

संजय असहज हो जाता है। वह कहता है, "नहीं, नहीं? मुझे वापस जाना होगा। मैं यहाँ इतनी देर नहीं रुक सकता।"

"आप हमारे गाँव में बोर नहीं होंगे। आपको हनुमान मंदिर, बड़ीवाली झील और हमारा ओधीय बगीचा देखना चाहिए। समय तुरंत कट जाएगा। मृदुला, जल्दी से भोजन तैयार करो। संजय और मैं गाँव में चक्कर लगाने जा रहे हैं, हम जल्दी ही लौटकर आते हैं।"

भीमन्ना उठकर चल देता है, उसे पता है कि संजय के पास उसके पीछे आने के सिवा कोई चारा नहीं है। संजय कभी ऐसे खुले दिल के, स्पष्टवादी और स्नेहिल व्यक्ति से नहीं मिला था और वह सोच नहीं पाता कि उसकी क्या प्रतिक्रिया होनी चाहिए। संजय को अच्छा लगता है, जब भीमन्ना मृदुला के बारे में बात करना शुरू करता है, "हमारी मृदुला बहुत होशियार है। हम इस सुदूर गाँव में रह रहे हैं और हमें उसके लिए एक पढ़ा-लिखा लड़का ढूँढ़ने में परेशानी हो रही है। यहाँ तो बस किसान हैं।"

"आप डॉ. जोग की मदद ले सकते हैं।"

''आपका कहना सही है, लेकिन चंद्रकांत को यहाँ आए दस वर्ष से अधिक हो गए हैं और मृदुला को कर्नाटक का ही लड़का चाहिए। हमने लड़के ढूँढ़े, लेकिन कुछ को लगा कि मृदुला न तो डॉक्टर है, न इंजीनियर। कुछ लड़के मृदुला को पसंद नहीं आए। हमारी मृदुला कहती है, 'मुझे कम पैसेवाले लड़के से विवाह करने में कोई आपत्ति नहीं है। मैं भी काम कर सकती हूँ। मगर वह लड़का अच्छे स्वभाव का होना चाहिए।' वह हमसे अलग तरीके से सोचती है।''

अचानक संजय को बुदनसबी याद आता है, वह पूछता है, ''क्या मृदुला को चिकित्सा के बारे में कुछ पता है?''

''हाँ, उसने इस क्षेत्र में प्रशिक्षण लिया है। यहाँ हमारे पास अस्पताल नहीं है। इसलिए वह टेटवैक के इंजेक्शन देती है, टीकाकरण शिविरों में सहायता करती है और लोगों की देखभाल करती है। वह बहुत अच्छी फर्स्ट ऐड देती है जिससे गाँव की महिलाओं की काफी मदद हो जाती है।''

अब वे फिर से भीमन्ना के घर के सामने हैं और उन्हें पता चलता है कि चंपा बाई लौट आई हैं। संजय उनसे बात करता है और उन्हें वह पैकेज दे देता है। उसे मृदुला कहीं नजर नहीं आती। उसे विश्वास नहीं हो रहा है कि करीब चौबीस घंटे पहले मिली एक खूबसूरत लड़की ने उसे हमेशा के लिए सम्मोहित कर लिया है।

हुबली से लौटने के बाद संजय लगभग हर दिन मृदुला के सपने देखता है। अपने बैग से सामान निकालते समय उसे उसका हेयरबैंड मिलता है। वह उसे देना भूल गया! वह खुद से कहता है, ''मैं उसे डाक से भेज सकता हूँ। लेकिन मुझे ऐसा करने का मन नहीं कर रहा। हो सकता है मैं फिर कभी उससे न मिल पाऊँ। इस हेयरबैंड को कूड़ेदान में फेंक देना चाहिए।''

लेकिन वह ऐसा नहीं करता।

अगले कुछ दिन वह अपने काम में व्यस्त रहता है और धीरे-धीरे हेयरबैंड के बारे में भूल जाता है।

4

नियति

हुबली शिक्षक संघ दशहरा की छुट्टियों के दौरान तीन सप्ताह के वार्षिक भ्रमण पर जाता है। वे पड़ोसी गाँवों के शिक्षकों को भी इसमें आमंत्रित करते हैं और इस वर्ष अलादाहल्ली के दो शिक्षक उनके साथ जा रहे हैं—प्रिंसिपल श्री सिद्दारोड हीरामत

और सुश्री मृदुला।

पिछले चार वर्षों में शिक्षक संघ दिल्ली, केरल और तमिलनाडु की यात्राएँ कर चुका है। इस वर्ष उनकी महाराष्ट्र जाने की योजना है। सभी शिक्षक उत्साहित हैं और उन्होंने इस ट्रिप पर खर्च करने के लिए पैसे बचाए हैं। उन्होंने एक पूरी रेलवे कोच आरक्षित कर ली है और अपने साथ रसोइया भी ले जाना चाहते हैं। इससे पैसे भी बचेंगे तथा शुद्ध भोजन भी मिल पाएगा। शिक्षक बड़े महानगरों में मौजूद स्थानीय कर्नाटक संघों में ठहरने का फैसला करते हैं। इस यात्रा के दौरान बंबई, अजंता, एलोरा, औरंगाबाद नासिक और कुछ अन्य शहर जाने की योजना है।

हालाँकि रुकमा को यह पसंद नहीं, लेकिन भीमन्ना मृदुला को इस यात्रा पर जाने के लिए प्रोत्साहित करता है। मृदुला कभी उत्तरी कर्नाटक से बाहर नहीं गई है और वह अधिक बड़े भारत को देखने के लिए उत्सुक है। शाम को जब वह अपने बैग में सामान रख रही है, उसी समय चंपा बाई उसे यात्रा के लिए शुभकामनाएँ देने आती हैं। चंपा बाई को यात्राओं का अच्छा अनुभव है और वे दूसरों को इस बारे में टिप्स देना पसंद करती हैं। वे सलाह देती हैं, ''मृदुला अधिक साड़ियाँ मत लेकर जाना। अगर तुम्हें सबसे पहले पुणे रुकना है तो तुम वहाँ से ढेर सारी अच्छी साड़ियाँ खरीद सकती हो। यह रहा चंद्रकांत का पता और टेलीफोन नंबर। एक अनजान शहर में एक डॉक्टर का पता रहना बेहतर होता है। अगर तुम चाहो तो बंबई में उसके साथ रह सकती हो।''

''आंटी, मैं उनसे बारह वर्ष पहले मिली थी और मुझे उनका चेहरा भी याद नहीं है। और मुझे मराठी बोलनी भी नहीं आती।''

''मृदुला, बहाने मत बनाओ। उसे फोन करके कहो कि तुम भीमन्ना की बेटी हो। फिर वह तुमसे कन्नड़ में बात करेगा। यह उसकी मातृभाषा है।''

भीमन्ना विषय बदल देता है, ''चंपा बहन, तुम्हारी भतीजियों की शादी हो चुकी है और वे कर्नाटक में हैं, है न?''

अब मृदुला को पता है कि यह बातचीत कभी खत्म नहीं होगी और चंपा बाई उसके घर पर ही भोजन करेंगी। इसलिए वह अपनी माँ की मदद करने रसोईघर में चली जाती है।

अगली सुबह मृदुला अपनी यात्रा पर चली जाती है।

उनका पहला पड़ाव पुणे है। मृदुला दल में सबसे छोटी है। वे लोग पार्वती पहाड़, चतुश्रृंगी मंदिर, संभाजी पार्क और दागडु हलवाई गणपति मंदिर घूमने जाते हैं। चंपा बाई के निर्देशानुसार सभी महिला शिक्षिकाएँ साड़ियाँ खरीदने के लिए लक्ष्मी रोड जाती हैं। मृदुला को अब तक हुबली एक बड़ा बाजार लगता था। लेकिन अब उसे पता चलता है कि पुणे की तुलना में हुबली बाजार कितना छोटा है।

वहाँ ढेर सारे रसवंती गृह हैं और इन जूस की दुकानों में बड़ी विशिष्टता से गन्ने का रस बेचा जाता है। अलादाहल्ली में गन्ने की खेती नहीं होती, क्योंकि वहाँ की जमीन गन्ने के लिए अच्छी नहीं है और गन्ने के खेतों में बहुत से पानी की जरूरत होती है। हुबली में मिलनेवाले गन्ने के रस का स्वाद अलग होता है। यहाँ लोग गन्ने के रस में नींबू, इलायची और अदरक मिलाते हैं तथा उसे बर्फ पर रखते हैं। मृदुला को पुणे में गन्ने का रस बहुत पसंद आता है और वह वहाँ से निकलने के दिन तक काफी रस पी लेती है।

जब वे सब बंबई पहुँचे, मृदुला वहाँ की भीड़ देखकर घबरा जाती है। महानगर, इसके लोग और रेलगाड़ियों की तेज गति उसे भयभीत करती है एवं उसे अलादाहल्ली तथा वहाँ की शांति याद आती है। यह दल मध्य बंबई के एक जिले माटुंगा में स्थित कर्नाटक संघ में ठहरते हैं।

अगले दिन दल की योजना एलिफैंटा गुफाएँ, गेटवे ऑफ इंडिया और नरीमन प्वॉइंट देखने की है। वे शहर घूमने के लिए एक बस किराए पर लेते हैं। लेकिन नाश्ते के बाद मृदुला को चक्कर और उबकाई सी आने लगती है। वह दूसरे लोगों से कहती है, ''मेरी तबीयत ठीक नहीं लग रही है। लेकिन आप लोग घूमने जाइए। यहाँ एक रखवाला और रसोइया है। वे जरूरत पड़ने पर मेरी मदद करेंगे। मैं कोई दवा ले लेती हूँ और शाम को आप लोगों के लौटने तक मैं ठीक हो जाऊँगी।''

सभी को मृदुला की चिंता है, लेकिन मृदुला उन्हें आश्वस्त करती है कि वह कुछ देर आराम करने से ठीक हो जाएगी। इसलिए मृदुला के यह वादा करने के बाद कि वह तबीयत अधिक बिगड़ने पर उन्हें फोन कर देगी, घूमने निकल जाते हैं। असल में मृदुला डर गई है। उसे लगता है कि उसने शायद गन्ने का रस अधिक पी लिया था। उसे बुखार आ जाता है और दवा लेने के बाद भी बुखार जाने का नाम नहीं लेता। कुछ देर बाद उसे उलटी होने लगती है और उसके शरीर में पानी की कमी होने लगती है। वह जानती है कि ऐसी स्थिति में ड्रिप्स पर रहना और ढेर सारा नारियल पानी पीना फायदेमंद होता। वह असहाय महसूस करती है, ''अगर यह जारी रहा तो मैं दल के बाकी लोगों का कार्यक्रम खराब कर दूँगी। लोग महीनों से इस ट्रिप का इंतजार कर रहे थे। मैं तबीयत ठीक होने तक बंबई में रह सकती हूँ, मगर मैं रहूँगी कहाँ? अगर अलादाहल्ली में मेरी तबीयत खराब हुई होती तो कोई परेशानी नहीं होती। पिताजी ने शिगाँव या हुबली के डॉक्टर को बुला लिया होता।''

अचानक मृदुला को याद आता है कि चंपा बाई ने उसे डॉ. जोग का कॉन्टेक्ट नंबर दिया था। जल्दी ही उसका पेट भी दुःखने लगता है। हालाँकि उसे डॉ. चंद्रकांत को फोन करने में हिचकिचाहट हो रही है। उसे समझ नहीं आ रहा है कि वह क्या करे।

वह काफी हिचकिचाते हुए डॉक्टर को फोन करती है। जब फोन उठानेवाला मराठी में बात करता है तो वह हैरान हो जाती है। वह अपना परिचय देती है, ''मैं अलादाहल्ली के भीमन्ना की बेटी मृदुला बोल रही हूँ।''

वह व्यक्ति कन्नड़ में बोला, ''मैं चंद्रकांत बोल रहा हूँ। तुम कहाँ से फोन कर रही हो? क्या तुम बंबई में हो?''

मृदुला उसे वस्तुस्थिति से अवगत कराती है। डॉ. जोग सौम्यता से कहते हैं, ''चिंता न करो। तुम्हें शायद सेलाइन की जरूरत पड़े। मैं राउंड के लिए अस्पताल जा रहा हूँ। मैं अपनी कार भेज देता हूँ, तुम सीधे यहाँ आ सकती हो।''

फोन रखने के बाद डॉ. जोग अपने सहायकों की ओर देखते हैं, उन्हें संजय नजर आता है। वह उसे कहते हैं, ''संजय तुम मेरे एकमात्र सहायक हो जो कन्नड़ बोल सकता है। अलादाहल्ली जाने पर तुम मृदुला से मिले होगे। कृपया मेरी कार में जाकर उसे अस्पताल ले आओ। वह किसी परिचित के साथ यहाँ आते हुए अधिक सहज महसूस करेगी। उसे वुमंस वार्ड में भरती कर दो। इस बीच मैं उसके लिए एक स्पेशल और आरामदेह कमरे की व्यवस्था करता हूँ। बेचारी लड़की, बंबई में बिलकुल अलग संस्कृति में आकर वह घबराई हुई होगी और उसपर वह यहाँ आकर बीमार भी हो गई।''

चंद्रकांत अपनी बुआ चंपा बाई से प्यार करता है और जानता है कि भीमन्ना उसकी देखभाल करता है। अब भीमन्ना की बेटी बीमार है तो उसकी मदद करना उसका कर्तव्य है। उसकी पत्नी देश से बाहर गई हुई है, इसलिए वह मृदुला को ठीक होने तक अस्पताल में रखने और उसके बाद उसके दल के बंबई वापस आने तक वुमंस हॉस्टल में रखने का निर्णय लेता है। वह सोचता है, 'संजय कर्नाटक का एक समझदार लड़का है और शायद उसे जानता भी है। मैं संजय से कह दूँगा कि अगले दस दिन तक मृदुला का ध्यान रखे।'

हालाँकि संजय दिखाता नहीं, मगर वह यह काम सौंपे जाने और इस अप्रत्याशित अवसर पर बहुत खुश है। उसने अपने मन में यह बात स्वीकार कर ली थी कि वह फिर कभी मृदुला से नहीं मिल पाएगा। जब वह कर्नाटक संघ पहुँचता है तो वह मृदुला को अत्यंत बीमार पाता है। वह अलादाहल्ली झील के मुरझाए सफेद कमल की तरह लग रही थी। संजय उससे कहता है, ''यह क्या है, मृदुला? क्या आप बीमार पड़ने के लिए बंबई आई हैं?''

मृदुला कराहती हुई जवाब देती है, ''बीमारी जगह नहीं देखती। इसकी असली वजह खाना है।''

उसके सभी मित्र अपने दिन के भ्रमण से लौट आते हैं और वे मृदुला के बारे में

चिंतित हैं। वे चाहते हैं कि मृदुला संजय के साथ चली जाए ताकि उसे अच्छी देखभाल और उपचार मिल सके। प्रिंसिपल हीरामत उसे दिलासा देते हैं, ''चिंता न करो मृदुला। हम दस दिनों में बंबई लौट आएँगे। तब तक तुम बिलकुल ठीक हो जाओगी और हमारे साथ चल सकती हो। अगर तुम किसी डॉक्टर की निगरानी में रहोगी तो हमें चिंता नहीं होगी। अगर तुम चाहो तो मैं तुम्हारे पिता से बात कर सकता हूँ।''

इसके अलावा मृदुला के पास कोई चारा नहीं है। संजय उसे अस्पताल ले आता है। भूतल पर मातृत्व वार्ड है और प्रथम तल पर महिला वार्ड है। मृदुला को सिर्फ डॉक्टरों और उनकी सिफारिश पर आए रोगियों के लिए आरक्षित विशिष्ट कमरों में से एक कमरा दिया जाता है।

संजय मृदुला के मेडिकल पेपर देखने में व्यस्त होता है, जब एलेक्स उससे टकराता है, ''संजय, तुम इस व्यस्त दिन ओपीडी में क्यों नहीं हो?''

''एक विशेष केस है।''

''तुम महिला वार्ड के बाहर क्यों खड़े हो? क्या उस विशेष केस में रोगी कोई लड़की है?'' एलेक्स को दाल में कुछ काला नजर आया।

संजय शरमा जाता है, ''हाँ, रोगी एक लड़की है। मैं उससे हुबली में शादी के दौरान मिला था।''

''सही है। आखिरकार हुबली में तुम्हारी एक चीज चोरी हो ही गई।''

''वह क्या है?''

''तुम्हारे जैसे कुँवारे के लिए सबसे कीमती चीज—तुम्हारा दिल। मेरी शुभकामनाएँ तुम्हारे साथ हैं।''

एलेक्स मुसकराते हुए उसके दिल की जगह हाथ रखता है और चला जाता है।

मृदुला अगले कुछ दिनों तक सेलाइन पर रहती है, जिसके बाद वह ठीक हो जाती है। वह अपने माता-पिता को फोन नहीं करती, क्योंकि वह उन्हें चिंता में नहीं डालना चाहती। अब उसे अपने दल के वापस आने का इंतजार है। वह वुमंस हॉस्टल चली जाती है। सिर्फ संजय उससे मिलने आता है।

''आप अपनी बीमारी की वजह से अपने दल के साथ एलिफैंटा गुफाएँ देखने नहीं जा पाई थीं। कल मेरी छुट्टी है। क्या आप मेरे साथ चलेंगी?'' संजय को पहल करते हुए खुद ही हैरत हो रही थी। वह इस बात को छिपा जाता है कि वह सिर्फ उसे घुमाने के लिए छुट्टी ले रहा है।

मृदुला संकोच में पड़ जाती है, फिर भी वह उसके साथ जाना चाहती है। वह पूछती है, ''अगर मैं आपके साथ जाऊँ तो डॉक्टर अंकल को बुरा तो नहीं लगेगा?''

''नहीं, आपको उनकी अनुमति लेने की जरूरत नहीं है।''

मृदुला पहली बार किसी पुरुष के साथ बाहर जा रही है। वे गेटवे ऑफ इंडिया पहुँचते हैं, क्योंकि मोटरबोट वहीं से शुरू होते हैं। बोट में चढ़ने की प्रतीक्षा करते हुए मृदुला चारों ओर नजर डालती है। वह इस शहर को बहुत अलग पाती है। हर कोई यहाँ व्यस्त है। जरा सी जमीन भी खाली नहीं है। जब उनकी बोट में चढ़ने की बारी आती है तो संजय मृदुला को चढ़ने में मदद करने के लिए अपने दोनों हाथ बढ़ाता है। उस समय मृदुला को पता चलता है कि उसका एक हाथ दूसरे से छोटा है। संजय ने देखा कि मृदुला ने उसके हाथों पर ध्यान दिया तो वह झेंप गया। लेकिन मृदुला ने कुछ भी कहा या पूछा नहीं।

नाव एलिफैंटा द्वीप की ओर बढ़ने लगती है। वह युवा जोड़ों, परिवारों और कॉलेज विद्यार्थियों से भरी हुई है। नाव की एक सीट ठीक से बैठी हुई नहीं है। सीट को ठीक करने के औजार मौजूद हैं, मगर नाव का सहायक उसे ठीक नहीं कर पा रहा। उस सीट के लिए पैसे देनेवाले पैसेंजर नाराज होकर असहाय सहायक से बहस कर रहे हैं। संजय को मामला पता चलता है तो वह टूल-किट माँगता है और दस मिनट में वह सीट ठीक कर देता है। सहायक उसके प्रति कृतज्ञ है और संजय से बात करना शुरू कर देता है, ''सर, हमारा मालिक कोई बढ़ई नहीं रखता, क्योंकि वे अधिक मजदूरी माँगते हैं और मुझे इन चीजों की कोई जानकारी नहीं है। इसलिए लोग मुझसे नाराज हो जाते हैं। आप अच्छे मैकेनिक हैं। मेरी खुशकिस्मती से आप आज आए। बहुत-बहुत धन्यवाद।''

संजय जवाब नहीं देता।

आधे घंटे बाद नाव एलिफैंटा गुफाएँ पहुँचती है। सभी पर्यटक उत्साहित हैं। बहुत कम लोग वास्तव में गुफाएँ देखना चाहते हैं। समुद्रतट से गुफाओं की ओर चलते हुए संजय असामान्य रूप से चुप है। मृदुला कहती है, ''क्या आपने ध्यान दिया कि नौका सहायक ने आपको एक मैकेनिक समझा? मैं उसे बताना चाहती थी कि आप एक डॉक्टर हैं।''

''हाँ। वैसे डॉक्टर भी मानव शरीर का मैकेनिक होता है।''

''यह तो सच है।''

''हमारे अस्पताल में अगर कोई मेडिकल उपकरण काम न कर रहा हो तो मुझे याद किया जाता है। मैं चीजों की मरम्मत करना पसंद करता हूँ।''

''तो आपने इंजीनियरिंग की पढ़ाई क्यों नहीं की?''

''उसकी एक वजह थी।'' संजय मौन हो जाता है और आगे कुछ नहीं बोलता।

थोड़ी देर में वे गुफाओं तक पहुँच जाते हैं। मंदिर की दीवार पर विशालकाय मूर्तियाँ बनी हुई हैं। वे बहुत खूबसूरत हैं। लेकिन मृदुला संजय के बारे में सोच रही है, संजय को अपने मन से मेरे प्रश्न का उत्तर देने देती हूँ। मैं उसे उत्तर देने के लिए मजबूर

करते हुए उसकी व्यक्तिगत जिंदगी में ताक-झाँक नहीं करना चाहती।

बाहर कुछ रेस्तराँ और हॉकर पिक्चर पोस्टकार्ड्स, फिल्म रोल्स, इंस्टेंट फोटो और टी-शर्ट बेच रहे हैं। यह सिर्फ एक ऐतिहासिक स्थल न होकर कोई पिकनिक स्पॉट लग रहा है। संजय और मृदुला एक रेस्तराँ में चाय पीने का फैसला करते हैं। चाय पीते हुए संजय बात करने लगता है, ''जब मैं छोटा था तो मैं बाकियों की तरह एक सामान्य बच्चा था। चार या पाँच वर्ष की उम्र में मैं एक पेड़ पर चढ़ा। मुझे यह घटना बिलकुल भी याद नहीं है। मेरे माता-पिता ने मुझे बताया कि मैं पेड़ से नीचे गिर गया और बेहोश हो गया। मेरे पिता गाँव के वैद्य थे और वे कभी अपने रोगियों से पैसे नहीं लेते थे। लेकिन उनके पास कोई औपचारिक शिक्षा नहीं थी। वे घर पर औषधियाँ तैयार करते थे। उन्होंने मेरा घरेलू उपचार किया, लेकिन मेरा हाथ पूरी तरह ठीक नहीं हुआ। बाद में मेरी माँ मुझे एक बड़े अस्पताल ले गई और उसे एक ऑर्थोपेडिक सर्जन को दिखाया। लेकिन तब तक देर हो चुकी थी। मुझे सर्जरी करवानी पड़ी। उसी प्रक्रिया में मेरा हाथ थोड़ा छोटा हो गया।''

मृदुला ने हिचकिचाते हुए पूछा, ''क्या आपको उस हाथ से कोई समस्या भी है?''

''नहीं, कोई समस्या नहीं है। अधिक इस्तेमाल करने पर या भारी चीजें उठाने पर ही उसमें दर्द होता है। लेकिन मैं भीड़ से अलग महसूस करता हूँ।''

मृदुला उसका दर्द महसूस करती है, उसे समझ नहीं आता कि क्या कहे। संजय बोलता रहता है, ''जब मुझे यह समस्या हुई थी तो मेरी माँ ने मुझे इसका सामना करने की हिम्मत दी। वह मानती थी कि अपनी शारीरिक कमी के बावजूद मैं एक अच्छा डॉक्टर बन सकता हूँ। वह मेरी ताकत थी। मैं आज जो कुछ भी हूँ, वह अपनी माँ की बदौलत हूँ।''

संजय पुरानी यादों में डूब जाता है। उसकी माँ रत्नम्मा एक छोटी-मोटी महाजन है। उसे पैसे और वित्त से लगाव है। वह कई बार उसे कह चुका है कि उसे उनका काम पसंद नहीं, मगर रत्नम्मा को अपने काम में आनंद आता है। उनका मानना सही है। हर किसी को अपनी पसंद का काम करना चाहिए।

यादों में जाते हुए संजय को याद आता है कि उसके स्कूल में शारीरिक प्रशिक्षण (पीटी) के दौरान शिक्षक सभी विद्यार्थियों को अपने हाथों को फैलाने को कहते। उस समय उसके सहपाठी उसका मजाक उड़ाते। संजय नाराज होकर उनके पीछे भागता। जब वह उन्हें नहीं पकड़ पाता तो वह घर जाकर रोने लगता। रत्नम्मा उसे शांत करती और उसका उत्साह बढ़ाती, ''बेटे, यह ईश्वर की मरजी थी। क्या पता किसी दिन तुम इन हाथों से पूरी दुनिया की बागडोर सँभालो!''

मृदुला उसे याद दिलाती है, ''लेकिन आपने मेरे सवाल का जवाब नहीं दिया।''

''हाँ। मैं अपने हाथ के कारण कई बार अस्पताल गया। वहाँ के डॉक्टरों ने मेरी मदद की। इसलिए मैं भी डॉक्टर बनना चाहता था। मेरे पिता की तीन और मेरी माँ की दो बहनें थीं। उनमें से अधिकतर की मृत्यु प्रसव के दौरान हुई। इसलिए मैंने स्त्री रोग विशेषज्ञ बनने की सोची, हालाँकि मैं जानता हूँ कि अधिकतर महिलाएँ महिला डॉक्टर के पास जाना पसंद करती हैं।''

वे चाय खत्म करके वापस लौटनेवाली अगली नौका में बैठ जाते हैं।

अगले कुछ दिन तक संजय आधे दिन काम करता और फिर शाम को मृदुला को लेकर बाहर जाता। दिन तेजी से गुजरते रहे और बंबई में मृदुला का अंतिम दिन आ गया। उसका दल नागपुर से आ जाता है और मृदुला बंबई रेलवे स्टेशन पर ही उनसे मिलने का निर्णय करती है। वहाँ से वह दल कोल्हापुर और फिर हुबली जा रहा है।

वुमंस हॉस्टल में मृदुला अपने बैग पैक करना शुरू कर देती है और संजय का इंतजार करती है। उसे संजय का इंतजार करना पसंद है। उसे याद आता है कि जब वह अस्पताल में थी और उसे सेलाइन पर रखा गया था तो संजय पूरी रात उसके साथ रुका था, ताकि वह एक अजनबी शहर में अकेली न महसूस करे। उस समय मृदुला संकोच महसूस कर रही थी, क्योंकि वह इस युवक को जानती ही कितना थी। फिर भी वह उसके प्रति आकर्षण महसूस करती है और सोचती है कि आज के बाद वह उससे मिल पाएगी या नहीं।

संजय का उस दिन अपने काम पर ध्यान नहीं लग रहा था। वह मृदुला के बारे में सोचने से खुद को रोक नहीं पा रहा था। उसे ऐसा लगता है मानो वह उसे सदियों से जानता है। वह उससे हुबली में पहली बार मिला था, जब अँधेरे में चोर समझकर उसने मृदुला का हाथ पकड़ लिया था। लेकिन बंबई में भी उसका आकर्षण बरकरार था। वह फीका नहीं पड़ा था। उसने फिल्मों और किताबों में खूबसूरत तथा मासूम लड़कियों को देखा और पढ़ा था, लेकिन असली जीवन में भी ऐसी लड़कियाँ होती हैं, यह उसे नहीं पता था। संजय खुद को खुशकिस्मत समझता है कि वह मृदुला से मिला।

वह सोचता है, ''आज जब वह चली जाएगी तो मैं फिर उससे कब मिल पाऊँगा? मैं जानता हूँ कि मृदुला से विवाह करनेवाला खुशकिस्मत होगा। आमतौर पर लोग मेरे हाथ की विकलांगता का मजाक उड़ाते हैं। वे बेशर्मी से मुझसे पूछते हैं कि यह आनुवंशिक है या जन्म के समय की विकृति। उससे मुझे कमतर होने का एहसास होता है। लेकिन मृदुला ने मुझसे इस बारे में नहीं पूछा और मेरे हाथ के बारे में जानने के बाद भी मुझसे अलग तरीके से पेश नहीं आई। मैं उसके माता-पिता से मिला हूँ और उसके घर भी गया हूँ। मैं जानता हूँ कि उसका परिवार एक संतोषी परिवार है, वह दिखावा पसंद या धनलोलुप नहीं है। यदि पत्नी महत्त्वाकांक्षी हो तो मेरे जैसा साधारण व्यक्ति खुश नहीं रह सकता।

मैं उससे विवाह करनेवाला खुशकिस्मत व्यक्ति क्यों नहीं हो सकता? हम दोनों एक ही समुदाय के हैं और एक ही भाषा बोलते हैं। वह बुद्धिमान है और विवाह होने पर हम दोनों बड़े आराम से तालमेल बिठा सकते हैं। लेकिन नहीं, शायद मैं उसके लिए उपयुक्त वर नहीं हूँ। वह एक संपन्न परिवार की है और शायद वह मुझे सिर्फ अच्छा दोस्त समझती है। हो सकता है उसने शादी के बारे में सोचा तक न हो। हो सकता है, वह किसी और को पसंद करती हो। या उसके माता-पिता उसकी शादी कहीं और करना चाहें। अगर उसने खुद इनकार कर दिया तो? क्या मैं उसकी ना सुन सकता हूँ?''

एक पल के लिए वह डर जाता है। फिर उसे एलेक्स की बात याद आती है, ''कोई भारतीय लड़की पहल नहीं करेगी। वह लड़के को ही करना पड़ता है। उसे ही लड़की से बात करनी पड़ती है और सबसे बुरी स्थिति वह होती है, जब वह इनकार कर दे।''

''हमें कैसे पता चलेगा कि लड़की हाँ कहेगी या ना?''

''अगर लड़की हाँ कहना चाहती है तो वह तुरंत तैयार नहीं होगी। वह यह कहेगी कि मैं बाद में जवाब दूँगी या मैं अपने पिता से बात करूँगी। अगर वह ऐसा कहती है तो वह हाँ है। जो लड़की ना कहना चाहती है, वह तुम्हारे प्रस्ताव रखने से पहले ही तुम्हें राखी बाँध देगी। वह सार्वजनिक रूप से कहेगी कि तुम उसके भाई जैसे हो। कोई साहसी लड़की तुम्हें थप्पड़ भी लगा सकती है। ऐसा कभी-कभार होता है, लेकिन आपको इसके लिए तैयार रहना चाहिए। क्या तुमने मुगल-ए-आजम फिल्म का ''प्यार किया तो डरना क्या'' गाना नहीं सुना? इसका मतलब है कि तुम्हें प्यार तभी करना चाहिए, जब प्यार करने की हिम्मत हो। वरना माँ-बाप की पसंद से शादी कर लेनी चाहिए—उनके साथ मिलकर लड़की देखो और पाँच मिनट में फैसला कर लो।''

संजय मृदुला से अपने प्रेम का इजहार करने में हिचकिचा रहा था, लेकिन उसके पास कोई चारा नहीं था। उसे मृदुला का फूलोंवाला हेयरबैंड याद आता है। उसके लिए शब्दों द्वारा अपने प्रेम की अभिव्यक्ति मुश्किल बात थी। इसलिए वह हेयरबैंड उसे पत्र लिखने का एक कारण दे देता है। लेकिन अब संजय के सामने और भी बड़ी समस्या है। उसे प्रेमपत्र लिखना नहीं आता। इस क्षेत्र में उसके पास कोई अनुभव नहीं है। पच्चीस साल का संजय अपना पहला प्रेमपत्र लिख रहे किसी किशोर की तरह घबराता है।

''प्रिय मृदुला!

''आप मेरा पत्र देखकर हैरान होंगी। मैं बहुत अच्छा नहीं लिखता हूँ और यह किसी लड़की को पहली बार लिखा है। मैं आपको बहुत पसंद करता हूँ। मैं वैसा ही हूँ, जैसा दिखता हूँ। मैं आपसे झूठ नहीं बोलना चाहता। मैं एक गरीब परिवार का हूँ। हमारे पास थोड़ी सी जमीन है, लेकिन मेरे पास कोई और संपत्ति नहीं है। मेरे पिता नहीं हैं।

मेरी बहन की शादी हो चुकी है। मैं सौंदर्य और धन के मामले में आप लोगों के बराबर नहीं हूँ। आप मेरे हाथ के बारे में जानती ही हैं। लेकिन मैं मेहनती और ईमानदार हूँ। मैं अपना बाकी जीवन आपके साथ गुजारना चाहता हूँ। अगर आप भी मेरे लिए ऐसा ही महसूस करती हैं तो मुझे जवाब लिखें। अन्यथा इस पत्र को फाड़ दें और इसके बारे में भूल जाएँ।

संजय।''

वह बार-बार इस पत्र को पढ़ता है, लेकिन समझ नहीं पाता कि और क्या लिखे। इसलिए वह मृदुला का हेयरबैंड और पत्र लिफाफे में रखकर उसे बंद कर देता है।

संजय मृदुला को वुमंस हॉस्टल से लेने जाता है और उसे लेकर वीटी स्टेशन जाता है। वहाँ उसका दल उसका इंतजार कर रहा है। मृदुला उनसे मिलती है और संजय को विदा करने के लिए खिड़की के पास बैठती है। इंजन सीटी मारता है और ट्रेन के चलने का संकेत देता है। संजय हिचकिचाते हुए मृदुला को वह लिफाफा पकड़ाता है। धीमी आवाज में वह कहता है, ''मृदुला यह बहुत महत्त्वपूर्ण है।''

''यह क्या है?''

तब तक ट्रेन चल पड़ती है और संजय स्टेशन पर हाथ हिलाता खड़ा रह जाता है।

5

यादें

संजय अपने कमरे में वापस आता है और सोचता है कि उसने सही किया या गलत। शायद उसे मृदुला से आमने-सामने बात करनी चाहिए थी और अपनी भावनाएँ जाहिर करते हुए स्पष्ट कहना चाहिए था, 'मृदुला, मैं तुमसे प्रेम करता हूँ।' पत्र की बजाय यह अधिक असरदार होता। लेकिन वह जानता है कि ऐसा करना उसके लिए और भी मुश्किल होता।

वह सोचता है, 'क्या उसने अब तक मेरा पत्र पढ़ लिया होगा? वह क्या सोचेगी? उसे निश्चित रूप से मुझसे अधिक बेहतर लड़का मिल सकता है। वह खूबसूरत और आदर्शवादी है। उसने अपने जीवन में कभी गरीबी नहीं देखी। बल्कि उसने अलादाहल्ली से बाहर की होड़वाली दुनिया देखी ही नहीं है। वह क्यों मुझसे शादी करेगी? आखिर मैं एक विकलांग हूँ। मेरी माँ का एक छोटा सा साहूकारी का व्यवसाय है। मैं कैसे उम्मीद कर सकता हूँ कि मृदुला का परिवार उसका हाथ मेरे हाथ में देगा?'

फिर भी संजय के दिल में उम्मीद की एक किरण है। भीमन्ना बातूनी है, लेकिन

दुनियादार नहीं। मृदुला अच्छी पढ़ी-लिखी है, लेकिन संजय की बहन लक्ष्मी की तरह चतुर नहीं। इसलिए वे तैयार हो भी सकते हैं। संजय से खाना नहीं खाया जाता। वह लेट जाता है, लेकिन उसकी आँखों में दूर-दूर तक नींद नहीं है।

वह अपने बिस्तर से घना बसा परेल देख रहा है। वह अस्पताल में नर्स इंदुमती को फोन लगाता है और उससे कहता है कि सिर्फ इमरजेंसी में ही उसे फोन करे। वह कल्पना में अपने बचपन में लौट जाता है।

कावेरी नदी के तट पर बसा टी. नरसीपुरा उसका गृहनगर। उसने स्कूल तक की पढ़ाई वहाँ से की। उस समय उसके पिता जीवित थे और उसकी बहन की शादी नहीं हुई थी। उनकी आर्थिक स्थिति अच्छी नहीं थी। उसकी माँ रत्नम्मा उस समय साहूकारी का व्यवसाय नहीं चलाती थीं, बस जमीन की देखभाल करती थीं। अशिक्षित होते हुए भी वे चतुर हैं। उन्हें अकाल और सूखे के बारे में अच्छी जानकारी है और उनसे निपटना भी आता है। पर उसके पिता दब्बू से थे और हमेशा इस बात से चिंतित रहते थे कि लोग क्या कहेंगे। लेकिन उसकी माँ बहुत निर्भीक है।

उसके पिता उससे कहते, 'हमें समाज और लोगों की परवाह करनी चाहिए।' लेकिन माँ कहती, 'मेरे बच्चे! लोग तुम्हें हमेशा सलाह देंगे, लेकिन तुम्हें वही करना चाहिए, जो तुम्हारी समझ से सही है।'

उनकी बातें दिन और रात की तरह एक-दूसरे से अलग थीं। हालाँकि अम्मा कम बोलती थीं, लेकिन उनका निर्णय परिवार में अंतिम होता था। लोग कहते हैं कि आपको अपनी लड़ाइयाँ लड़नी चाहिए। लेकिन अप्पा आसानी से हार स्वीकार कर लेते थे। वे कहते थे कि जीवन में हार या जीत नाम की कोई चीज नहीं होती। अप्पा हर बात से निर्लिप्त थे।

कॉरिडोर की घड़ी रात के बारह बजाती है। उसे एहसास होता है कि उसे कोई इमरजेंसी कॉल नहीं मिली। जरूर इंदुमती ने उसकी ड्यूटी किसी और को दे दी होगी। वह कितनी अच्छी है। फिर भी उसे नींद नहीं आती। उसका मन फिर से भटकने लगता है।

उसे स्कूल में अच्छे अंक मिलते हैं। तब तक उसके पिता का निधन हो गया था और उसकी बहन लक्ष्मी विवाह के उपरांत एक संयुक्त परिवार की बहू बन चुकी थी। उसके पति का परिवार एक विशाल हवेली में रहता था और सभी चार भाई मैसूर में काम करते थे तथा साथ रहते थे। कोई भी उस पारिवारिक हवेली को छोड़कर जाने को तैयार नहीं था। वे जानते थे कि अंत तक हवेली में रहनेवाले भाई को वह उत्तराधिकार में मिलेगी, क्योंकि वह परिवार की एकमात्र संपत्ति थी। 'हम साथ-साथ हैं' और 'हम आपके हैं कौन' जैसी फिल्में संयुक्त परिवार के महत्त्व और लाभ बताती हैं। लेकिन

संजय ने बड़े परिवारों में स्वार्थपरता, ईर्ष्या और नकारात्मक भावनाएँ तथा समाज में एक संगठित परिवार का झूठा दिखावा देखा था। संयुक्त परिवार में रहकर रोज-रोज झगड़ने से बेहतर है कि लोग अलग रहें और अपने भाई-बहनों तथा माता-पिता के साथ सौहार्दपूर्ण संबंध रखें।

जब वह मैसूर में कॉलेज में दाखिला लेना चाहता था तो उसकी बहन और माँ ने जोर दिया कि वह उस घर में रहे। वह वहाँ नहीं रहना चाहता था, लेकिन उसमें न तो माँ का आदेश ठुकराने की हिम्मत थी, न ही आर्थिक स्वतंत्रता। वह जानता था कि उसकी माँ उसे हॉस्टल में रखने की हैसियत नहीं रखती और उसका मानना था कि संयुक्त परिवार में रहने पर उसकी देखभाल हो जाएगी। लेकिन यह एक गलत अनुमान था। ऐसे परिवार के साथ रहनेवाला व्यक्ति ही जानता है कि उसमें क्या-क्या होता है। परिवार के सदस्यों के बीच कड़ी प्रतिस्पर्धा थी। आर्थिक स्थिति को लेकर पुरुषों में छोटे-मोटे मतभेद थे, लेकिन महिलाएँ हर बात को लेकर एक-दूसरे से होड़ करती थीं। अगर उनमें से एक साड़ी खरीदती तो दूसरी भी जरूर खरीदती, भले ही उसके पति को इसके लिए पैसे उधार लेने पड़ते। यदि कोई सोने के आभूषण खरीदती तो दूसरी उससे भी महँगी कोई वस्तु खरीदने की सोचती। लक्ष्मी को ऐसे वातावरण में रहने की आदत हो गई और वह परिवार में घुल-मिल गई। वह उनमें से ही एक बन गई। लेकिन संजय का वहाँ दम घुटता था।

अम्मा ने शुरुआत में उसके लिए चावल के दो थैले भेजे, लेकिन लक्ष्मी की जेठानियों ने व्यंग्यपूर्वक कहा, ‘‘केवल चावल पर्याप्त नहीं है। तुम्हें दाल और रोजमर्रा की दूसरी चीजों जैसे साबुन, टूथपेस्ट, हेयर ऑयल की भी जरूरत होगी।’’

फिर वे उस पर हँसतीं। घर के बच्चे बार-बार उसके छोटे हाथ के बारे में पूछते और उसकी विकलांगता का मजाक उड़ाते। कभी-कभी वह अम्मा और लक्ष्मी से इतना नाराज होता कि उसे लगता कि वह अनाथालय में रहे। वहाँ कम-से-कम उसे थोड़ी शांति और एकांत मिलता।

वह किसी तरह उस घर में दो वर्ष रहा। वह एक अच्छा विद्यार्थी था और उसे अपनी प्री-यूनिवर्सिटी परीक्षाओं में बहुत बढ़िया अंक मिले। जब उसने चिकित्सा की पढ़ाई करने का फैसला किया तो वह जानता था कि उसे किसी भी सरकारी कॉलेज में दाखिला मिल जाएगा। उसने जान-बूझकर मैसूर मेडिकल कॉलेज में आवेदन नहीं किया और उसे बेंगलुरु में दाखिला मिल गया। अम्मा ने पूछा, ‘‘संजय, तुमने मैसूर में दाखिला क्यों नहीं लिया?’’

उसने झूठ बोला, ‘‘अम्मा, मुझे कम अंकों के कारण मैसूर मेडिकल कॉलेज में दाखिला नहीं मिला।’’

सच्चाई यह थी कि वह मैसूर में या अपनी बहन के घर में नहीं रहना चाहता था। वह जानता था कि झूठ बोलना अच्छी बात नहीं है, खासकर अपनी माँ से, लेकिन कभी-कभी अपने जीवन को आसान बनाने के लिए झूठ भी जरूरी होता है। उसने खुद अपनी माँ को कभी-कभार झूठ बोलते देखा था, इसलिए यह उसे कोई बड़ा अपराध नहीं लगा। पिछले दो वर्षों में वह समझदार हो गया था और उसने संयुक्त परिवार में बहुत से झूठ सुने थे। इसलिए उसने अपनी माँ से कहा कि वह बेंगलुरु में पढ़ाई करने जा रहा है।

जब वह बेंगलुरु आया तो जिंदगी बहुत खूबसूरत लगने लगी। लेकिन बेंगलुरु में रहना बहुत महँगा था। जब उसने सोचा कि उसकी माँ ने उसे पढ़ाने के लिए कितना संघर्ष किया है तो उसकी आँखें आँसुओं से भर गईं। उसने संतोष के घर की छत पर एक छोटा कमरा किराए पर लिया। वह खुद खाना पकाता और फिर कॉलेज जाता। संतोष की माँ एक अच्छी महिला थीं। वे बोलीं, ''संजय, तुम क्यों रोज खाना बनाने में इतनी मेहनत करते हो? तुम अपना कीमती वक्त जाया कर रहे हो। हमारे घर में खा लिया करो। मैं आसानी से रोज कुकर में थोड़ा ज्यादा चावल डाल सकती हूँ।''

लेकिन उसने कभी उनका प्रस्ताव स्वीकार नहीं किया। हालाँकि त्योहारों के दौरान वह उनके साथ दोपहर का भोजन करता। उसके पिता ने उसे एक न भूलनेवाला सबक सिखाया था, 'बेटे, किसी भी चीज की अति खराब होती है। अमृत भी यदि अधिक मात्रा में लिया जाए तो वह विष हो जाता है।'

संजय का स्वभाव ऐसा था कि वह किसी से अधिक घुल-मिल नहीं पाता था। उसे बैठकर गप्पें मारना, किसी के व्यक्तिगत जीवन में ताक-झाँक करना या लोगों को सलाह देना पसंद नहीं था। इसीलिए न तो उसका कोई घोर शत्रु था, न घनिष्ठ मित्र। यहाँ तक कि लक्ष्मी और अम्मा के साथ भी वह जरूरत पड़ने पर ही बात करता। वह अपने-आप में रहना पसंद करता—जैसे कछुआ अपने खोल में रहता है।

जब संजय ने पहली बार मृदुला को देखा तो वह हैरान हुआ था। वह एक सुंदर और खिला हुआ फूल थी, जो हवा के झोंके से झूलता रहता है। वह ईमानदार और स्नेहिल थी। उसके परिवार का आतिथ्य दिल से था, मैसूर के उस घर की तरह नहीं, जहाँ सम्मान पैसों से मिलता था। मृदुला और उसके परिवार का जीवन सकारात्मक ऊर्जा से भरा हुआ था। हर दिन किसी उत्सव की तरह मनाया जाता था। मृदुला बेवजह मुसकराती और खिलखिलाती थी। क्या वह इसीलिए उसकी ओर आकृष्ट हुआ था? उसने कहीं पढ़ा था कि विपरीत ध्रुव एक-दूसरे की ओर आकर्षित होते हैं। वह जानता था कि वह मृदुला की आर्थिक हैसियत या खेतों और संपत्ति की वजह से उसकी ओर आकृष्ट नहीं हुआ था। वह खुद पर भरोसा करता था।

वह वर्तमान में लौट आया। दोनों एक-दूसरे को बहुत कम समय से जानते थे। वे न तो साथ पढ़े थे, न ही पहले से मित्र थे। यह सोचकर उसे ठंडी रात में पसीना आ गया कि मृदुला उसके प्रस्ताव को ठुकरा सकती है। 'नहीं' शब्द उसके लिए नया नहीं है। उसने कई बार कड़वाहट का अनुभव किया है। लेकिन इस बार वह इसे नहीं झेल पाएगा।

जब वह बेंगलुरु में पढ़ाई कर रहा था तो उसकी हँसमुख सहपाठी वसुधा उसके काफी करीब थी। उन्होंने पाँच साल तक साथ पढ़ाई की थी और वे अच्छे मित्र थे। वह संतोष की रिश्तेदार भी थी और उसके घर अकसर आती-जाती थी। संतोष संजय के साथ वसुधा की दोस्ती को लेकर उसे छेड़ता रहता था। वसुधा बहुत आकर्षक नहीं थी, फिर भी संजय रोज उससे मिलता था और धीरे-धीरे उसे पसंद करने लगा। उस समय वह बीसेक साल का था। लेकिन एक दिन संजय ने उधर से गुजरते हुए वसुधा और संतोष की बातचीत सुन ली।

वसुधा कह रही थी, ''संतोष, संजय और मुझे छेड़ना बंद करो। वह मेरा सहपाठी है और एक जहीन विद्यार्थी है। मैं उसकी इज्जत करती हूँ। लेकिन उसके हाथ के कारण मुझे उस पर तरस भी आता है। मेरे जैसी सामान्य लड़की उससे क्यों शादी करेगी? दया और प्रेम बिलकुल अलग होते हैं।''

उसकी बातों ने संजय को भौंचक्का कर दिया। उसे अम्मा की कही बात याद आई, ''बेटे, किसी के सामने अपनी गहरी भावनाएँ कभी व्यक्त मत करो, जब तक कि तुम उसके परिणाम के बारे में पूरी तरह निश्चित न हो। बिना सोच-विचार के कभी अपनी कमजोरी दूसरों के सामने प्रकट मत करो। वरना लोग उसका फायदा उठाएँगे।''

लेकिन अप्पा ने बिलकुल अलग बात कही थी, ''हर व्यक्ति एक द्वीप होता है। दो द्वीपों को जोड़ने के लिए एक पुल की आवश्यकता होती है। उस पुल को रिश्ता कहते हैं। जीवन में असली प्रेम छिपाने से नहीं, बल्कि अपनी असली भावनाएँ जाहिर करने से मिलता है।''

सौभाग्यवश उसने अप्पा की बजाय अम्मा की सलाह मानी थी। अन्यथा उस समय हर कोई उस पर हँसता।

इस घटना के बाद उसने बंबई आने तक कभी किसी लड़की से बात नहीं की। उसका दिल पत्थर का हो गया था। लेकिन जब वह पहली बार मृदुला से मिला तो उसका दिल आग के सामने मक्खन की तरह पिघल गया। वह सिर्फ आकर्षण नहीं था—सुरक्षा और जुड़ाव की भावना ने उसे मृदुला की ओर खींचा। लेकिन वह नहीं जानता था कि मृदुला उसके लिए क्या महसूस करती है।

जब वह इंटर्नशिप के बाद अपने भविष्य के बारे में सोच रहा था तो उसे रास्ता

दिखानेवाला कोई नहीं था। रत्लम्मा ने अपने बेटे को अपने भविष्य के बारे में निर्णय लेने की पूरी आजादी दी थी। वह बोली, ‘‘संजय, तुम हम सब में सबसे अधिक शिक्षित हो। तुम चीजों को मुझसे बेहतर समझ सकते हो। मैं बस तुम्हें यही सलाह दूँगी कि तुम्हें गलत रास्ते पर नहीं जाना चाहिए। व्यावहारिक दृष्टि से सोचो और फिर कोई फैसला लो।’’

संजय अपनी माँ की स्पष्ट राय के लिए उसका सम्मान करता था। लेकिन संतोष के घर में उसके माता-पिता दोनों उसकी हर बात में हस्तक्षेप करते थे। उस पर बहुत सारे प्रतिबंध थे, लेकिन संजय एक आजाद पंछी था। अम्मा भी अपने बेटे से वही आजादी चाहती थी। जब उसने एक छोटी दुकान शुरू की तो संजय को पसंद नहीं आया, लेकिन फिर भी उसने अपना इरादा नहीं छोड़ा।

एलेक्स कॉलेज में उससे एक वर्ष सीनियर था और वे अच्छे मित्र थे। संजय की इंटर्नशिप के दौरान एलेक्स बंबई से उससे मिलने आया और उससे उसकी आगे की योजनाओं के बारे में पूछा। संजय ने कहा, ‘‘मैं गायनोकोलॉजी (स्त्री रोग विज्ञान) में पोस्ट-ग्रेजुएशन करना चाहता हूँ।’’

‘‘यह तो वाकई अच्छी बात है। लेकिन कर्नाटक में सरकारी कोटा में सीट हासिल करना आसान नहीं है। तुम्हें इसके लिए टॉपर होना होगा। या फिर तुम्हें एनाटॉमी या पैथोलॉजी मिल पाएगा।’’

‘‘हाँ, मैं जानता हूँ। मुझे लगता है कि मुझे काम का भी थोड़ा अनुभव होना चाहिए।’’

‘‘देखो, अगर तुम काम करना चाहते हो तो बंबई आओ। अपनी रेसीडेंसी करो और किसी सरकारी अस्पताल में एक ड्यूटी डॉक्टर बन जाओ। उसके अपने फायदे हैं। तुम्हें उम्दा क्लीनिकल प्रैक्टिस मिल पाएगी और तुम स्थितियाँ समझ पाओगे। साथ ही तुम अपनी पोस्ट-ग्रेजुएशन प्रवेश परीक्षा की तैयारी भी कर सकते हो। मैं केईएम अस्पताल में काम कर रहा हूँ। मैं तुम्हें वहाँ नौकरी दिला सकता हूँ, लेकिन वह स्थायी नहीं होगी। वेतन भी बहुत अधिक नहीं होगा। लेकिन अगर तुम्हें अनुभव चाहिए तो बंबई से बेहतर कुछ नहीं है। वहाँ कुछ साल काम करो और फिर यह फैसला करो कि तुम क्या करना चाहते हो।’’

एलेक्स ने उसे अपना फोन नंबर, पता वगैरह दिया और चला गया।

संजय कभी कोई काम हड़बड़ी में नहीं करता था। इसलिए उसने इस बारे में सोचा। वह कभी कर्नाटक से बाहर नहीं गया था और उसने सोचा कि यह बदलाव का एक अवसर हो सकता है। वह बिना तैयारी के प्रवेश परीक्षा नहीं देना चाहता था। उसे हाल में पता चला था कि उसका एक प्रतिभाशाली सहपाठी गायनोकोलॉजी नहीं पा सकता था। शायद वह प्रवेश परीक्षा में अच्छा नहीं कर पाया था। लेकिन यह संजय के

लिए एक झटका था। इसलिए उसने सोचा कि बंबई जाकर थोड़ा अनुभव हासिल करना, फिर वापस आकर परीक्षा देना सबसे अच्छा रहेगा।

उसे अब भी नींद नहीं आ रही। क्या वह डरता है कि मृदुला ''ना'' कह देगी?

जब वह बंबई आया था तो वह इस शहर की तेज गति देखकर डर गया था। शहर में खूब भीड़भाड़ थी और उसे बेंगलुरु वापस जाने का मन होने लगा। लेकिन एलेक्स ने उसे वहाँ सहज महसूस कराया। वह एक सच्चा दोस्त निकला। एलेक्स पढ़ाई में उतना कुशाग्र नहीं था, लेकिन नेतृत्व और संपर्क क्षमताएँ उसकी मजबूतियाँ थीं। एक सप्ताह के भीतर, संजय को रेसीडेंसी मिल गई और यह आश्वासन भी कि बाद में उसे ड्यूटी डॉक्टर भी बनाया जाएगा। आमतौर पर मेधावी और प्रशिक्षित युवा डॉक्टर सरकारी अस्पतालों में काम नहीं करते। वे या तो निजी प्रैक्टिस करते हैं या अधिक पैसा कमाने के लिए विदेश चले जाते हैं।

एलेक्स ने काम में होनेवाली राजनीति से उसे परिचित कराया, ''संजय, स्त्री रोग विभाग में तीन यूनिट हैं। उनके प्रमुख डॉ. जोग, डॉ. पारिख और डॉ. भोंसले हैं। डॉ. पारिख अच्छे डॉक्टर हैं, लेकिन उनका अपना नर्सिंग होम है। इसलिए वे उसपर अधिक ध्यान देते हैं। डॉ. भोंसले एक मंत्री के संबंधी हैं और स्थानीय निवासी हैं। इसलिए वे लगातार व्यस्त रहते हैं। सबसे बेहतर डॉ. जोग हैं। वे निष्पक्ष, जानकार और एक अच्छे शिक्षक हैं। साथ ही वे तुम्हारे राज्य के हैं। तुम उनके साथ अधिक सहज महसूस करोगे। हालाँकि हम हर किसी के लिए समान अवसर की बात करते हैं, लेकिन व्यावहारिक रूप से हमारे देश में समुदाय, भाषा और संपर्क महत्त्वपूर्ण होता है। मुझे लगता है कि तुम्हें डॉ. जोग के साथ काम करना चाहिए। लेकिन फैसला तुम्हें लेना है।''

फिर संजय ने डॉ. जोग के साथ काम करना शुरू किया। लेकिन डॉ. जोग कभी संजय से कन्नड़ में बात नहीं करते थे और निष्पक्ष रूप से उससे व्यवहार करते थे। हालाँकि संजय कन्नड़ जाननेवाले रोगियों से कन्नड़ में बात करता था, ताकि वे थोड़ा सहज महसूस करें। तभी डॉ. जोग को पता चला कि संजय भी कर्नाटक का है। लेकिन इससे उन्हें कोई अंतर नहीं पड़ता था। वे काम को लेकर संजय की प्रतिबद्धता से अधिक प्रभावित थे।

संजय के विचार फिर से मृदुला पर आकर ठहर जाते हैं और वह उसकी प्रतिक्रिया के बारे में सोचने लगता है, ''शायद वह अपनी सहेलियों के सामने मेरे पत्र का मजाक उड़ा रही होगी। मैंने लगभग तीन साल बंबई में बिता लिये हैं। अब समय है कि या तो मैं बंबई में अपना पोस्टग्रेजुएशन करूँ या बेंगलुरु लौट जाऊँ।''

आखिरकार उसे नींद आ गई।

6

दूसरा मौका

नवंबर और दिसंबर अलादाहल्ली में वर्ष के बेहतरीन महीने होते हैं। न तो झमाझम बारिश होती है, न ही गरम हवाओंवाले दिन। आसमान साफ है और मौसम सुहाना है। पूर्णिमा बड़े उत्साह से मनाया जाता है और सभी रिश्तेदार तथा मित्र मिलकर झील किनारे या आम के बागान में चाँद की रोशनी में रात का भोजन करते हैं। भोजन में सफेद रंगवाले विशेष व्यंजन होते हैं जैसे—दही-भात, मिठाई, सफेद चिरोटी, खीर और ज्वार-रोटी।

भीमन्ना हर वर्ष यह त्योहार मनाता है और इस वर्ष भी कुछ अलग नहीं है। उसके सभी मित्र अलग-अलग गाँवों से आए हैं। रुकमा के रिश्तेदार भी आ रहे हैं। चंपा बाई भी भीमन्ना के परिवार की सदस्य की तरह हैं और उसके रिश्तेदार भी आमंत्रित हैं। भीमन्ना इसके लिए हुबली का एक रसोइया बुलाता है, और उसे कहता है, ''हम महाराजा या भगवान् नहीं हैं। हम मनुष्य हैं और हर किसी को महँगे उपहार नहीं दे सकते। लेकिन हम उन्हें प्यार से पकाया हुआ बढ़िया भोजन करा सकते हैं। कृपया भोजन में घर का बना खूब सारा घी, गुड़ और फल इस्तेमाल करें। इस भोज में शामिल होनेवाला हर व्यक्ति अगले वर्ष इस उत्सव के फिर आने तक इस भोजन और साथ को याद रखे।''

महाराष्ट्र से आने के बाद से मृदुला घर पर असामान्य रूप से चुप-चुप रहने लगी थी। उसके जीवन में पहली बार किसी ने उसे प्रेमपत्र लिखा था। शुरू में उसे झटका लगा। लेकिन उस पत्र को पढ़ने के बाद वह संजय को और भी अधिक पसंद करने लगती है। शादी एक महत्त्वपूर्ण पड़ाव है और वह अपने बलबूते पर यह फैसला नहीं कर सकती। उसके माता-पिता की इसमें बड़ी भूमिका है। वह अपने माता-पिता को बताने का फैसला करती है। भीमन्ना ने ध्यान नहीं दिया कि मृदुला चुप-चुप सी और सोच-विचार में मगन है। वह उत्सव की तैयारी में कुछ अधिक व्यस्त है। उसकी माँ सोचती है कि यह मृदुला के बीमार पड़ने और घूमने की थकान के कारण है। वह इस बारे में मृदुला से बात करना चाहती है, लेकिन घर पर बहुत से अतिथि हैं और वह उनमें व्यस्त है। रुकमा का भाई सत्यबोध भी अपनी पत्नी और बच्चों सरला तथा सतीश के साथ आया है। सतीश सत्यबोध का अपना पुत्र नहीं है। वह उसकी पत्नी का दूर के रिश्ते का भाई है, जिसने अपने माता-पिता को खो दिया है। इसलिए सत्यबोध और उसकी पत्नी ने उसे गोद ले लिया है।

उत्सव के दिन सभी अतिथि पके हुए भोजन के साथ झील किनारे चल देते हैं। भीमन्ना उनसे कहता है कि वह अपने परिवार के साथ जल्दी ही वहाँ पहुँचेगा। रुकमा

रसोईघर की सफाई का काम करीब-करीब निपटा चुकी है। अब सिर्फ वही चार लोग घर में रह जाते हैं। मृदुला सोचती है, ''अपने माता-पिता को उस पत्र के बारे में बताने का यही सही समय है।''

भीमन्ना झूले पर बैठा है और अपनी पत्नी से जल्दी काम निपटाने को कह रहा है। मृदुला चुपचाप वह पत्र लाकर भीमन्ना को दे देती है। फिर वह जाकर एक लकड़ी के खंभे के पीछे खड़ी हो जाती है। भीमन्ना पत्र पढ़कर हैरान रह जाता है। वह तुरंत अपनी व्यस्त पत्नी को आवाज लगाता है, ''बंबई के उस डॉक्टर के बारे में तुम्हारा क्या खयाल है?''

भीमन्ना की आग्रहपूर्ण आवाज और अप्रत्याशित प्रश्न को सुनकर रुकमा अपना काम रोककर बाहर आती है, ''तुमने यह क्यों पूछा? और अभी क्यों?''

भीमन्ना धीरे से कहता है, ''क्योंकि उसने हमारी मृदुला को एक पत्र लिखकर कहा है कि वह उससे विवाह करना चाहता है।''

तब तक कृष्णा भी बाहर आ जाता है, रुकमा जवाब देती है, ''हम उससे सिर्फ एक बार मिले हैं और हम उसके या उसके परिवार के बारे में कुछ भी नहीं जानते।''

''चिंता न करो। वह हमारे समुदाय का है। यह तुम पहले से जानती हो कि वह एक डॉक्टर है। अब बताओ कि इस बारे में तुम्हारा क्या कहना है।''

''इतनी जल्दी मैं कैसे अपनी राय दे सकती हूँ?''

''ठीक है, तुम अपना समय लो। ओह, मैं तुम्हें एक बात बताना भूल ही गया···'' फिर भीमन्ना रुकमा को संजय के हाथ के बारे में बताता है।

रुकमा परेशान लगती है, ''मेरे खयाल से हमें इस मामले को आगे नहीं बढ़ाना चाहिए। हमारी मृदुला को उससे बेहतर लड़का मिल सकता है।''

मृदुला घर के अंदर चली जाती है। वह अपने माता-पिता को इस बात पर खुलकर बात करने देना चाहती है। कृष्णा भी उसके पीछे आता है, लेकिन वह संजय के बारे में और जानना चाहता है, ''मृदुला तुमने मुझे संजय के बारे में बताया नहीं!''

''भाई, मैंने कभी उनके बारे में इस तरह से नहीं सोचा।'' वह उसे बताती है कि संजय और उसके बीच क्या हुआ था।

इस बीच भीमन्ना अपनी पत्नी से बात करता है, ''अगर बाकी सबकुछ ठीक है तो उसके हाथ की वजह से शादी में बाधा नहीं आनी चाहिए। लड़का खूबसूरत और बुद्धिमान है। हमें चंद्रकांत से और विस्तार से पता चल सकता है। लेकिन तभी जब मृदुला तैयार हो।''

रुकमा अब भी हिचकिचा रही है, ''हड़बड़ी किस बात की है? अगर मैं अपने भाई से कहूँ तो वह उसके लिए एक बेहतर लड़का ढूँढ़ सकता है।''

''तुम्हारा भाई तो अपनी बेटी के लिए भी लड़का नहीं ढूँढ़ पा रहा। इसलिए उस बारे में भूल जाओ। यह लड़का शालीन है, इसलिए उसने पत्र लिखा है। लेकिन अगर मृदुला ना कहती है तो फिर कुछ करने की जरूरत ही नहीं है।''

भीमन्ना मृदुला को आवाज देता है। वह एक शर्मीली दुलहन की तरह बरामदे में आती है। वह जानती है कि उसे क्यों बुलाया जा रहा है। भीमन्ना कहता है, ''मृदुला यह मत सोचना कि हम तुम्हारे लिए कोई दूसरा लड़का नहीं तलाश सकते। हम इसलिए तुम्हें इस लड़के से शादी के लिए नहीं कह रहे, क्योंकि इससे हमारी परेशानी दूर हो जाएगी। मुझे लगता है कि हमें अपनी बेटी का हाथ उस लड़के के हाथ में देना चाहिए, जो अच्छा हो और हमें यह नहीं देखना चाहिए कि वह अमीर है या नहीं। यह तुम्हारा निर्णय होगा। खुलकर हमें बताओ कि तुम क्या सोचती हो।''

अपना सिर उठाए बिना मृदुला धीरे से जवाब देती है, ''अगर संजय हमारी शादी के बाद किसी दुर्घटना में विकलांग हुआ होता तो आप लोग इस बात को उसकी कमी नहीं मानते। इसलिए अगर आप दोनों को ठीक लगे तो मुझे इस शादी से कोई आपत्ति नहीं है।''

मृदुला के त्वरित और निर्णायक जवाब पर भीमन्ना और रुकमा हैरान होकर एक-दूसरे को देखते रह जाते हैं।

7

जेनरेशन गैप

मई में रथ उत्सव के कारण बिजनेस अपने चरम पर है। यह बुद्ध-पूर्णिमा से पहले का दिन है। इसे नरसिंह चतुर्थी के नाम से भी जाना जाता है। इस दिन देश के विभिन्न भागों से श्रद्धालु आते हैं और मैसूर से भी अतिरिक्त बसें चलती हैं। अन्य दिनों भीड़ कम रहती है। आमतौर पर सिर्फ मैसूर के श्रद्धालु ही यहाँ आते हैं। लेकिन वे इन दुकानों से कुछ नहीं खरीदते। वे घर से ही फल और नारियल ले कर आते हैं और सीधे मंदिर जाते हैं। इसलिए अधिकतर दुकानदार अपने जीविकोपार्जन के लिए कोई और छोटा-मोटा व्यवसाय भी करते हैं।

रत्नम्मा का खूब चलनेवाला साहूकारी व्यवसाय है। वह काफी चालाक है और कभी-कभार कठोर भी हो जाती है। जब वह पैसे देती है तो उसपर बहुत अधिक ब्याज लेती है। लोग अकसर उसपर ताना कसते हैं, ''रत्नम्मा एक कठोर दिल औरत है।''

लेकिन वह इन तानों से परेशान नहीं होती। वह शांति से अपना पक्ष रखती है,

''क्या मैं जरूरत के वक्त उन्हें पैसे नहीं देती? वे इसकी शर्तें जानते हैं। जब मैं उन्हें पैसे लौटाने को कहती हूँ तो वे नाराज क्यों होते हैं? महाभारत में कर्ण को महान् क्यों कहा गया? क्योंकि वह हर किसी को पैसे और बाकी चीजें दे देता था। अगर मैं कम ब्याज के साथ पैसे उधार देना शुरू कर दूँ तो मेरे घर के सामने लंबी कतार होगी। और अगर मैं लोगों से पैसे लौटाने के लिए कहना बंद कर दूँ तो या तो वे लौटाएँगे नहीं या उसे भूल ही जाएँगे। मेरा व्यवसाय मिट्टी में मिल जाएगा। लोग तो बातें बनाते ही हैं। अगर उन्हें मुफ्त का पैसा चाहिए तो उन्हें मेरे पास नहीं आना चाहिए।''

किसी को पता नहीं चलता कि रत्नम्मा के दिमाग में क्या चल रहा है। लेकिन किसी और के राज वह झट से जान लेती है। वह कभी नाराज नहीं होती या अपनी आवाज ऊँची नहीं करती। उसकी पूरी दुनिया पैसा है और वह सबकुछ का हिसाब रखती है। वह कभी अपने ग्राहकों को चाय के लिए नहीं पूछती। हाल में टी. नरसीपुरा के लोगों ने बुरे साहूकारों की संख्या में बढ़ोतरी देखी है। इसलिए इन दिनों रत्नम्मा अधिकतर साहूकारों से बेहतर लगती है।

हालाँकि रत्नम्मा अपनी दुकान छोड़कर कहीं नहीं जाती, वह पूरे गाँव की जानकारी रखती है। उसका तर्क यह है कि लोग बड़ी-बड़ी बातें तभी कर सकते हैं, जब वे जीवन में कोई उपलब्धि हासिल कर लें। वह कहती है कि दार्शनिक चर्चाओं में शामिल होनेवाले लोग कभी उन बातों पर अमल नहीं करते।

एक दिन लक्ष्मी ने अपनी माँ को फोन करके कहा, ''शंकर का स्थानांतरण बेलूर हो गया है। मैं आकर तुमसे मिलना चाहती हूँ।''

रत्नम्मा एक दिन के लिए भी दुकान बंद नहीं करती। इसलिए हमेशा लक्ष्मी ही अपनी माँ से मिलने आती है। इस बार उसके आने की एक खास वजह है। संजय ने लक्ष्मी को मृदुला की तसवीर भेजी है और उसे अपनी शादी के बारे में सूचित किया है। इसलिए लक्ष्मी इस बारे में अपनी माँ से बात करना चाहती है।

कुछ दिन बाद लक्ष्मी अपने बेटे अनिल के साथ आती है। जब रत्नम्मा की दुकान में संजय की शादी का विषय उठता है तो लक्ष्मी नाखुश हो जाती है, लेकिन उसकी माँ को कोई परेशानी नहीं है। लक्ष्मी तल्खी से कहती है, ''अम्मा चाहे तुम कुछ भी कहो, संजय ने हमारा नाम डुबो दिया।''

लक्ष्मी अपने पिता पर गई है और संजय से अधिक बातूनी है। उसकी टिप्पणी पर रत्नम्मा खामोश रह जाती है। लक्ष्मी बोलती रहती है, ''मैंने अपनी ससुराल में सभी से कहा था कि संजय किसी डॉक्टर से शादी करेगा और एक दिन नर्सिंग होम खोलेगा। यह लड़की मृदुला तो एक सरकारी हाई स्कूल में बस एक शिक्षिका है। अब मैं बेवकूफ सी लगूँगी।''

"तुमने ऐसा क्यों कहा? उसने तो मुझसे इस तरह की कोई बात नहीं कही। क्या तुमसे कही थी?"

"नहीं, उसने नहीं कहा। मेरे ऐसा कहने की एक वजह है। मेरे पति की बहन विमला ने मुझसे कहा कि वह अपनी बेटी ऊषा से संजय की शादी करवाना चाहती है। मुझे विमला पसंद नहीं है। लेकिन मैं उसकी भावनाओं को ठेस नहीं पहुँचाना चाहती थी इसलिए मैंने उससे कहा कि संजय सिर्फ डॉक्टर से ही शादी करेगा। अब वे लोग मुझ पर हँसेंगे। हम इस लड़की या यह कहाँ की है, इस बारे में कुछ नहीं जानते। हम कभी अलादाहल्ली नहीं गए। संजय वहाँ की लड़की से शादी क्यों कर रहा है?"

रत्नम्मा उद्विग्न नहीं होती, "तुम नाराज क्यों हो? वह लड़की सुंदर है और संजय पढ़ा-लिखा है। यह फैसला करने से पहले वह उससे मिला होगा और इस बारे में सोचा होगा। तुम क्रोधित होकर अपना रक्तचाप बढ़ा रही हो।"

संजय ने अपनी माँ से कभी विवाह की बात नहीं की। असल में बहुत से लोग, जिनकी बेटियाँ विवाह योग्य थीं, रत्नम्मा को इस विषय में संकेत देते रहते थे। टी. नरसीपुरा में श्री सेतुराव की काफी जमीन है और उनका साहूकारी व्यवसाय भी बहुत अच्छा चलता है। उन्होंने एक-दो बार अप्रत्यक्ष रूप से रत्नम्मा से उसके बेटे के विषय में पूछा था। एक बार मैसूर की एक महिला डॉक्टर ने संजय के बारे में उससे पूछा था और सुझाव दिया था कि उससे शादी होने पर वे साथ मिलकर एक नर्सिंग होम खोल पाएँगे। लेकिन रत्नम्मा ने कोई जवाब नहीं दिया था। रत्नम्मा सोचती है, 'जब बेटियाँ बड़ी हो जाती हैं तो वे माँओं की अच्छी दोस्त बन जाती हैं, लेकिन लड़के बड़े होने पर अजनबी बन जाते हैं। लक्ष्मी यह बात नहीं समझती। हो सकता है अनिल के बड़े होने के बाद उसे यह बात समझ में आए।'

असल में रत्नम्मा लगभग एक वर्ष से संजय से नहीं मिली है। एक बार उसने कहा था, 'अम्मा, मैं तुम्हें ज्यादा पैसे भेज दूँगा। तुम बहुत काम करती हो। तुम दुकान बंद कर सकती हो।'

उस समय रत्नम्मा ने मन ही मन सोचा था, 'यह मेरे लिए कोई ज्यादा काम नहीं है, लेकिन असल बात यह है कि उसे मेरा एक छोटी सी दुकान चलाना पसंद नहीं है। उसे लगता होगा कि इससे उसकी इज्जत कम होगी। लेकिन मैं ऐसी झूठी प्रतिष्ठा की चिंता नहीं करती।'

उसी समय एक ग्राहक आकर उसकी तंद्रा भंग कर देता है। वह एक तौलिए और एक मग की कीमत पूछता है। फिर वह मोल-भाव शुरू करता है, "अरे, यह तो बहुत महँगा है। मैसूर के देवराजा बाजार में यह काफी सस्ता है।"

लक्ष्मी अपने भाई का गुस्सा ग्राहक पर निकाल देती है, "तो आपको वहीं से

खरीदना चाहिए था। आप यहाँ क्यों आए हैं?''

खुशकिस्मती से वह ग्राहक थोड़ा ऊँचा सुनता है। रत्नम्मा सजग हो जाती है। वह यह बुनियादी नियम जानती है—ग्राहक भगवान् होता है। वह चतुराई से लक्ष्मी से कहती है, ''बच्चे को अंदर ले जाओ और दोपहर का भोजन बनाओ।''

लक्ष्मी अपनी माँ को गुस्से से देखती है और चली जाती है।

रत्नम्मा ग्राहक को पटाना शुरू करती है, ''हाँ, मैसूर में सामान अधिक सस्ता है। हम वहाँ से खरीदारी करते हैं, उसे बस में लेकर आते हैं और बस तथा कुली का पैसा भी देना पड़ता है। हम अपनी दुकान का सामान खरीदने के लिए साहूकार से पैसे भी लेते हैं। हमारे पास कोई विकल्प नहीं है। यह रंग में देवराजा बाजार जैसा दिख सकता है, लेकिन आपने वहाँ चीज की गुणवत्ता नहीं देखी होगी। अच्छे सामान के लिए अच्छा पैसा देना ही पड़ता है। तौलियों और मगों की गुणवत्ता देखिए और उसपर यकीन होने के बाद ही खरीदिए।''

ग्राहक उसकी बात सुनने के बाद अपना विचार बदल लेता है। रत्नम्मा सौदा पूरा करने के बाद सोचती है, 'ग्राहकों को समझना बहुत मुश्किल है। हर किसी का अपना मिजाज होता है। उनसे बात करते हुए मुझे उनको समझना पड़ता है। लक्ष्मी को यह कैसे पता चलेगा? उसका पति शंकर एक बैंक क्लर्क है और वह काम करे या नहीं, उसे नियमित वेतन मिलता है। लेकिन मेरा जीवन उतार-चढ़ाव से भरपूर है। लक्ष्मी सारा दिन घर पर बैठती है तो वह पैसे, ग्राहक और व्यवसाय का महत्त्व कैसे समझ सकती है?'

रत्नम्मा अनिल का रोना सुनकर चिढ़ जाती है। इतने आराम में रहने के बाद भी लक्ष्मी एक बच्चे तक का ध्यान नहीं रख सकती।

वह अतीत में चली जाती है।

नरसिंह राव जैसे पति और दो छोटे बच्चों के साथ जीवन आसान नहीं था। उसके पति में सामान्य समझदारी नहीं थी। हालाँकि वह अपने रोगियों को दवाएँ देने में दक्ष था, लेकिन उसके लिए पैसे लेना उसे पसंद नहीं था। जब रत्नम्मा ने आग्रह किया कि वह अपने रोगियों से पैसे लिया करे ताकि घर चलाने के लिए पैसों का जुगाड़ हो सके तो वह कहता, 'मैं अपने मरीजों से पैसे कैसे माँग सकता हूँ? यह मुझे भगवान् धनवंतरी की देन है। जब रोगी ठीक हो जाते हैं तो वे स्वयं मुझे पैसे दे देते हैं। लेकिन अगर मैं उनसे पैसे माँगूँ तो यह शक्ति चली जाएगी।'

हालाँकि गाँव के लोग अशिक्षित थे, लेकिन वे चालाक थे। जब वे बीमार होते तो रोगी और उनके रिश्तेदार आकर नरसिंह राव के पैर छूते और रोते हुए कहते, 'आप हमारे लिए भगवान् हैं। कृपया रोगी को बचा लीजिए।'

एक बार मरीज के ठीक होने पर वे उसे अनदेखा कर देते। रत्नम्मा परेशान रहती कि वह इस शहर में दो छोटे बच्चों के साथ घर किस तरह चलाएगी। उसी समय उसने खेतों की देखभाल करने और अपना व्यवसाय शुरू करने का फैसला किया। उसे याद आया कि लक्ष्मी की शादी में उन्हें कितनी मुश्किलें आई थीं। उसकी नजरें अपने-आप दीवार पर टँगी लक्ष्मी और शंकर की विवाह की तसवीर पर चली जाती हैं।

लक्ष्मी बहुत खूबसूरत लड़की थी। आज भी एक बच्चे की माँ होने के बावजूद वह उतनी ही सुंदर लगती है। लेकिन गरीब आदमी की बेटी की सुंदरता ही उसके लिए अच्छा वर नहीं सुनिश्चित कर सकती। बहुत से लोग नरसिंह राव से मदद लेते थे। मगर जब उसका पति वर की तलाश में लक्ष्मी की कुंडली और तसवीर के साथ उनके घर गया तो वे एक गिलास पानी के साथ मीठी-मीठी बातें करते। बाद में उसे बोल देते कि कुंडलियाँ नहीं मिलीं। उसका नासमझ पति उन पर भरोसा कर लेता, मगर वह जानती थी कि असली वजह कुंडली नहीं, बल्कि उनकी गरीबी थी।

हर जगह से निराश होने के बाद रत्नम्मा खुद अपनी बेटी के लिए वर ढूँढ़ने निकली। शंकर उनके दूर का रिश्तेदार था। लेकिन लक्ष्मी और उसकी उम्र में दस साल का अंतर था। खुशकिस्मती से उसके पास ढेर सारा दहेज माँगने के लिए माता-पिता नहीं थे। इसलिए रत्नम्मा ने शंकर से अनुरोध किया कि वह लक्ष्मी से विवाह कर ले। नरसिंह राव इस शादी से खुश नहीं थे। उन्होंने तर्क दिया, ''यह अच्छी जोड़ी नहीं है रत्ना। शंकर लालची और गुस्सेवाला है। वह झगड़ालू और धूर्त भी है। मुझे उसका परिवार भी पसंद नहीं है।''

लेकिन रत्नम्मा ने इन बातों पर ध्यान नहीं दिया और लक्ष्मी का विवाह शंकर से हो गया।

तेज गरमी में रत्नम्मा को पसीने आ रहे हैं। वह अपनी साड़ी के पल्लू से अपना चेहरा पोंछती है। उसकी दुकान में कोई ग्राहक नहीं है और अपने अनुभव से वह जानती थी कि कुछ घंटे तक कोई नहीं आएगा। वह दोपहर के भोजन के लिए दुकान बंद करने को ही है, जब वह दूर से मदा को आते देखती है।

उसके विचार फिर से अपने पति की ओर लौट जाते हैं, 'अगर सारे पुरुष नरसिंह राव की तरह होते हैं तो पत्नी का जीवन कठिन हो जाता है। पुरुषों को महत्त्वाकांक्षी होना चाहिए, जो कामयाबी के लिए जरूरी होता है। लक्ष्मी बातूनी है, लेकिन वह साहसी नहीं है। यह अच्छा है कि उसे एक महत्त्वाकांक्षी पति मिला। लेकिन संजय मेरी तरह है। वह बातें कम करता है लेकिन अधिक साहसी है।'

इस समय तक मदा उसकी दुकान तक पहुँच जाता है। वह लंबे समय से उसके खेतों में काम कर रहा है। वह कहता है, ''लक्ष्मी अम्मा ने मुझे पिछवाड़े में एक पेड़

लगाने को कहा है। मैं कौन सा पेड़ लगाऊँ? जब पंडितजी जीवित थे तो वे नीम के पेड़ पसंद करते थे। क्या मैं वही लगा दूँ?''

रत्नम्मा मुसकराते हुए कहती है, ''नहीं मदा। वहाँ चंपा के पेड़ लगाओ।''

''जमीन को कितना खोदूँ अम्मा?''

''मिट्टी नीचे से काफी पथरीली है। जब तक कि पथरीली जमीन न आ जाए तब तक खोदो।''

मदा खुदाई शुरू कर देता है। उसी समय मुख्य मंदिर का घंटा बजता है, जो दोपहर के भोजन के समय का संकेत है। रत्नम्मा नरसिंह देव के लिए हाथ जोड़ती है। वह ऐसा श्रद्धा के कारण नहीं, बल्कि आदतन करती है। फिर वह दोपहर का भोजन करने के लिए घर के अंदर चली जाती है।

लक्ष्मी दो लोगों के लिए थालियाँ लगा रही है और अनिल फर्श पर एक चटाई पर सो रहा है। घर छोटा है। उसमें एक सेफ-लॉकर रखने के लिए एक कमरा, लगभग तीस लोगों के लिए पर्याप्त एक हॉल, एक छोटा शयनकक्ष और एक रसोईघर तथा खाने का कमरा है। उसमें कोई पूजा-कक्ष नहीं है। रत्नम्मा का तर्क यह है कि ईश्वर सर्वव्यापी है और उसके लिए एक अलग कमरे की कोई जरूरत नहीं है। इसलिए वह रसोईघर की अलमारी में कुछ मूर्तियाँ रखती है।

जब उसके पुत्र ने कमाना शुरू किया था तो वह नियमित पैसे भेजता था। लक्ष्मी ने आग्रह करके घर के कगो फर्श को पक्के फर्श में बदलवा दिया। लेकिन रत्नम्मा को यह फिजूलखर्ची पसंद नहीं आई। वह बोली, ''तुमने इतनी मेहनत की कमाई को इसपर क्यों बरबाद कर दिया? अगर हम उसी पैसे को साहूकारी के काम में इस्तेमाल करते तो हम कुछ कमा ही लेते।''

रत्नम्मा दोपहर के भोजन के लिए फर्श पर बैठ जाती है। लक्ष्मी ने रागी के कोफ्ते और वेजीटेबल साँभर बनाया है। एक दूसरे बरतन में एक और व्यंजन था। रत्नम्मा चिढ़कर सोचती है, 'अगर लक्ष्मी रोज ऐसा ही भोजन बनाती है तो यह कितनी बरबादी है। यह महँगा है और इस तरह का भोजन करने से नींद आती है। आमतौर पर महिला ग्राहक लोन लेने के लिए दोपहर में आती हैं, ताकि उनके घर के पुरुषों को इस बारे में पता न चले। अगर मैं सो गई तो मेरा व्यवसाय प्रभावित होगा।'

वह लक्ष्मी को डाँटने ही वाली है, जब वह अपने दौहित्र अनिल को फर्श पर सोए देखती है। इसलिए वह अपना इरादा बदल लेती है। वह चतुराई से अपनी बेटी से पूछती है, ''तुम अपने घर में रोज दोपहर के भोजन में क्या बनाती हो?''

लक्ष्मी अपनी माँ की ही बेटी है। वह समझ जाती है कि उसकी माँ के दिमाग में क्या चल रहा है। वह कहती है, ''मेरे पति हमेशा कहते हैं—पैसा कमाने का क्या लाभ

अगर हम ढंग से खा न पाएँ और अपने स्वास्थ्य का ध्यान न रख पाएँ? इसलिए मैं रोज दो सब्जियाँ, साँभर, रसम और एक मीठा व्यंजन बनाती हूँ।''

रत्नम्मा खाना शुरू कर देती है और जवाब नहीं देती, 'अगर लक्ष्मी अपने पति का सारा वेतन भोजन में खर्च कर देती है तो वह जरूरत के समय के लिए पैसे कभी नहीं बचा पाएगी। शंकर लालची है और हो सकता है कि उसकी नजर मेरी प्रॉपर्टी पर हो। शायद इसीलिए वे अपना सारा पैसा खर्च कर देते हैं। मैं भी जीवन का आनंद उठाना और अच्छा भोजन करना चाहती हूँ, लेकिन मैं खुद पर नियंत्रण कर के एक-एक पैसा बचाती हूँ।'

उसे चिंता होती है कि उसके जाने के बाद लक्ष्मी को उसकी मेहनत की कमाई का एक हिस्सा मिल जाएगा और शंकर उसका आनंद लेकर उसे खर्च कर देगा। किसी और को अपने पैसे पर मजे करते देखने की कल्पना उसे असहज कर देती है। फिर उसकी नजर लक्ष्मी की साड़ी पर जाती है। हालाँकि वह सिल्क की नहीं है, मगर सस्ती भी नहीं है। वह यह सोचने से खुद को नहीं रोक पाती, 'लक्ष्मी ऐसी अच्छी साड़ियाँ घर पर क्यों पहनती है? आखिर वह सिर्फ एक गृहिणी है। एक सामान्य साड़ी ही काफी है। वह इसी पैसे को किसी और काम में ला सकती थी। लेकिन लक्ष्मी ऐसा जताती है मानो वह बहुत अमीर है। मैंने पता नहीं कब से कोई नई साड़ी नहीं खरीदी।'

कुछ वर्ष पहले लक्ष्मी ने अनिल का पहला जन्मदिन मनाया था और अपनी माँ से उसके लिए आने का आग्रह किया था। बहुत जोर देने पर रत्नम्मा ने अपनी दुकान एक दिन के लिए बंद की और मैसूर गई। लेकिन वह पार्टी की भव्यता देखकर भोजन नहीं कर पाई। उसे यह देखकर बड़ा झटका लगा कि उन्होंने एक बच्चे के जन्मदिन पर कितना सारा पैसा बरबाद कर दिया था। खाना महँगा था और बच्चे के लिए उन्होंने बुटीक से कपड़े खरीदे थे। रत्नम्मा ने बार-बार अपनी बेटी से कहा कि उसे उपहार में साड़ी नहीं चाहिए, मगर लक्ष्मी ने उसकी बात नहीं सुनी और अपनी माँ को एक साड़ी दी। रत्नम्मा ने लक्ष्मी से कहा कि इतनी बड़ी पार्टी करने की बजाय वे लड़के को सोने की चेन खरीद दें, मगर उसकी बात अनसुनी कर दी गई। इसलिए उसने बच्चे को दीर्घायु होने का आशीर्वाद दिया और कोई उपहार नहीं दिया। उसके मुताबिक बड़ों की दुआएँ और आशीर्वाद किसी उपहार से अधिक कीमती थे।

भगवान् नरसिंह की पत्नी देवी पार्वती बहुत लोकप्रिय हैं। नरसिंह मंदिर में बहुत से लोग देवी को साड़ी भेंट करते हैं। देवी आमतौर पर वह साड़ी सिर्फ एक दिन के लिए पहनती हैं। कभी-कभार देवी की साड़ी पर हल्दी या सिंदूर का दाग लग जाता है। ऐसी साड़ियाँ लोगों को प्रसाद स्वरूप बाँट दी जाती हैं। एक बार धुलने के बाद वे नए की तरह हो जाती हैं। यदि वह साड़ी सिल्क की हो तो मुख्य पुजारी की पत्नी अपने

लिए रख लेती है। या फिर रत्नम्मा को हर वर्ष एक या दो सामान्य साड़ियाँ मिल जाती हैं। वह खुद को खुशकिस्मत समझती है कि साड़ी ईश्वर का प्रसाद है और वह एक भी पैसा खर्च किए बिना नई साड़ी का आनंद ले सकती है। उसकी अलमारी ऐसी साड़ियों से भरी हुई है।

रत्नम्मा अपना भोजन समाप्त करती है। तभी वह पिछवाड़े खुदाई की आवाज सुनती है और देखने जाती है कि क्या हो रहा है। पीछे का आँगन बहुत बड़ा है। एक कोने में उसके स्वर्गीय पति द्वारा लगाया हुआ करंज का पेड़ है। एक आयुर्वेदिक वैद्य के रूप में उन्होंने रत्नम्मा को उसके व्यापक प्रयोग के बारे में बताया था। अपने जीवनकाल में वे औषधीय पौधे लगाते थे। अब रत्नम्मा लौकी की बेल उगाना अधिक पसंद करती है। उसे लगता है कि धनिया जैसे औषधीय पौधे उगाना पैसे की बरबादी है, क्योंकि धनिया उगाना महँगा होता है। उनका एकमात्र इस्तेमाल यह होता है कि वे भोजन में एक सुगंध ला देते हैं। लेकिन लौकी उगाना अधिक फायदेमंद है। वह कहीं भी लौकी के बीज फेंककर निश्चिंत हो सकती है। आमतौर पर बिना अधिक देखभाल के बेल उगने लगती है। लौकी खराब भी नहीं होती। इसलिए वह घर में उन्हें कई महीने रख सकती है। जब गरमियों में कोई सब्जी नहीं होती तो लौकी महँगी हो जाती है। उसके लिए यह भी पैसा कमाने का एक बढ़िया तरीका है।

रत्नम्मा घर वापस आकर अपने हाथ धोती है और एक चारपाई पर लेट जाती है। वह सोचती है, 'करंज के पेड़ का क्या उपयोग है? सारे बेरोजगार और जवान लड़के पेड़ के नीचे बैठकर गप्पें मारते हैं। कभी-कभार वे लौकी भी चुरा लेते हैं। फिर मुझे बाड़ लगाने में और पैसे खर्च करने होंगे।'

एक पल के लिए उसे अपने मृत पति पर गुस्सा आता है, 'यदि उन्होंने करंज के पेड़ के बदले आधे दर्जन चंपा के पेड़ लगाए होते तो हम गौरी की पूजा करनेवाली महिलाओं को फूल बेचकर पैसे कमा सकते थे। काश मैं करंज के पेड़ को काट सकती। मुझे उससे लकड़ी मिल जाएगी। लेकिन लक्ष्मी ऐसा होने नहीं देगी। वह इस पेड़ को 'अप्पा का पेड़' कहती है और उसे लेकर भावुक है। उसे मेरी मुश्किलों का अंदाजा नहीं है। जब वह यहाँ नहीं होती, तब इस पेड़ को कटवा देना चाहिए।'

फिर उसे अपने बेटे का खयाल आया। क्या वह भी उसके फैसले का विरोध करेगा? एक पल के लिए वह चिंता में पड़ जाती है। विवाहित पुत्री की बजाय पुत्र का सामना करना अधिक मुश्किल है। फिर उसे याद आता है कि उसका पुत्र एक सुंदर लड़की के प्रेम में पड़ गया है। उसे करंज का पेड़ तो क्या, टी नरसीपुरा भी याद नहीं होगा।

कुछ समय बाद खुदाईवाली जगह से अजीब सा शोर आने लगता है। मदा पथरीली

जमीन तक पहुँच गया है। रत्नम्मा ने देखा कि लक्ष्मी आकर उसके बगल में लेट गई है।

जब वह एक बार मैसूर में थी तो रत्नम्मा ने देखा था कि शंकर रोज अपनी पत्नी के लिए पाँच रुपए के चंपक लाता था। रत्नम्मा ने हिसाब लगाया कि उसे हर साल इसपर कितने खर्च करने पड़ते होंगे—अठारह सौ रुपए से अधिक! पैसे की कितनी बरबादी है, वह भी ऐसे फूलों पर जो चौबीस घंटे से अधिक नहीं टिकेंगे। यह उसके लिए बहुत अधिक था। वह जानती थी कि शंकर का मुँह बहुत खुला हुआ है और उसके रिश्तेदार इसी वजह से उससे अधिक बात नहीं करते थे। लेकिन फिर भी अपनी बेटी के हित के लिए वह बोली, ''शंकर, तुम्हें उस पैसे को बचाकर कहीं निवेश करना चाहिए, फिक्स्ड डिपोजिट सही रहेगा।''

शंकर ने तल्खी से जवाब दिया था, ''सासू माँ, हम और भी पैसे बचा सकते हैं, अगर बस साँस लेना छोड़ दें।''

रत्नम्मा ने दुःखी होकर सोचा, 'उसे मेरी उम्र या रिश्ते का भी लिहाज नहीं है।'

उसके बाद रत्नम्मा ने कभी शंकर से पैसों की बात नहीं की। उसने आगे से कभी भी इस दंपती की आर्थिक मदद न करने का भी मन बना लिया था। वह जानती थी कि उनका जीवन एक बेपेंदी की बालटी है। अगर वह कभी उन्हें पैसे देगी तो वह तेजी से खर्च हो जाएँगे।

लक्ष्मी की आवाज से वह वर्तमान में आ जाती है, ''अम्मा, तुम संजय की शादी के बारे में कुछ नहीं बोल रही हो। क्या तुम्हें दुःख हुआ है?''

''नहीं, किसी दिन तो उसकी शादी होनी ही है।'' फिर वह सोचती है, 'शंकर के प्रभाव में लक्ष्मी काफी बदल गई है। संजय की शादी से उसे कोई चिंता नहीं है। उसके लिए यह मायने नहीं रखता कि वह अमीर लड़की से शादी कर रहा है या गरीब लड़की से। लेकिन उसे उस स्टेटस की परवाह है, जो उसके भाई को अमीर लड़की से शादी करने पर मिलेगा।'

रत्नम्मा को स्टेटस की परवाह नहीं है। हालाँकि उसके पास थोड़े स्वर्णाभूषण हैं, वह उसे बैंक लॉकर में रखती है और कभी नहीं पहनती। वह उसे बेटी या पुत्रवधू को भी नहीं देना चाहती। स्वर्ण उसके लिए सिर्फ आभूषण नहीं है। वह एक संपत्ति और निवेश है। अगर कभी आर्थिक स्थिति खराब हुई तो वह उसे गिरवी रख सकती है या बेच सकती है। सिल्क साड़ियों पर पैसे खर्च करने का क्या लाभ? एक बार धुलाई के बाद वे बेकार हो जाती हैं और बेची नहीं जा सकतीं।

उसका दिमाग मृदुला की ओर चला जाता है, 'वह लड़की धारवाड़ जिले की है और वहाँ के लोग हमेशा शुद्ध सोना खरीदते हैं। यह अच्छा है कि वे ताँबा मिलाकर पेचीदा डिजाइन नहीं बनाते। अगर स्वर्ण शुद्ध हो तो वह आसानी से पिघल जाता है और

कोई बरबादी नहीं होती। आमतौर पर, लड़की और उसके घरवाले शादी का खर्च वहन करते हैं। वर पक्ष का कोई पैसा खर्च नहीं होता। मृदुला के पिता जमींदार हैं। वे जो चाहें अपनी बेटी को दे सकते हैं। मैं इसका हिस्सा नहीं बनना चाहती। वैसे भी वह लड़की साहूकारी व्यवसाय के लिए मुझे सोना नहीं देनेवाली। अगर उसका परिवार मुझे साड़ी देना चाहेगा तो मैं उन्हें बोल दूँगी कि मुझे साड़ी नहीं, नकद चाहिए। मैं संजय को भी यह बात बता दूँगी। लेकिन वह लक्ष्मी को जो भी देना चाहता है, वह भाई और बहन के आपस की बात होगी। मैं उसमें हस्तक्षेप नहीं करना चाहती। मैं बस यह स्पष्ट कर देना चाहती हूँ कि मैं मृदुला को सिर्फ एक मंगलसूत्र, अपने पुराने कर्णफूल और बिछिया दूँगी। मैं अधिक खर्च नहीं करना चाहती। अपनी सास के गहने पाना पुत्रवधू के लिए सौभाग्य की बात होती है। विवाहित दंपती को मैं सबसे बड़ा उपहार अपने आशीर्वाद का दे सकती हूँ। मुझे शादी की तैयारियों के बारे में कोई बात नहीं करनी, न ही विवाह से संबंधित कोई विचार-विमर्श करना है। सारी बातचीत लक्ष्मी, शंकर और संजय के बीच होगी।'

इस बीच लक्ष्मी उसकी ओर मुड़कर सोचती है, 'अगर मैं अपनी माँ के साथ रहती तो मुझ पर अपनी माँ का प्रभाव अधिक होता। लेकिन मेरा विवाह कम आयु में हो गया और मैं एक बड़े शहर में अपने पति से साथ रही। मेरे पति का अपनी नौकरी के कारण कई स्थानों पर स्थानांतरण होता रहा है और इसी वजह से मैंने बहुत कुछ देखा है। मुझे समझ नहीं आता कि मेरी माँ हमेशा पैसों के बारे में क्यों सोचती है। मेरा एक भाई है और मैं चाहती हूँ कि उसका विवाह धूमधाम से हो। अगर यह एक तयशुदा शादी होती तो मैं अच्छा मोल-भाव कर सकती थी, लेकिन अब मेरी बात कोई सुनेगा नहीं। अगर लड़की बेंगलुरु या मैसूर की होती तो हम एक बड़ा विवाह-हॉल किराए पर ले लेते। मैं अपनी जेठानियों को जला सकती थी। लेकिन संजय ने वाकई मुझे निराश कर दिया। उसने खुद मृदुला से शादी की बात की है, इसलिए स्वाभाविक है कि लड़की के माता-पिता और रिश्तेदार हमारी बात नहीं सुनेंगे।'

लक्ष्मी मृदुला से नाराज है, जबकि वह उससे कभी नहीं मिली है। वह जानती है कि अम्मा संजय के विवाह पर एक भी पैसा खर्च नहीं करेगी। जब भी लक्ष्मी उससे मिलने आती है तो अम्मा उसे कोई उपहार नहीं देती। इसकी बजाय वह कहती है, ''साड़ियाँ देना बेकार है। मैं तुम्हें एक हार दिला दूँगी।''

लक्ष्मी वर्षों से यह सुनती आ रही है, लेकिन उसे वह हार अब तक नहीं मिला। उसकी सभी जेठानियाँ उसका मजाक उड़ाती हैं। वे जानबूझकर उसे बताती हैं, ''अरे देखो यह नई साड़ी मेरी माँ ने इस बार दी है।''

दोनों पक्ष जानते हैं कि वह साड़ी पति के पैसे से उसकी जानकारी के बिना खरीदी

गई है और लक्ष्मी भी कोई अपवाद नहीं है। वह शंकर से उसे बताए बिना पैसे ले लेती है और मैसूर में साड़ियाँ खरीद लेती है। बाद में वह अपनी जेठानियों से कहती है कि वह साड़ी उसकी माँ ने दी है। कभी-कभार संजय गौरी उत्सव के लिए लक्ष्मी को पैसे भेजता है और साड़ी भी भेजता है। लेकिन शंकर को हमेशा संदेह होता है कि वह साड़ी भी उसके पैसे की ही है।

लक्ष्मी उसे ऐसी स्थिति में डालने के लिए संजय से नाराज है, ''अम्मा भले ही संजय की शादी के बारे में कुछ न कहें, लेकिन मैं बात करूँगी। मैं संजय और उसके ससुरालवालों से एक साड़ी की माँग करूँगी। हमें किन लोगों को विवाह के लिए आमंत्रित करना चाहिए? अम्मा के व्यवसाय के कारण उनके बहुत से परिचित हैं। लेकिन उनमें से कोई सच्चा दोस्त नहीं है, जो दिल से संजय की शादी के लिए खुश होगा। जीवन में अम्मा का भिन्न सिद्धांत है। वह कहती है—अगर तुम कोई व्यवसाय कर रहा हो तो किसी के साथ अधिक दोस्ती न करो, क्योंकि आखिरकार वे तुमसे ऋण माँगेंगे। दोस्त बनने के बाद किसी से पैसे वापस माँगना कठिन है। तुम पैसे भी खो दोगे और दोस्ती भी।''

इसलिए उसकी माँ का कोई मित्र नहीं है।

लक्ष्मी मुड़कर देखती है तो अपनी माँ को गहरी नींद में पाती है। शायद मीठा व्यंजन खाकर उसे नींद आ गई है।

8

प्रेम की डोर

शंकर और लक्ष्मी शादी की तैयारियों के बारे में भीमन्ना से मिलकर बात करने का फैसला करते हैं। यह लक्ष्मी का विचार है। संजय को भी यह उचित लगता है, क्योंकि लक्ष्मी उससे बड़ी है और उसकी इकलौती बहन है। इसलिए वह भीमन्ना को अपनी बहन के आने की सूचना देता है।

कुछ दिन बाद शंकर और लक्ष्मी अरसीकेरे जाकर रात में कित्तूर एक्सप्रेस पकड़ते हैं। अगले दिन सुबह वे हुबली पहुँचते हैं। वे रात को बस से लौटनेवाले हैं। हुबली रेलवे स्टेशन पर कृष्णा उनका इंतजार कर रहा है। वह गाड़ी से उन्हें लेकर अलादाहल्ली जानेवाला है, जो केवल एक घंटे की दूरी पर है।

लेकिन ट्रेन से उतरने पर शंकर इस कार्यक्रम में परिवर्तन कर देता है। उसे सीधे अलादाहल्ली जाने का विचार पसंद नहीं आता। वह कहता है, ''हम पहले अजंता

होटल जाकर स्नान और नाश्ता करेंगे। फिर अलादाहल्ली के लिए चलेंगे।''

कार्यक्रम में आकस्मिक बदलाव कृष्णा को अजीब लगता है, लेकिन वह शांत रहता है और सहमति दे देता है। होटल में शंकर बिल का भुगतान करने का दिखावा करता है, लेकिन जब कृष्णा भुगतान करने का आग्रह करता है तो वह इनकार नहीं करता।

इस विलंब के कारण कृष्णा, शंकर और लक्ष्मी सुबह 11 बजे अलादाहल्ली पहुँचते हैं। रुकमा और भीमन्ना पूरे दिल से उनका स्वागत करते हैं। वे बहुत खुश हैं। जल्दी ही मृदुला भी आ जाती है। उसने हरे ब्लाउज के साथ एक साधारण सफेद साड़ी पहनी हुई है और लिपिस्टिक तथा परफ्यूम के बिना भी दमकती हुई एवं खूबसूरत लग रही है। उसे देखकर लक्ष्मी को किसी बेल पर सफेद सुगंधित चमेली के फूल की याद आती है। उसके सहज सौंदर्य से लक्ष्मी को ईर्ष्या होने लगती है। वह मृदुला के घरवालों द्वारा पहने गए सोने से उसके परिवार की आर्थिक स्थिति का अंदाजा लगाने लगती है। वह यह देखकर निराश होती है कि मृदुला ने बहुत कम स्वर्णाभूषण पहने हुए हैं—एक सोने की चेन, सोने के कर्णफूल और चार चूड़ियाँ। उसकी माँ ने भी मंगलसूत्र के अलावा इतने ही आभूषण पहने हुए हैं। लक्ष्मी को समझ नहीं आता कि ये स्त्रियाँ अपने स्वर्णाभूषणों का प्रदर्शन क्यों नहीं कर रहीं।

उसे अपनी सगाई का दिन याद आता है। वह अपने पड़ोसी सुबैय्या शेट्टी के घर कुछ स्वर्ण मंडित आभूषण लेने गई थी, हालाँकि रत्नम्मा इसके सख्त खिलाफ थी। लक्ष्मी ने अपने ससुरालवालों को प्रभावित करने के लिए सिर से पैर तक आभूषण पहने थे। वह गलत थी। शंकर की बहन विमला बहुत चतुर थी, वह समझ गई कि ये आभूषण नकली हैं। उसने व्यंग्य किया, ''अरे, ये आभूषण तो चिकपेट में 150 रुपए में मिलते हैं। मेरी बेटी ऊषा ने अपने स्कूल के नृत्य-कार्यक्रम के लिए खरीदे थे।''

तभी लक्ष्मी को भीमन्ना की आवाज सुनाई देती है जो उन्हें घर के बाहर चलने के लिए कह रहे हैं। भीमन्ना शंकर और लक्ष्मी को गाँव में टहलने के लिए ले जाते हैं। उन्हें भीमन्ना की स्थानीय कन्नड़ समझने में परेशानी होती है। उन्होंने ऐसी कन्नड़ पहले कभी नहीं सुनी है। फिर भी भीमन्ना उनसे आसानी से बात करते हैं और बातचीत को चलाते रहते हैं। जब टहलने के दौरान भीमन्ना को कोई मिलता है तो वे कहते हैं, ''ये श्री शंकर राव हैं। इनकी पत्नी का भाई बंबई में डॉक्टर है। ये यहाँ पर शादी की बातचीत करने आए हैं।''

शंकर को उनका खुलापन असंवेदनशील लगता है। उसे पता चलता है कि भीमन्ना गाँव का एक महत्त्वपूर्ण व्यक्ति है। उनके पास बैंक में पर्याप्त पैसा है और काफी जमीन भी है। लेकिन शंकर को समझ नहीं आता कि भीमन्ना अपनी खूबसूरत बेटी का विवाह एक विकलांग युवक से क्यों कर रहा है। शंकर को ईर्ष्या होती है। शंकर को अपने

विवाह में सिर्फ एक सुंदर पत्नी मिली। लेकिन संजय खुशकिस्मत है कि उसे एक अच्छी लड़की और अमीर श्वसुर मिले। लेकिन जब शंकर भीमन्ना के सादे घर को देखता है तो निराश होता है। वह बेलूर में अपने घर के बारे में सोचता है, जहाँ सभी आधुनिक उपकरण हैं, हालाँकि उनमें से अधिकांश किस्तों पर खरीदे गए हैं। शंकर की लगभग 70 फीसदी तनख्वाह इन ऋणों को चुकाने में खर्च होती है। एक लोन समाप्त होते-होते लक्ष्मी को खरीदने के लिए कुछ और सूझ जाता है। उसकी माँगें अंतहीन हैं। वह अपने लेडीज क्लब के सदस्यों के साथ प्रतिस्पर्धा करती रहती है। इन दिनों वह आग्रह कर रही है कि वह नया लोन लेकर एक सेकेंडहैंड कार खरीद ले। शंकर सोचता है, 'यदि मेरे पास भीमन्ना जितने पैसे होते तो मैं एक मर्सडीज बेंज और हुबली में एक तीन तलवाली बिल्डिंग खरीद लेता।'

उसे भीमन्ना पर तरस आता है कि वह जीवन का सुखभोग नहीं कर रहा। लेकिन एक चीज तो स्पष्ट है—संजय ने एक बड़ी मछली पकड़ी है।

रुकमा दोपहर के भोजन की तैयारियों को अंतिम रूप देने के लिए रसोईघर में जाती है। मृदुला लक्ष्मी से बात करने लगती है, ''क्या मैं आपको दीदी बुला सकती हूँ? आप मुझसे बड़ी हैं।''

लक्ष्मी को यह अजीब और मूर्खतापूर्ण लगता है। विवाह के कई वर्ष बाद भी वह खुद को अपने पति के परिवार का सदस्य नहीं समझती। उसने कभी अपनी जेठानियों को दीदी नहीं कहा। वह उन्हें अपने प्रतिस्पर्धियों के रूप में देखती है और अपनी तुलना उनसे करती रहती है। उसकी माँ ने कभी उसे यह सलाह नहीं दी कि उसे अपने ससुरालवालों से क्या उम्मीद करनी चाहिए या उनके साथ कैसा व्यवहार करना चाहिए। वह संयुक्त परिवार के लोगों के अपमान, ईर्ष्या और धूर्तता की शिकार बनी है। उसने अपने अनुभवों से सीखा है कि ऐसी स्थितियों से कैसे निपटना चाहिए।

लक्ष्मी को मृदुला पर तरस आता है कि उसने कभी असली दुनिया नहीं देखी, जहाँ सच्चा प्रेम और स्नेह नहीं मिलता। वह कहती है, ''बिलकुल मृदुला, तुम मुझे अक्का कह सकती हो।''

फिर वह खुलकर उससे पूछती है, ''मृदुला, तुम संजय से पहली बार कहाँ मिली थी?''

उम्मीद के अनुसार मृदुला कुछ नहीं छिपाती और उसे पूरी कहानी विस्तार से बता देती है।

तब तक दोपहर के भोजन का समय हो जाता है। वहाँ लगभग पचास अतिथि हैं और शायद ही कोई भीमन्ना का रिश्तेदार है। रिश्तेदारों में बस रुकमा का भाई सत्यबोध, उसकी पत्नी और उनके दो बच्चे हैं। सरला अब भी बेरोजगार है और सतीश गणित में

मास्टर्स करने के बाद हुबली कॉलेज में लेक्चरर है। चारों युवा भाई-बहन लगभग एक ही उम्र के और काफी घुले-मिले हैं। लक्ष्मी को यह अजीब लगता है कि चारों के बीच कोई प्रतिस्पर्धा नहीं है।

भोजन समाप्त होने तक उस धूर्त दंपती को लग जाता है कि यहाँ उन्हें माँगने पर कुछ भी मिल जाएगा। भोजन के बाद जब वे बातचीत के लिए बैठते हैं तो कोई मोलभाव नहीं होता। शंकर अपनी माँगों को सामने रखने में काफी चतुर है, क्योंकि संजय ने उससे पहले ही पैसे के बारे में बात न करने का अनुरोध किया है। इसलिए शंकर कहता है, ''हमें पैसे की आवश्यकता नहीं है, न ही हमारी उसमें दिलचस्पी है। लेकिन हम एक भव्य शादी चाहते हैं। आप संजय को वे चीजें दे सकते हैं, जो आमतौर पर वर को दी जाती हैं।''

मूढ़ भीमन्ना को इन शब्दों का तात्पर्य समझ नहीं आता 'जो आमतौर पर वर को दी जाती हैं।' इसलिए वह पूछता है, ''कृपया स्पष्ट करें। मैं समझा नहीं।''

''ओह! यह हमारी रीति है कि वर को सूट, पूरे रसोईघर के लिए चाँदी के बरतन, एक चाँदी का पूजा-सेट, सभी महिलाओं के लिए साड़ियाँ और सभी पुरुषों के लिए शर्ट-पैंट, एक सोने की चेन, एक घड़ी, एक अँगूठी···'' शंकर की आवाज खिंचती चली जाती है।

भीमन्ना धीरे से कहता है, ''हमें कोई समस्या नहीं है।''

रुकमा पूछना चाहती है, ''आप लोग अपनी पुत्रवधू मृदुला को क्या-क्या देंगे?'' लेकिन वह भीमन्ना के सामने डर के मारे यह प्रश्न नहीं कर पाती।

शंकर आगे कहता है, ''हम सब एक लक्जरी बस से विवाह के लिए आना चाहेंगे, आपको उसका प्रबंध करना होगा।''

''हमें नहीं पता कि उसका प्रबंध कैसे करना है। यह आपके ऊपर है। आप बस किराए पर ले लें, हम उसका भुगतान कर देंगे।''

भीमन्ना बातचीत समाप्त कर देते हैं। उसी रात लक्ष्मी और शंकर खुशी-खुशी अलादाहल्ली से वापस निकल पड़ते हैं।

अलादाहल्ली के लोग बंबई के एक डॉक्टर के साथ मृदुला की अनौपचारिक सगाई से काफी निराश हैं। गाँव में होनेवाले हर समारोह में कम-से-कम 300 लोग सम्मिलित होते हैं और मेहमानों को खुश करने के लिए भोजन पर काफी ध्यान दिया जाता है। जबकि मृदुला के ससुरालवाले काफी अजीब थे। केवल दो लोग आए थे और उन्होंने कोई व्यंजन दूसरी बार नहीं लिया।

अगला दिन छुट्टी का होने के कारण सरला और सतीश रुक जाते हैं। सतीश और मृदुला मित्र हैं। वे साथ-साथ बड़े हुए और अपने बचपन में सतीश छुट्टियाँ गाँव में ही

बिताता था। सतीश मृदुला को छेड़ता है, ''तुम पहले से ही आधी पशु-चिकित्सक थी और फर्स्ट-ऐड के प्रशिक्षण के साथ अब तुम एक आधी लेडी डॉक्टर हो गई हो। संजय जैसे बुद्धिमान डॉक्टर से विवाह के बाद तुम पूरी डॉक्टर बनने की राह पर हो।''

मृदुला शरमाकर मुसकराने लगती है।

झील के किनारे एक विशेष धोबी घाट है। मेहमानों के जाने के बादवाले दिन सरला आग्रह करती है कि वह अपने कपड़े वहीं धोना चाहती है। मृदुला मान जाती है। वह जानती है कि सरला पानी में खेलना चाहती है। बड़ी झील पर कपड़े धोने में काफी आनंद आता है। एक बड़ी चट्टान पर एक पैर जमाने के साथ, जोर लगाते हुए पत्थर पर कपड़े धोए जाते हैं, जिससे चारों तरफ पानी बिखरता है। यह शहर के घरों में नलों के नीचे कपड़े धोने से काफी अलग है।

मृदुला और सरला झील तक चलकर जाते हैं। जब वे किनारे तक पहुँचती हैं, मृदुला सभी कपड़ों को डुबोना शुरू करती है। सरला सबकुछ भूलकर कुछ दूरी पर पानी में खेलने लगती है। अचानक मृदुला को एक पतलून में कुछ मिलता है। वह पॉकेट में अपना हाथ डालकर एक बटुआ निकालती है—यह सतीश का बटुआ है। अचानक वह किसी के चिल्लाने की आवाज सुनती है और अपने आस-पास देखती है। वह देखती है कि सतीश उसकी ओर दौड़ा आ रहा है। वह काफी दूर है और वह उसकी बात नहीं सुन पाती। उसका ध्यान फिर से बटुए पर चला जाता है। उसे बटुए में पड़े पैसे के भीगने की चिंता है। इसलिए वह उसे खोल लेती है। उसे उसमें पैसे और कोने में पड़ी हुई एक छोटी सी तसवीर मिलती है। वह यह सोचकर खुश होती है कि उसे सतीश को छेड़ने का एक विषय मिल गया। जब वह तसवीर को बाहर निकालती है तो वह अपने पुराने कॉलेज के पहचान पत्र पर अपनी तसवीर देखकर स्तब्ध रह जाती है। उसे समझ नहीं आता कि वह क्या करे। उसे इसकी बिलकुल भी उम्मीद नहीं थी। वह उसे एक अच्छा कजिन मानती थी। यदि वह पहले इस बारे में जानती तो स्थितियाँ भिन्न हो सकती थीं, लेकिन अब वह सिर्फ संजय के बारे में सोचती है। वह सिर्फ उसी के लिए समर्पित है। वह सतीश की ओर अपनी पीठ कर लेती है और अपनी तसवीर बाहर निकालकर छिपा लेती है।

जल्दी ही सतीश उस तक पहुँच जाता है, ''अरे, मेरा बटुआ यहाँ है क्या? मैंने उसे अपनी पतलून में ही छोड़ दिया था। उसमें एक जरूरी कागज है।''

मृदुला कहती है, ''अगर वह कागज इतना ही महत्त्वपूर्ण था तो तुम्हें अपना बटुआ भूलना नहीं चाहिए था! यह लो तुम्हारी पतलून।''

सतीश चुपचाप अपना बटुआ बाहर निकालता है और चला जाता है। वह मुड़कर मृदुला को देखता है, लेकिन वह कपड़े धोते रहने का दिखावा करती है। वह उन बातों के बारे में सोचती है, जो अनकही रह गईं और विचारमग्न घाट से चल देती है।

9
साथी

संजय और मृदुला के विवाह तक संजय ने बंबई की अपनी नौकरी छोड़ दी है। विवाह से पहले मृदुला संजय से कहती है, ''तुम बेंगलुरु में क्यों नहीं नौकरी तलाश करते? हमारे लिए वहाँ घर बसाना आसान होगा। आखिर भाषा का अपना महत्त्व है। हम दोनों एक ही क्षेत्र के हैं। मैंने एक अखबार में बेंगलुरु विक्टोरिया अस्पताल में एक अस्थायी सरकारी नौकरी का विज्ञापन देखा है। मेरे खयाल से तुम्हें मेरे सुझाव के बारे में सोचना चाहिए।''

संजय उसकी बात मान लेता है। उसे भी बंबई पसंद नहीं है। उसने वहाँ पर्याप्त अनुभव प्राप्त कर लिया है और जानता है कि वहाँ रहने के लिए अच्छा घर किराए पर लेना बहुत महँगा है। इसके अलावा मृदुला को अपनी नौकरी छोड़नी होगी, जो उसे बहुत पसंद है। उसे राज्य के बाहर स्थानांतरण लेकर बंबई जाने की अनुमति नहीं मिलेगी। लेकिन यदि संजय को बेंगलुरु में नौकरी मिल जाए तो वह वहाँ अपना स्थानांतरण करा सकती है। साथ ही उसे विश्वास है कि उसे बेंगलुरु में एक पोस्ट ग्रेजुएशन सीट मिल जाएगी। इसलिए मृदुला और संजय बेंगलुरु में बसने का फैसला करते हैं।

संजय को विक्टोरिया अस्पताल में नौकरी मिल जाती है और विवाह के बाद वह मृदुला से वहाँ आने को कहता है। जब मृदुला पहली बार बेंगलुरु आती है तो उसे एक नई दुनिया दिखती है। उसने अपना अधिकांश जीवन अलादाहल्ली में गुजारा है और वह बेंगलुरु का जीवन बहुत कठिन पाती है। उसे वहाँ की कन्नड़ समझने में परेशानी होती है, जिसमें अंग्रेजी के काफी शब्द मिले होते हैं। संजय और मृदुला अस्पताल के पास रहना चाहते हैं, मगर वहाँ के किराए बहुत अधिक हैं। वे खोजबीन करते हैं और एलाहंका में एक घर किराए पर लेते हैं। वह शहर से दूर है, लेकिन किराया अधिक नहीं है।

मृदुला एलाहंका के एक सरकारी स्कूल में स्थानांतरण करा लेती है, परंतु उसे अलादाहल्ली हाई स्कूल और एलाहंका हाई स्कूल में बहुत अंतर नजर आता है।

अलादाहल्ली हाई स्कूल बहुत प्रसिद्ध है और आस-पास के गाँवों के विद्यार्थी वहाँ पढ़ने आते हैं। वह स्कूल सिर्फ एक भवन नहीं है। उसमें एक विशाल खेल का मैदान और ओपन एयर थिएटर है। उसका अपना किचन गार्डन है, जो मृदुला के वहाँ कार्यरत होने के दौरान उसकी निगरानी में था। सभी बच्चों के लिए प्रत्येक सप्ताह कम-से-कम दो घंटे गार्डन में काम करना अनिवार्य था। वहाँ उगाई गई सब्जियों को

पकाया जाता और बच्चों को बिना किसी सरकारी मदद के गाँववालों की सहायता से दोपहर का भोजन दिया जाता। स्कूल में अनुशासन बहुत महत्त्वपूर्ण है। इसलिए वहाँ के विद्यार्थी विनम्र हैं और शिक्षकों की बात ध्यानपूर्वक सुनते हैं। वह एक बड़ा संयुक्त परिवार है और मृदुला को उस स्कूल में शिक्षिका के रूप में बहुत आनंद आता था।

परंतु एलाहंका हाई स्कूल बहुत अलग है। यह इस इलाके का इकलौता सरकारी स्कूल नहीं है। जब विद्यार्थियों के पास बहुत से स्कूलों के विकल्प होते हैं तो अमूमन बेहतरीन छात्र सरकारी स्कूल में पढ़ना पसंद नहीं करते। अंग्रेजी माध्यम के निजी स्कूल महँगे होने के बावजूद लोकप्रिय हैं। शिक्षकों का रवैया भी भिन्न है। बेंगलुरु जैसे बड़े शहर में कुछ शिक्षक घर पर प्राइवेट ट्यूशन पढ़ाते हैं, जबकि दूसरों ने कोई और व्यवसाय कर रखा है, जिसमें वे पढ़ाने से अधिक दिलचस्पी लेते हैं। उनमें से अधिकतर शिक्षण से हुई आय को अपनी मुख्य जीविका नहीं मानते। उन्हें वह मेन कोर्स से पहले एपेटाइजर की तरह लगता है। इसलिए शिक्षकों तथा विद्यार्थियों के बीच कोई व्यक्तिगत संबंध नहीं है।

फिर भी स्थिति उतनी बुरी नहीं है। प्रिंसिपल मुनियप्पा जैसे कुछ शिक्षक मृदुला जैसे हैं। वे शिक्षण को एक पवित्र पेशा मानते हैं और दिल लगाकर बच्चों को पढ़ाते हैं। प्रिंसिपल मुनियप्पा कोलार के हैं और एक स्नेही व्यक्ति हैं। वे भी अपने परिवार के साथ एलाहंका में रहते हैं। स्कूल में मृदुला के पहले दिन उन्होंने बड़े स्नेह से उससे कहा, "मृदुला मैडम, आप घबराइए मत। आपके पास दो वर्ष का अच्छा शिक्षण अनुभव है। हमारे पास चार कन्नड़ माध्यम के और एक अंग्रेजी माध्यम का सेक्शन है। आप अपनी सुविधा के अनुसार कोई भी कक्षा और भाषा चुन लें।"

ये चंद शब्द मेहनत से काम करने में मृदुला को प्रोत्साहित करने के लिए पर्याप्त थे।

जल्दी ही मृदुला और संजय एक आरामदेह दिनचर्या में व्यस्त हो जाते हैं। मृदुला सुबह जल्दी उठकर भोजन पकाती है और संजय को नाश्ता देती है। वह दोपहर के भोजन का डिब्बा लेकर अस्पताल चला जाता है और रात को लौटता है। संजय के जाने के बाद मृदुला स्कूल जाती है और शाम को घर की सफाई करती है। उसके पास अपने लिए बिलकुल समय नहीं बचता। अगर अस्पताल में कोई इमरजेंसी या नाइट ड्यूटी होती है तो संजय वहीं रुक जाता है। चूँकि उनके पास टेलीफोन या वाहन नहीं है, संजय मुनियप्पा के घर फोन करता है और मृदुला के लिए संदेश छोड़ देता है। उनका बीस साल का बेटा अरुण साइकिल से मृदुला के घर जाता और उसे संदेश देता है, चाहे समय कुछ भी हो रहा हो। वह एक अच्छा और बुद्धिमान लड़का है, जो इंजिनियरिंग की पढ़ाई कर रहा है तथा कंप्यूटर विज्ञान में विशेषज्ञता कर रहा है।

मृदुला ने अलादाहल्ली में अपने माता-पिता के घर में कभी पूरा खाना नहीं

बनाया। वह अपनी माँ की सहायता करती थी, लेकिन पूरा खाना खुद कभी नहीं बनाया। जब घर पर बहुत सारे मेहमान आते तो हुबली से एक रसोइया बुला लिया जाता। इसलिए मृदुला के पास घर की बहुत अधिक जिम्मेदारी नहीं थी। लेकिन अब उसे खाना बनाना पड़ता था और सबसे बड़ी बात उसे घर में ताला लगाना पड़ता था, जो उसके माता-पिता ने अलादाहल्ली में कभी नहीं किया। मृदुला परेशान है, क्योंकि उसे अलग-अलग व्यंजन बनाने की आदत नहीं है। कोई है भी नहीं, जो इस काम में उसे सलाह दे सके। प्रिंसिपल मुनियप्पा की पत्नी कांताम्मा एक भली महिला हैं। वे मृदुला की सलाहकार बन जाती हैं।

एक दिन मृदुला उनसे पूछती है, ''कांताम्मा क्या आप मुझे भिन्न-भिन्न प्रकार की चीजें बनाना सिखाएँगी।''

''मृदुला, मेरे जैसी अशिक्षित स्त्री तुम जैसी बुद्धिमान महिला को क्या सिखा सकती है? मेरी शादी सोलह वर्ष की उम्र में हुई थी। मेरी सासू माँ बिलकुल मेरी माँ जैसी थी और मैं इसके लिए उनकी आभारी हूँ। आज मुझे जो कुछ भी आता है, वह उन्होंने ही सिखाया है। मैं जितना हो सके, तुम्हें सिखाऊँगी।''

मृदुला कांताम्मा जितनी खुशकिस्मत नहीं है। रत्नम्मा न तो बेंगलुरु आती है, न ही उसे कुछ सिखाती है। जब भी संजय और मृदुला उसे आने के लिए कहते हैं, रत्नम्मा हमेशा कहती है, ''खेतों में बहुत काम है। अगर मैं देख-रेख न करूँ तो मजदूर काम ही नहीं करेंगे। वे बीज उखाड़कर ले जाएँगे और साल भर की फसल बरबाद हो जाएगी। वैसे भी तुम लोगों को मेरी जरूरत नहीं है। मृदुला कोई किशोरी नहीं है। जरूरत होने पर उसकी माँ उसकी सहायता कर सकती है।''

रत्नम्मा नवविवाहित जोड़े को किसी त्योहार या अवकाश में टी नरसीपुरा आने के लिए नहीं कहती। लक्ष्मी भी मृदुला से बचती है और अपने बच्चे के स्कूल का बहाना करके कहती है कि वह व्यस्त है तथा बेंगलुरु नहीं आ सकती। इसलिए मृदुला कांताम्मा की मदद से अपना नया जीवन आरंभ करती है। वह अपनी पाक-कला संजय के ऊपर आजमाती है। अधिकांश बार उसके नतीजे दुर्भाग्यपूर्ण होते हैं। लेकिन संजय कभी कुछ नकारात्मक नहीं कहता। यह मृदुला को रसोई को लेकर और अधिक सजग बना देता है।

कुछ कमजोर आर्थिक स्थिति के अलावा उनकी कोई समस्या नहीं है। मृदुला संजय से अधिक कमाती है। वह मृदुला को अपना वेतन दे देता है और उसी को धन-प्रबंधन के लिए कहता है। वह सिर्फ यह अनुरोध करता है कि कुछ पैसे उसकी माँ को भेज दिए जाएँ। इसलिए मृदुला पैसों का लेखा-जोखा रखती है और संजय से कुछ पैसे अपने बटुए में रखने का आग्रह करती है। वे साथ मिलकर घर का किराया देते हैं, कुछ

पैसे रत्नम्मा को भेजते हैं और बाकी पैसा घरेलू खर्चों में लगाते हैं। रत्नम्मा कभी यह पैसा मिलने पर उत्साहित नहीं होती, न ही पैसे न मिलने पर उन्हें कोसती है। लेकिन वह कभी उन्हें व्यर्थ नहीं करती। वह उन पैसों को साहूकारी में लगा देती है। उसके लिए इससे बुरी बात कुछ नहीं है कि पैसों से कोई ब्याज न आए। हालाँकि संजय को यह बात पसंद नहीं, लेकिन वह उसे कह नहीं सकता।

एक बार भीमन्ना मृदुला से मिलने आते हैं और गाँव से घरेलू उपयोग का ढेर सारा सामान लाते हैं। वे आग्रह करते हैं कि वे हर वर्ष अलादाहल्ली से उसके लिए सामान भेज दिया करेंगे। परंतु संजय को यह पसंद नहीं। वह मृदुला से कहता है, ''हमें अपने पैसे ही खर्च करने चाहिए और तुम्हारे पिता से लेने की बजाय खुद ही एक-एक करके चीजें खरीदनी चाहिए।''

इसलिए मृदुला पैसे बचा-बचाकर एक टेलीविजन, एक फ्रिज और संजय के लिए एक नया स्कूटर खरीदती है। उनका जीवन सुखी और संतुष्टिदायक है।

संजय के बहुत कम मित्र हैं। जल्दी ही वह अपने पोस्टग्रेजुएशन की तैयारी में व्यस्त हो जाता है। एक बार अस्पताल में घुसने के बाद वह बाकी सभी चीजों को भूल जाता है। अपने शिफ्ट के बाद वह समय बरबाद नहीं करता। वह पढ़ाई के लिए पुस्तकालय चला जाता है। उसे डॉ. जोग की बात याद आती है, 'यदि तुम एकाग्र होकर सीखते हो, ज्ञान और कौशल प्राप्त करते हो तो वही असली प्रतिभा है। अगर तुम काम से अधिक पैसों को तरजीह देते हो तो पैसा तुमसे दूर भागेगा। यदि तुम दक्षता प्राप्त करते हो तो पैसा तुम्हारे पीछे भागेगा।'

10

ससुराल

चूँकि मृदुला एक पारंपरिक वातावरण में पली है, अत: वह अपने ससुराल न जा पाने पर अपराध-बोध महसूस करती है। वह कई बार संजय से कहती है कि उसे अपनी माँ और बहन से मिलाने ले जाए, परंतु वह उनसे मिलने में कोई दिलचस्पी नहीं दिखाता। एक लंबा सप्ताहांत आनेवाला है और मृदुला आग्रह करती है कि वे यह सप्ताहांत टी. नरसीपुरा में बिताएँ। वह संजय से पूछती है, ''मैं तुम्हारी माँ के लिए क्या ले जाऊँ? मैं विवाह के बाद पहली बार उनसे मिल रही हूँ।''

संजय उदासीनता से कहता है, ''मेरी माँ किसी उपहार की उम्मीद नहीं करती। तुम जो भी दोगी, वह स्वीकार कर लेंगी।''

इसलिए मृदुला अपनी सलाहकार कांताम्मा से पूछती है, जो उसे खाली हाथ न जाने की सलाह देती हैं। कांताम्मा कहती हैं, ''विवाह के बाद तुम्हारी सासू माँ तुम्हारी माँ जितनी महत्त्वपूर्ण हो जाती हैं। यदि तुम उन्हें खुश रखती हो तो तुम्हारी माँ भी खुश होंगी। तुम्हें अपनी सासू माँ की आदत डालनी होगी। अगर वे किसी वजह से तुमसे नाराज होती हैं तो तुम्हें नाराज नहीं होना चाहिए। आखिर वे तुमसे बड़ी हैं और तुम अब भी काफी छोटी हो। मैं जानती हूँ कि तुम्हारे पास धैर्य है। उनके लिए एक साड़ी और कुछ ताजे फल तथा फूल लेकर जाओ।''

इस बीच उन्हें लक्ष्मी का एक पत्र मिलता है, ''बेलूर में बहुत से खूबसूरत मंदिर हैं और हमारा किसी भी दिन वहाँ स्थानांतरण हो सकता है। इसलिए तुम लोग यहाँ आकर हमसे मिलो।'' हालाँकि शंकर वहाँ एक बैंक क्लर्क की नौकरी कर रहा है, वह अपना व्यवसाय चलाने का उत्सुक है। उसका एक मित्र है, जो बेलूर में एक होटल का स्वामी है। शंकर बैंक से कुछ पैसे कर्ज लेता है और उसे लक्ष्मी के नाम से उस होटल में लगा देता है।

आखिरकार मृदुला और संजय शुक्रवार की एक शाम टी. नरसीपुरा के लिए निकल पड़ते हैं। जब वे बस-स्टैंड पहुँचते हैं तो वहाँ उनके स्वागत के लिए कोई भी नहीं है, हालाँकि रत्नम्मा का घर पास में ही है। इसलिए वे पैदल ही उसके घर जाते हैं।

रत्नम्मा दुकान में बैठी है और उन्हें देखकर खुश होती है। वह अपने पुत्र और उसकी नई दुलहन को देखकर खड़ी हो जाती है। फिर वह मृदुला से अपना दाहिना पैर पहले आगे बढ़ाते हुए दुकान में कदम रखने को कहती है, ''माफ करना, तुम्हें घर के अंदर तक ले जाने के लिए यहाँ कोई और स्त्री नहीं है। लक्ष्मी भी नहीं आ सकी। बुरा मत मानना।''

रत्नम्मा उनके लिए दरी बिछाती है और रसोईघर में चली जाती है। मृदुला बैठ जाती है और संजय पीछे के आँगन में चला जाता है। मृदुला अपने चारों ओर देखकर आश्चर्यचकित होती है। हालाँकि वह एक गाँव में पली-बड़ी है, लेकिन यह उसके गाँव के किसी भी घर से अलग है। यह गाँव अलादाहल्ली से अधिक विकसित है। इसे एक तीर्थस्थान भी माना जाता है और यह मैसूर जैसे बड़े शहर के नजदीक भी है। लेकिन रत्नम्मा का घर अलादाहल्ली के किसी गरीब किसान के घर से भी निम्न है। घर में नल और बिजली आधुनिक सभ्यता के एकमात्र चिह्न हैं। एक श्वेत-श्याम टेलीविजन है, घर में कोई रेडियो या गैस-चूल्हा नहीं है। कोने में मिट्टी का एक चूल्हा है और नारियल के पेड़ के सूखे पत्ते खाना पकाने के काम आते हैं। गरीबी से अधिक घर में लापरवाही दिखती है।

मृदुला सोचती है, 'मेरी माँ रुकमा इस घर के बारे में क्या सोचेगी? अगर मेरे

माता-पिता ने संजय का पुश्तैनी घर देखा होता तो क्या वे मुझे संजय से शादी करने देते।'

उसी समय संजय अंदर आता है। मृदुला के चेहरे को देखकर वह समझ जाता है कि उसके दिमाग में क्या चल रहा है। वह दुःखी स्वर में कहता है, ''पता है, अम्मा अकेली रहती है। वह घर की देखभाल नहीं कर पाती।''

रत्नम्मा रसोईघर से वापस आती है। वह एक स्टील के जग में पानी और दो केले लेकर आती है। बातूनी मृदुला उसके सामने गूँगी बन गई है। उसे नहीं पता कि उसे क्या बोलना चाहिए। मौन असहनीय हो जाता है। माँ और पुत्र भी आपस में अधिक बातचीत नहीं करते। संजय रत्नम्मा से पूछता है, ''तुम कैसी हो, अम्मा?''

''मैं ठीक हूँ, तुम कैसे हो?''

''मैं भी अच्छा हूँ। लक्ष्मी कैसी है?''

''वह ठीक है।''

बातचीत यहीं समाप्त हो जाती है।

मृदुला से कोई बात नहीं करता, वह पूछती है, ''आज मैं खाना बनाऊँ?''

''हाँ, ठीक है।'' रत्नम्मा की आवाज में न तो स्नेह है, न वैर। यह भावनाहीन, बिजनेस जैसा जवाब है।

संजय के बहुत से मित्र अब टी. नरसीपुरा में नहीं हैं। वे दूसरे स्थानों को चले गए हैं। लेकिन उनमें से कुछ अब भी वहीं हैं। संजय को उनसे मिलने में बहुत दिलचस्पी नहीं है, लेकिन वह गाँव में जाकर उन जगहों को फिर से देखना चाहता है, जहाँ उसका बचपन बीता। इसलिए वह कहता है, ''मैं अभी टहलकर आता हूँ।''

दुकान में कुछ ग्राहक आते हैं और रत्नम्मा उनसे बात करने चली जाती है। वह ग्राहकों से बात करके उन्हें सामान खरीदने के लिए प्रेरित करने की कोशिश करती है। मृदुला को यह अजीब लगता है कि उसकी सासू माँ घर पर चुप रहती हैं लेकिन दुकान में इतना बोलती हैं।

मृदुला हलकी रोशनीवाले रसोईघर में चली जाती है। कुछ देर तक ढूँढ़ने के बाद उसे चावल, तूअर दाल और थोड़ा सा रागी का आटा मिलता है, लेकिन तेल या सब्जियाँ कहीं नहीं हैं। इसलिए वह रसोईघर से बाहर आ जाती है। वह अपनी सास के लिए लाई साड़ी, फल और फूल को एक थाली में रखती है। तब तक ग्राहक चले जाते हैं और रत्नम्मा अंदर आती है। बिना किसी लागलपेट के, रत्नम्मा सीधे मृदुला से कहती है, ''सब्जियाँ मत ढूँढ़ो। अटारी पर एक छोटा सा कद्दू है। दुकान में लाल मिर्च है और पिछवाड़े करी पत्ते का पेड़ है। तुम दूर से सफर करके आई हो, थकी होगी। मैं साँभर और भात बना लूँगी।''

पैसों के मामलों में रत्नम्मा बहुत स्पष्ट है। वह जानती है कि गलतफहमियाँ

अधिक खर्च करवा सकती हैं। अगर मृदुला को पता चलेगा कि घर में सब्जियाँ नहीं हैं तो वह अपने अव्यावहारिक पति को सब्जी लाने के लिए कहेगी। संजय बिना मोलभाव के बाजार से ढेर सारी सब्जियाँ खरीद लाएगा। और वे काफी पैसा बरबाद कर देंगे।

जब रत्नम्मा अपने पुत्रवधू द्वारा लाए गए उपहार देखती है तो वह बहुत निराश होती है। वह अपने मन में जोड़ने लगती है कि उन्होंने कितने पैसे व्यर्थ कर दिए होंगे। वह बोलती है, ''अरे मृदुला, तुमने इतनी महँगी साड़ी क्यों खरीदी? मेरे पास इसे पहनने के लिए न तो कोई जगह है, न अवसर। न ही मैं तुम्हारी तरह किसी स्कूल में पढ़ाती हूँ। तुम्हारे विवाह में मुझे जो दिया गया था, वह अब तक इस्तेमाल नहीं हुआ है। और मैं इतने फल नहीं खाती, न ही फूल लगाती हूँ।''

मृदुला को समझ नहीं आता कि वह क्या कहे।

रत्नम्मा दुकान में एक और ग्राहक की आवाज सुनती है। आज शुक्रवार है और बाकी दिनों से अधिक भीड़ है। यदि उसने ग्राहकों से बात नहीं की तो वे अगली दुकान में चले जाएँगे। उसके पास अपनी पुत्रवधू के साथ बैठकर बातें करने का समय नहीं है। इसलिए वह कहती है, ''संजय के आने के बाद तुम मंदिर जा सकती हो। ये फल लेते जाना। नदी किनारे चक्कर लगाकर आओ। कोई जल्दी नहीं है।''

संजय के वापस आने के बाद दोनों मंदिर के लिए निकल पड़ते हैं। संजय गाँव के कई लोगों को पहचानता है। कुछ महिलाएँ पूछती हैं, ''संजय, आखिरकार हमने तुम्हारी पत्नी को देख लिया। सुना है कि तुम्हारी पत्नी बंबई की है। क्या यह कन्नड़ बोल सकती है?''

मृदुला बीच में ही टोकती है, ''अरे नहीं, मैं बंबई की नहीं हूँ। मैं धारवाड़ की हूँ और कन्नड़ बोल सकती हूँ।''

वह सोचती है, 'ऐसे छोटे गाँवों में अफवाहें तेजी से फैलती हैं और टी. नरसीपुरा कोई अपवाद नहीं है।'

मंदिर में उम्र में बड़ी कुछ विवाहित स्त्रियाँ बैठी हुई हैं। मृदुला को शुक्रवार शाम को अलादाहल्ली में अपनाए जानेवाले रिवाज और अपनी माँ याद आती है। रुकमा ऐसी स्त्रियों को तुलसी के पत्ते, हलदी, कुमकुम, फूल, फल और कुछ पैसे देती थी, चाहे वे किसी भी समुदाय की हों। इसलिए मृदुला ने हर किसी को दस रुपए और तुलसी के पत्ते दिए। फिर उसने सभी को नमस्कार किया।

जब तक संजय और मृदुला नदी तक जाकर वापस आए, यह खबर रत्नम्मा तक पहुँच जाती है—रत्नम्मा की नई पुत्रवधू ने सभी को दस रुपए और तुलसी के पत्ते दिए।

रत्नम्मा असहज महसूस करती है। वह सोचती है, 'मृदुला को दस रुपए का मूल्य क्या पता? आशीर्वाद और रुपयों का क्या मुकाबला। अगर आशीर्वाद में उतनी शक्ति

होती तो यह दुनिया अलग ही होती।'

उसने अपने जीवन में पर्याप्त निरर्थक चीजें देख ली हैं। वह अपने बेटे की भलाई के लिए अपनी पुत्रवधू को सतर्क करना चाहती है। जब लोगों को पैसे की जरूरत होती है तो वे रत्नम्मा से कहते हैं, ''कृपया मुझे पैसे दे दो। मैं जल्द ही उसे लौटा दूँगा। मैं हमेशा के लिए तुम्हारा दास बनकर रहूँगा।''

लेकिन जब रत्नम्मा पैसे वापस माँगती है तो वही लोग उसे लालची उल्लू कहते हैं। रत्नम्मा सोचती है, 'इन औरतों को देखो। ये संपन्न परिवारों की हैं। मुफ्त के पैसे से वे क्यों इनकार करेंगी? अगर मृदुला को लगता है कि ऐसी स्त्रियों का आशीर्वाद महत्त्वपूर्ण है तो मुझे कोई आपत्ति नहीं है, यदि वह उनके पैर छुए, लेकिन उसे उन्हें पैसे नहीं देने चाहिए। अगर घर की स्त्री इतनी खर्चीली है तो मेरे बेटे का भविष्य क्या होगा?'

जब तक पति-पत्नी घूमकर आते हैं, रात के नौ बज चुके होते हैं और रत्नम्मा दुकान बंद कर देती है। रात के भोजन में उसने भात, कद्दू का साँभर, रागी के कोफ्ते और चटनी बनाई है। संजय को रागी के कोफ्ते बहुत पसंद हैं। हालाँकि मृदुला ने हाल ही में उन्हें बनाना सीखा है, उनका स्वाद रत्नम्मा जैसा नहीं होता।

''संजय, भविष्य के लिए तुम्हारी योजनाएँ क्या हैं? क्या तुम और पढ़ाई करना चाहते हो?''

''हाँ, अम्मा, मैं इस वर्ष उसके लिए आवेदन कर रहा हूँ। मेरा लक्ष्य है एक सरकारी नौकरी प्राप्त करके पढ़ाने का। प्राइवेट प्रैक्टिस से अधिक खुशी मुझे उसमें होती है।''

रत्नम्मा को ये बातें समझ नहीं आतीं और वह चुप रह जाती है।

''अम्मा, तुम अपना समय कैसे काटती हो?'' संजय प्यार से पूछता है।

''मेरे पास बहुत काम है। हर सप्ताह मेरे पास मैसूर से माल आता है और मुझे उसका ठीक-ठीक हिसाब रखना पड़ता है। उसमें समय लगता है। इसके अलावा, आजकल दुकानों में कड़ी प्रतिस्पर्धा है। अगर मैं एक दिन के लिए भी अपनी दुकान बंद करती हूँ तो मेरे ग्राहक टूट जाएँगे। खेत में काम करने के लिए मजदूर भी मुश्किल से मिलते हैं। कावेरी नदी के तट पर रेत का बहुत बड़ा व्यवसाय है। ज्यादातर मजदूर वहीं जाते हैं, क्योंकि वहाँ मजदूरी अधिक मिलती है। वहाँ की रेत निर्माण-कार्य में काम आती है। चूँकि बेंगलुरु में काफी निर्माण कार्य चल रहा है, रेत को ट्रकों में भरकर वहाँ भेजा जाता है।''

संजय ने टी नरसीपुरा आते हुए रास्ते में जो देखा था, उसके बारे में सोचने लगा। उसने अखबार में पढ़ा था कि यमुना, गंगा और महानदी जैसी बड़ी नदियों को भी इस

यातना से गुजरना पड़ता है। कोई नहीं देखता कि इन व्यापारियों को रेत ले जाने की कानूनी अनुमति प्राप्त है अथवा नहीं। खुदाई से पानी एक जगह इकट्ठा हो जाता है और बारिश के मौसम में गड्ढों में जमा हो जाता है। जमे हुए पानी में बहुत सी बीमारियाँ उत्पन्न होती हैं।

रत्नम्मा आगे कहती है, ''अब मैंने चिट बिजनेस भी शुरू किया है। इसकी हर महीने बैठक होती है। इस महीने की बैठक कल मेरे घर पर है।''

संजय अपनी माँ का मन पढ़ लेता है। बैठक में पैसों और साहूकारी की बात होगी। वह नहीं चाहता कि मृदुला यह सब सुने। वह आशंकित है कि यह सब सुनकर वह उसकी माँ के बारे में क्या सोचेगी। वह कहता है, ''अम्मा, तुमसे मिलकर मुझे बहुत खुशी हो रही है। मेरे लिए बार–बार छुट्टी लेना बहुत मुश्किल है। इसलिए मैं और मृदुला कल बेलूर जाकर लक्ष्मी से भी मिलना चाहेंगे।''

इस नई योजना से मृदुला चकित रह जाती है। संजय ने इस बात पर उससे कोई चर्चा नहीं थी। वह कभी अपने पति का मन नहीं पढ़ सकती है। लेकिन रत्नम्मा उद्विग्न नहीं हुई। वह पूछती है, ''तुम्हारे पास कितने दिन की छुट्टी है?''

''तीन, लेकिन यहाँ टी नरसीपुरा में एक दिन निकल चुका है।''

''ठीक है। तुम कल के नाश्ते के बाद यहाँ से निकल सकते हो। यहाँ से कोई सीधी बस नहीं है। इसीलिए तुम्हें मैसूर जाकर वहाँ से दूसरी बस लेनी होगी। लेकिन वहाँ जाने से पहले लक्ष्मी को फोन कर लेना।''

''लक्ष्मी के पास अब फोन है? मुझे नहीं मालूम था।''

''हाँ। शंकर दिखावा करना चाहता है और लक्ष्मी भी उसकी हाँ–में–हाँ मिलाती है। सच्चाई यह है कि उन्हें फोन की जरूरत नहीं है। लेकिन शंकर इसलिए फोन चाहता है क्योंकि मैसूर में उसके भाई महादेव के पास भी है। भाइयों और उनकी पत्नियों के बीच बहुत प्रतिस्पर्धा है। प्रतिस्पर्धा कमाई में होनी चाहिए, खर्च करने में नहीं। शंकर और लक्ष्मी हर सप्ताह टैक्सी किराए पर लेकर घूमने जाते हैं।''

''अम्मा यह जानकारी तुम्हें कौन देता है?''

''सुबैय्या शेट्टी। लक्ष्मी और शंकर दो सप्ताह पहले श्रृंगेरी में उससे मिले थे। चार सप्ताह पहले, वे धर्मस्थल में थे। वे बचत की कोई कोशिश नहीं करते और मेरी सलाह नहीं मानते। तुम वहाँ जा रहे हो तो क्यों नहीं उनसे बात करते?''

रत्नम्मा अपनी बेटी द्वारा पानी की तरह पैसा बहाने के विचार से ही थकी हुई है। वह अब रात के लिए विश्राम करने का फैसला करती है। बाद में मृदुला संजय से पूछती है, ''आपने मुझे बताया नहीं कि आप लक्ष्मी के घर जाने की सोच रहे हैं?''

''मैंने सोचा कि बाद में मुझे छुट्टी नहीं मिलेगी और मैं अपनी प्रवेश परीक्षा की

तैयारी में व्यस्त हो जाऊँगा। लक्ष्मी ने हमें आमंत्रित किया है और तुम भी उससे मिलना चाहती थी।''

संजय अपनी योजना में बदलाव के पीछे की असली वजह को छिपा जाता है और मृदुला उस पर विश्वास कर लेती है। वह कहती है, ''ठीक है, तुम्हारा कहना सही है। लेकिन अब मेरे पास ज्यादा पैसे नहीं बचे हैं। हम उनके घर पर पहली बार खाली हाथ कैसे जा सकते हैं?''

''इसमें कोई समस्या नहीं है। लक्ष्मी को बुरा नहीं लगेगा।''

मृदुला को यह अजीब लगता है कि उसकी सास और अधिक दिन रहने के लिए उनसे आग्रह नहीं कर रहीं। अगली सुबह रत्नम्मा उन्हें नाश्ता करा देती है। उनके निकलने से पहले वह मृदुला को अंदर बुलाती है और आराम से उससे कहती है, ''हमें पता नहीं होता कि कब हमारे सामने मुश्किल समय आ जाए। जब हमारे पास पैसा होता है तो जीवन अच्छा होता है। लोग हमारे मित्र होंगे। लेकिन जब हमारे पास पैसे नहीं होते, कोई हमारी मदद नहीं करता। इसलिए अपने वेतन से कुछ बचत करने की कोशिश करो। मैं संजय से यह सब नहीं कह सकती लेकिन तुम्हें यह बता सकती हूँ।''

मृदुला चुपचाप सिर हिला देती है। फिर वह अपनी सास के पैर छूती है और उसे अच्छा लगता है कि उन्होंने उसे कोई सलाह दी।

जब वे मैसूर पहुँचते हैं तो मृदुला खुश होती है। वह कहती है, ''संजय, क्या हम दो-तीन दिनों के लिए यहाँ रह सकते हैं? आखिरकार आज शनिवार ही है। फिर हम मैसूर पैलेस, कृष्णराज सागर बाँध और चामुंडी हिल्स भी देख सकते हैं।''

संजय सोचता है, 'हम कहाँ रहेंगे? लक्ष्मी के ससुरालवाले हमें देखकर खुश नहीं होंगे और हम होटल का खर्च नहीं कर सकते। हमारा कोई रिश्तेदार नहीं है, जिसके साथ हम सहज रूप से रह सकें।' इसलिए वह अपनी पत्नी को दिलासा देते हुए कहता है, ''हम फिर आएँगे और अगली बार अधिक दिनों तक रहेंगे।''

मृदुला के पास जो थोड़े पैसे बचे हैं, उनसे वह देवराज मार्केट से लक्ष्मी के लिए एक सिंथेटिक साड़ी, फल, सब्जियाँ और फूल खरीदती है। अपनी सास के घर को देखने के बाद वह कल्पना करती है कि लक्ष्मी का घर कैसा होगा। वे मैसूर बस स्टैंड से लक्ष्मी को फोन करते हैं और लक्ष्मी यह जानकर खुश होती है कि वे आज उससे मिलने आ रहे हैं।

जब वे बेलूर पहुँचते हैं तो बस स्टैंड पर शंकर उनकी प्रतीक्षा कर रहा होता है। संजय कहता है, ''शंकर, तुम क्यों आए? हम तुम्हारा पता जानते हैं। हम खुद ही ऑटो रिक्शा से आ जाते।''

शंकर सिर्फ मुसकराता है, कुछ कहता नहीं। उसने एक टैक्सी रोक रखी है। जब

वह दोनों को लेकर घर पहुँचता है तो मृदुला हैरान रह जाती है। शंकर एक मामूली बैंक क्लर्क है, लेकिन उसका घर एक मैनेजर के घर से भी बेहतर है। उसमें सभी आधुनिक साजो-सामान और महँगे फर्नीचर तथा उपकरण हैं, जो मृदुला के अलादाहल्लीवाले संपन्न घर में भी नहीं थे।

जब मृदुला मेज पर अपने उपहार रखती है तो लक्ष्मी मुसकराते हुए कहती है, ''अरे मृदुला, तुम इतनी चीजें क्यों लेकर आईं? हमें जरूरत की हर चीज बेलूर में मिल जाती है।''

लक्ष्मी ने एक महँगी मैसूर सिल्क साड़ी पहन रखी है और उसके बालों में ताजे फूल लगे हुए हैं। मृदुला कहती है, ''आप अच्छी लग रही हैं अक्का। क्या आप बाद में बाहर जानेवाली हैं?''

''नहीं, आमतौर पर मैं ऐसे ही तैयार होती हूँ। शंकर को साफ-सफाई पसंद है।''

मृदुला आश्चर्यचकित है। उसे अपने विवाह पर सिर्फ एक मैसूर सिल्क साड़ी मिली थी। वह उसे विशेष अवसरों के लिए रखती है और उसने सिर्फ एक बार उसे पहना है।

दोपहर का भोजन बहुत स्वादिष्ट है। मेज पर बहुत से व्यंजन परोसे गए हैं। मृदुला को सुखद आश्चर्य होता है। वह पूछती है, ''अक्का, आप इतने कम समय में इतनी सारी चीजें कैसे बना लेती हैं?''

''अरे, वह समस्या नहीं है। मैं कुछ खाना एक होटल से मँगा लेती हूँ और बाकी हमारा रसोइया बना लेता है।''

''आपके पास तीन लोगों के लिए रसोइया है?'' मृदुला का प्रश्न सीधा और स्पष्ट है।

लक्ष्मी इसका जवाब देते हुए असहज हो जाती है। वह कहती है, ''नहीं, जब मेरे पास मेहमान आते हैं, तभी मैं रसोइया बुलाती हूँ।''

टैक्सी उनके घर के बाहर ही खड़ी रहती है, ताकि कभी भी कहीं जाने में परेशानी न हो। संजय कई बार शंकर से कहता है कि वे बस से जा-आ सकते हैं, लेकिन शंकर इसके लिए तैयार नहीं होता। वह कहता है, ''तुम हमारे मेहमान हो। मैं तुम्हें बस से नहीं ले जा सकता।''

रविवार को शंकर उन्हें बेलूर के मंदिरों में घुमाने ले जाता है और वे हस्सन के ताज अशोका में दोपहर का भोजन करते हैं। मृदुला को चिंता होती है कि वह उन पर कुछ अधिक ही खर्च कर रहा है। जिस दिन उन्हें निकलना होता है, लक्ष्मी मृदुला को एक महँगी साड़ी और अपने भाई को एक बढ़िया घड़ी देती है। मृदुला अभिभूत हो जाती है। उसे लगता है कि उसे एक सहेली और बहन मिल गई है। जीवन बहुत खूबसूरत है।

संजय और मृदुला को बस स्टैंड छोड़ने के बाद जब शंकर घर आता है तो लक्ष्मी टिप्पणी करती है, ''मृदुला वाकई कंजूस है। वह मेरी माँ की आदर्श पुत्रवधू है।''

शंकर, लक्ष्मी जितना होशियार नहीं है। वह पूछता है, ''तुमने ऐसा क्यों कहा?''

''उसने मुझे एक सस्ती सिंथेटिक साड़ी दी और बेशर्मी से मेरी दी हुई सिल्क साड़ी ले ली। वह उपहार में सब्जियाँ लेकर आई थी मानो मेरे घर में सब्जियाँ नहीं हैं।''

शंकर भी बोलने लगता है, ''संजय भी बहुत धूर्त है। उसने टैक्सी का किराया देने का प्रस्ताव नहीं दिया। उसे कम-से-कम पूछने का लिहाज करना चाहिए था। मुझे नहीं लगता है कि उसकी कमाई अच्छी है। किसी गाँव का मामूली डॉक्टर भी उससे अधिक कमा लेता है।''

बेंगलुरु वापस जाते हुए मृदुला लक्ष्मी और शंकर की तारीफ करती है। उसे पता ही नहीं है कि वे संजय और उसके बारे में क्या सोचते हैं।

कुछ महीने बीत जाते हैं और ऊषा का विवाह तय हो जाता है। वह शंकर की भतीजी है। दूल्हा एक एलआईसी अधिकारी है।

ऊषा की माँ विमला संजय को पसंद नहीं करती, हालाँकि उसने कभी संजय से अपनी बेटी के विवाह के बारे में सोचा था। उस समय उसे लगता था कि अपनी विकलांगता के बावजूद वह एक डॉक्टर है। वह एक परिचित परिवार का था और खूबसूरत तथा शिष्ट लड़का था। सबसे बड़ी बात, हर किसी को पता था कि रत्नम्मा के पास पैसा है और उसका सबसे बड़ा हिस्सा उसके पुत्र को मिलेगा। हालाँकि रत्नम्मा कंजूस थी, किंतु वह निर्दयी सास नहीं थी। इन सब को ध्यान में रखते हुए विमला और उसके पति ने सोचा था कि यह जोड़ी अच्छी रहेगी। लेकिन लक्ष्मी को यह रिश्ता पसंद नहीं था और उसने इसे कोई बढ़ावा नहीं दिया।

अब संजय का विवाह हो चुका है और ऊषा के लिए दूसरा वर मिल चुका है।

अंदर से विमला और लक्ष्मी एक-दूसरे को सहन नहीं कर पातीं, लेकिन उनके व्यवहार से कोई इसका पता भी नहीं लगा सकता। विमला लक्ष्मी को कुछ निमंत्रण पत्र देती है और उसे अपनी मरजी से लोगों को निमंत्रित करने के लिए कहती है।

जब लक्ष्मी संजय को शादी का कार्ड भेजती है तो मृदुला बहुत उत्साहित होती है। शादी बेंगलुरु में है। वह तीन दिनों की शादी में पूरी तरह शामिल होना चाहती है, क्योंकि बेंगलुरु आने के बाद से उसे किसी पारिवारिक समारोह में शामिल होने का मौका नहीं मिला है। अलादाहल्ली में उसके घर पर हमेशा मेहमान होते थे और समारोहों के ढेरों निमंत्रण आते थे। मृदुला उस सामाजिक मेल-जोल का अभाव महसूस करती थी।

टी नरसीपुरा से आने के बाद वह अपनी सास के घर के बारे में सोचकर असहज हो जाती है। हालाँकि उसे लक्ष्मी का साथ अच्छा लगता है, वह अकसर वहाँ नहीं जा सकती। इसलिए यह निमंत्रण पत्र पाकर वह बहुत खुश होती है। वह संजय से पूछती है, ''क्या हम सभी दिन समारोहों में शामिल हो सकते हैं?''

आमतौर पर संजय इन चीजों की परवाह नहीं करता। लेकिन इस बार वह स्पष्ट रूप से उससे कहता है, ''नहीं, हम सिर्फ रिसेप्शन के लिए जाएँगे।'' मृदुला इस धारणा के साथ बड़ी हुई है कि कोई निर्णय लिये जाने पर उसे परिवार के बड़ों से सवाल नहीं करना चाहिए। इसलिए हालाँकि वह संजय की इस बात से निराश हुई है, लेकिन वह इस मामले को आगे नहीं बढ़ाती।

वे उपहार खरीदते हैं और रिसेप्शन में जाते हैं। मृदुला ने पहली बार इतनी धूमधाम से कोई शादी होते देखी है। सजावट, फूल, लाइव म्यूजिक और वर तथा वधू के लिए डिजाइनर कपड़ों पर खूब सारा पैसा खर्च किया गया है। मेहमानों को दिए जानेवाले उपहारों से एक कमरा भरा हुआ है। अगर अलादाहल्ली का कोई व्यक्ति इसे देख ले तो उन्हें गलतफहमी हो जाएगी कि किसी मंत्री की बेटी की शादी हो रही है। मैसूर में लक्ष्मी के रिश्तेदार संजय को देखते हैं, लेकिन उससे बात करना जरूरी नहीं समझते। नवविवाहित दंपती को बधाई देने के लिए लोगों की कतार लगी है। काफी देर बाद संजय और मृदुला लक्ष्मी से टकराते हैं। वह अभी-अभी ब्यूटी सैलून से आई है और वधू से बेहतर दिख रही है। वह नवदंपती को बधाई देने के लिए लोगों की भीड़ छँटने तक इंतजार करने को कहती है।

विवाह समारोह कानाफूसी करनेवालों के लिए स्वर्ग होता है। एक कोने में लोगों का एक समूह बैठकर गप्पें मार रहा है। संजय उन्हें जानता है। उन्होंने अभी संजय और मृदुला को नहीं देखा है, लेकिन संजय साफ-साफ सुन सकता है कि वे क्या कह रहे हैं। उनमें से एक कहता है, ''मैंने सुना कि विमला के पति दिनेश ने इस शादी पर लगभग पाँच लाख रुपए खर्च किए हैं।''

''हाँ, उसे करना पड़ा, क्योंकि ऊषा को कई लोगों ने अस्वीकार कर दिया था।''

''क्या तुम्हें पता है कि संजय भी ऊषा से विवाह नहीं करना चाहता था?''

''किस संजय की बात कर रहे हो—लक्ष्मी का भाई, जिसका एक हाथ छोटा है?''

''हाँ, वही बेवकूफ।''

''मैंने तो कुछ और ही सुना है। मुझे कहा गया कि लक्ष्मी ऊषा के प्रस्ताव को लेकर उत्सुक नहीं थी और यह मामला संजय तक गया ही नहीं। लक्ष्मी ने कहा कि संजय एक डॉक्टर से विवाह करना चाहता है।''

''चलो, अब तो उसकी शादी हो चुकी है। उसने किससे शादी की?''

''एक दूर के गाँव की लड़की उससे विवाह के लिए तैयार हुई। वह भी किसी विकलांगता से ग्रस्त होगी या उसके माता-पिता बहुत ही गरीब होंगे।''

''तुम सही कह रहे हो। संजय असली एमबीबीएस डॉक्टर भी नहीं होगा। लक्ष्मी जरूर डींग मार रही होगी। उसका सर्टिफिकेट कौन चेक करने जा रहा है।''

''हाँ, यह सच है। यदि वह डॉक्टर होता तो अब तक एक नर्सिंग होम खोल चुका होता। मेरे जामाता प्रसाद को ही देखो। उसने नर्सिंग होम बनवाने के लिए जमीन खरीद भी ली है और उसके पास कार भी है। शंकर भी बहुत चतुर है। उसके पास कार है और लक्ष्मी हर महीने आभूषण खरीदते हुए खूब बचत करती है।''

संजय असहज महसूस करता है और मृदुला यह सुनकर घबरा जाती है कि लोग उनके बारे में क्या-क्या कह रहे हैं। तभी वे देखते हैं कि प्रसाद कतार से हटकर वर-वधू को बधाई देने के लिए आगे निकल जाता है।

संजय और प्रसाद कॉलेज में एक-दूसरे को अच्छी तरह जानते थे। प्रसाद को चार वर्ष का कोर्स पूरा करने में आठ साल लगे थे। एक छात्र के रूप में वह भ्रष्ट था और नियमित रूप से चीटिंग करता था। ग्रेजुएशन पूरा होने के बाद वह एक गर्भपात विशेषज्ञ बन गया था। उसने एक संपन्न परिवार की बदसूरत लड़की से विवाह किया और दहेज के रूप में उसके सास-ससुर ने उसे जमीन और कार दी।

संजय को अजीब लगता है। वह खेद से सोचता है, 'लोग कैसे प्रसाद की तुलना मुझसे कर सकते हैं? हमें इस विवाह में आना ही नहीं चाहिए था।'

11

परिवर्तन

संजय को पोस्ट ग्रेजुएशन में दाखिला मिल जाता है और वह बेंगलुरु के वाणी विलास अस्पताल में स्त्री रोग विज्ञान का अध्ययन करने का निर्णय लेता है। जल्द ही वह काफी व्यस्त हो जाता है। उसे छात्रवृत्ति मिलती है, परंतु आय का मुख्य स्रोत मृदुला की स्थायी सरकारी नौकरी से प्राप्त होनेवाला वेतन है।

उसके कॉलेज के बैच में कुछ विद्यार्थियों के पास कार्य अनुभव है और कुछ विद्यार्थी कॉलेज से निकले ही हैं। विभागाध्यक्ष डॉ. कमला हैं, जिनके साथ संजय पहले भी काम कर चुका है। वे उसकी मेहनत, अनुभव, धैर्य और प्रतिभा के कारण उसे पसंद करती हैं। वह खुद को सौंपे गए सभी केसों की पूरी जिम्मेदारी ले लेता है।

कुछ माह बाद मृदुला और संजय एहालंका से विजयनगर चले जाते हैं। खुशकिस्मती से मृदुला को विजयनगर हाई स्कूल में स्थानांतरण मिल जाता है। वह एहालंका स्कूल छोड़ने पर उदास होती है। उसे प्रिंसिपल मुनियप्पा और उनकी पत्नी कांताम्मा का अभाव खलेगा। इस बड़े शहर में वे ही उसका परिवार हैं। प्रिंसिपल मुनियप्पा एक वर्ष बाद सेवानिवृत्त होनेवाले हैं और वे दोनों वापस कोलार जानेवाले हैं, जहाँ उनके पास बहुत सी भेड़ें और खेत हैं।

जब वह विजयनगर स्कूल में जाती है तो उसे वह एहालंका के स्कूल से काफी अलग लगता है। कोई किसी की परवाह नहीं करता। लेकिन अब तक मृदुला स्कूल में किसी जरूरी रिश्ते की उम्मीद न करना सीख चुकी है। सरकारी स्कूलों को उपेक्षा की दृष्टि से देखा जाता है। स्कूलों का रखरखाव अच्छा नहीं है और शिक्षकों का मानना है कि उसका रखरखाव स्थानीय निगम का काम है। निगम कहता है कि यह सरकार का काम है और इस परस्पर दोषारोपण के खेल में स्कूल तथा उसके विद्यार्थियों का नुकसान होता है।

चार वर्ष गुजर जाते हैं और स्थितियाँ बदलती हैं।

संजय अपनी पढ़ाई पूरी कर लेता है और एक सरकारी अस्पताल में एक डॉक्टर तथा लेक्चरर के रूप में काम करना शुरू कर देता है। मृदुला के वेतन में भी बढ़ोतरी होती है और वे साथ में एक बैंक ऋण की मदद से विजयनगर में एक फ्लैट खरीद लेते हैं। जल्द ही वे एक स्वस्थ बच्चे 'शिशिर' के माता-पिता बन जाते हैं।

अलादाहल्ली में कृष्णा का विवाह एक पड़ोसी गाँव की लड़की वत्सला से होता है। भीमन्ना और रुकमा बहू के रूप में गाँव की लड़की चाहते हैं, ताकि वह एक कृषि आधारित परिवार की मुश्किलों को समझ सके।

सरला का विवाह एक सॉफ्टवेयर इंजीनियर प्रसन्ना से होता है और वे अमेरिका के सैन जोंस, कैलिफोर्निया में बस जाते हैं। वह वहीं काम करने लगती है। वह वर्ष में एक बार भारत आकर परिवार के सभी सदस्यों से मिलती है।

इस बीच सतीश की शादी हुबली में एक बैंक में काम करनेवाली शैला से हो जाती है।

एलेक्स अपनी मित्र अनीता से मंगलौर के एक चर्च में विवाह करता है और मृदुला संजय के साथ इस विवाह में सम्मिलित होती है। यह एक भव्य शादी होती है। कई सरकारी उच्चाधिकारी इसमें शामिल होते हैं। एलेक्स मध्य पूर्व से आता है और विवाह में पानी की तरह पैसा बहाता है। अनीता और मृदुला पहली मुलाकात में ही एक-दूसरे को पसंद करने लगती हैं और संपर्क में रहने का वादा करती हैं।

शंकर का स्थानांतरण मांडया हो जाता है।

लेकिन चार साल के बाद भी अलादाहल्ली और टी नरसीपुरा में जीवन बिलकुल नहीं बदला है।

जब लक्ष्मी संजय की स्थायी सरकारी नौकरी के बारे में सुनती है तो वह दु:खी हो जाती है, ''इतनी शैक्षिक योग्यता का क्या उपयोग है? मेरा भाई अपना समय बरबाद कर रहा है। उसने दो वर्ष बंबई में और चार वर्ष बेंगलुरु में बिताए तथा अब खुशी-खुशी कम वेतनवाली सरकारी नौकरी कर रहा है। यदि उसे व्यावहारिक ज्ञान होता तो वह किसी अच्छे स्थान पर एक क्लीनिक खोल लेता। फिर ढेर सारा पैसा कमाता। संजय ने बातें बनाना नहीं सीखा है, जो निजी प्रैक्टिस के लिए जरूरी है एवं मृदुला तो और बदतर है। वह किसी पर भी भरोसा कर लेती है। आखिरकार वह गाँव में पली-बड़ी है। अगर उसकी जगह मैं होती तो मैं अपने पति पर काबू रखती और उसे अपना नर्सिंग होम शुरू करने के लिए मजबूर करती। हमारे परिवार में इस अव्यावहारिक दंपती को सुझाव देनेवाला कोई नहीं है। मेरी माँ अपनी दुनिया में रहती है और मैं समझ नहीं पाती कि वह एक छोटी सी दुकान क्यों चलाना चाहती है। आखिर वह कितना मुनाफा कमा लेगी?''

लक्ष्मी को इससे शर्मिंदगी होती है। उसे याद आता है कि उसकी जेठानी उसका कितना मजाक उड़ाती थी। महादेव की पत्नी श्यामला ने एक बार व्यंग्य से कहा था, 'अरे लक्ष्मी! तुम तो बड़े अमीर परिवार की हो—तुम्हारा भाई डॉक्टर है और उसकी पत्नी एक सरकारी स्कूल शिक्षिका है। तुम्हारी माँ एक दुकान चलाती है। लेकिन मुझे देखो। मेरे पिता तो बस एक रेवेन्यू इंस्पेक्टर हैं और हमारे पास आय का सिर्फ एक स्रोत है।'

लक्ष्मी जानती थी कि श्यामला उसकी तारीफ नहीं कर रही थी। उस समय उसकी व्यंग्यपूर्ण टिप्पणियों ने लक्ष्मी को ऐसे आहत किया था मानो किसी ने सिल्क की शॉल में लपेटकर ऊँची एड़ी की सैंडल मारी हो। अब वह सोचती है, 'मेरी माँ साहूकारी, खेतों और अपनी दुकान से कितने पैसे कमा सकती है?'

अगर वह संजय से इस बारे में पूछती तो वह जानती थी कि उसे जवाब नहीं मिलेगा। संजय व्यावहारिक नहीं है। लेकिन उसका पति शंकर ठीक है। उसे अपने चतुर पति पर गर्व है।

वह शंकर की ओर मुड़कर पूछती है, ''तुम्हारे खयाल से अम्मा के पास कितना पैसा है?''

शंकर परेशान है, क्योंकि उसने जिन स्टॉकों में निवेश किया था, उनका प्रदर्शन अच्छा नहीं चल रहा है और इसलिए वह पत्नी के सवाल से चिढ़ गया। वह झिड़कता है, ''तुम मुझसे क्यों पूछ रही हो? न तो तुम्हारी माँ, न तुम्हारा भाई अपने वित्तीय

मामलों पर मुझसे चर्चा करते हैं। कोई भी जानकारी बस गाँव में हो रही गपबाजी से ही मिलती है।''

लक्ष्मी को लगता है कि अगर वह इस बारे में बात करती रही तो दोनों का झगड़ा हो जाएगा। इसलिए वह चुप हो जाती है। वह मृदुला के बारे में सोचती है, ''वह असली दुनिया को नहीं समझती है। अगर कोई उसे अच्छी-अच्छी बातें कहता है तो उसे लगता है कि वह इनसान बहुत अच्छा है। हम जो कहते हैं और हमारा असल में जो मतलब होता है, उसमें बहुत अंतर होता है। मृदुला बहुत मासूम और भोली है। वह अपनी इच्छाओं की बजाय दूसरों और दूसरों की भावनाओं के बारे में सोचती है।''

जब भी लक्ष्मी मृदुला से मिलती वह उसकी तारीफ करती, ''मृदुला, तुम बहुत खुशकिस्मत हो। तुम गरीब बच्चों को शिक्षा देती हो और तुम्हारा पति गरीब मरीजों का इलाज करता है। तुम दोनों एक-दूसरे के लिए बने हो।'' मृदुला खुशी-खुशी सोचती है कि यह तारीफ सच्चे दिल से की गई है।

लेकिन लक्ष्मी के दिमाग में होता, ''इन दिनों, बेंगलुरु तेजी से विकसित हो रहा है। वहाँ स्कूलों से अधिक ट्यूशन कक्षाएँ हैं। बहुत से शिक्षकों ने नौकरियाँ छोड़कर ट्यूशन सेंटर खोले हैं, जहाँ वे स्कूलों में पढ़ाने से अधिक कमा लेते हैं। फिर मृदुला क्यों एक बेकार सी सरकारी नौकरी कर रही है? वह ट्यूशन पढ़ाकर अधिक पैसे कमा सकती है। लेकिन मैं उससे यह बात नहीं कह सकती। वह मेरी कंजूस माँ की उपयुक्त पुत्रवधू है। मृदुला अपने लिए कुछ नहीं खरीदती। वह एक-एक पैसा घर के लिए खर्च करती है। उसने शादी के बाद बिलकुल भी सोना नहीं खरीदा है। मृदुला के शादी के सभी आभूषण भारी हैं। अगर मैं उसकी जगह होती तो मैं उनसे हलके आभूषणों के कई सेट खरीद लेती। बेचारी के पास सिर्फ एक सिल्क साड़ी है। जब उसका पहला बच्चा होनेवाला था, तब भी मेरी माँ ने उसे कोई उपहार नहीं दिया। मेरी माँ चालाक है। किसी को उपहार देने के मामले में वह कहेगी, ''अरे, हमारी ऐसी परंपरा नहीं है।'' इससे कोई फर्क नहीं पड़ता कि वह मैं हूँ या मृदुला।''

घड़ी की सूई बारह बजाती है।

लक्ष्मी को याद आता है कि उसने सुबह से घर का कोई काम नहीं किया है। उसका बेटा अनिल अब भी सो रहा है। पिछली रात वे सब देर रात की फिल्म देखने गए थे। वह आलस महसूस कर रही है और उसका उठने, घर की सफाई और खाना बनाने का मन नहीं कर रहा है। अचानक उसे एक आइडिआ आता है। वह अपने पति से कहती है, ''मुझे आजकल कमर-दर्द हो रहा है। आगे की ओर झुकने पर दर्द होता है। क्या आज हम बाहर खाने जा सकते हैं? जब तक अनिल और तुम तैयार होते हो, मैं आराम करना चाहती हूँ।''

शंकर ने अभी-अभी अखबार पढ़कर रखा है। वह कहता है, ''ठीक है, तुम आराम करो। चलने का समय होने पर मैं तुम्हें जगा दूँगा।''

लक्ष्मी मन ही मन मुसकराती है, 'पति समेत किसी को भी एक स्त्री का मन पढ़ना नहीं आना चाहिए। अगर उसे पता चल जाए कि वह बहाने कर रही है या खाना बनाने में आलस कर रही है तो वह उसे ताने मार सकता है या उसकी तुलना अपनी मृत माँ से करने लगेगा—देखो, मेरी माँ कितना बढ़िया खाना पकाती थी। वह एक साथ तीस लोगों का खाना बना सकती थी। पति को लगना चाहिए कि उसकी पत्नी नाजुक है और उसे मेडिकल प्रॉब्लम है। ये अपने पति को काबू में रखने के तरीके हैं। तुम्हें अपने पति की बात पर तुरंत हामी नहीं भरनी चाहिए। यदि उसे पता चल जाएगा कि उसकी पत्नी हर बात मानती है और खूब काम करती है तो वह उसे और काम दे देगा। फिर पत्नी को दफ्तर और घर दोनों जगह काम करना होगा। मैं मृदुला की तरह नहीं हूँ, जो हर समय काम कर सकूँ।'

शंकर बार-बार उससे कहता है, ''लक्ष्मी तुम स्नातक हो। क्यों नहीं तुम किसी बैंक में नौकरी के लिए आवेदन करती? फिर हमारी अतिरिक्त आय हो सकती है। हम और लोन लेकर घर बना सकते हैं।''

हालाँकि लक्ष्मी इसपर चिढ़ जाती है, वह शंकर के सामने यह नहीं दिखाती। पति को यह लगना चाहिए कि उसकी पत्नी उसकी बात सुन रही है। इसकी बजाय, वह आराम से कहती, ''काश कि मैं ऐसा कर सकती, लेकिन अनिल इतना छोटा है कि उसे अकेले घर पर नहीं छोड़ सकते। अगर तुम्हारी माँ जीवित होतीं तो वह हमारे बच्चे की देख-रेख कर लेतीं और मैं खुशी-खुशी एक नौकरी ढूँढ़ लेती। अनिल को थोड़ा बड़ा होने दो, फिर मैं सच में काम करूँगी।''

इस तरह वह चालाकी से अपनी मृत सास की तारीफ कर देती और शंकर को यह संदेश भी दे देती कि उसके परिवार में कोई बच्चे की देखभाल करनेवाला नहीं है।

12

मूल्यों का अंतर

मंत्री नागालिंगगौडा लंबे समय से राजनीति में हैं। लेकिन वे एक शांत और सौम्य व्यक्ति हैं तथा सार्वजनिक वक्तव्य देने से बचते हैं। बहुत से लोग तो जानते तक नहीं कि वे एक मंत्री हैं। कर्नाटक में कुनिगल नामक शहर, जो उनका चुनाव क्षेत्र भी है, के नजदीक उनके परिवार की ढेर सारी जमीन है।

नागालिंगगौडा के तीन पुत्र हैं। पहला पुत्र खेतों की देखभाल करता है और दूसरे का अपना व्यवसाय है। वे दोनों शादीशुदा हैं और अपने पिता के राजनीतिक कामों में दखल नहीं देते। नागालिंगगौडा की पत्नी निंगम्मा अपने तीसरे पुत्र सुरेश को डॉक्टर बनाना चाहती है। इसलिए वह अपने पति से कहती है, ''बहुत से मंत्रियों के बच्चे किसी सरकारी कॉलेज में पढ़कर विदेश जाते हैं। आप इतने समय से अपने राजनीतिक दल के लिए काम कर रहे हैं। आप सरकार की मदद से सुरेश को किसी निजी कॉलेज में दाखिला क्यों नहीं दिला देते?''

इसलिए हालाँकि सुरेश डॉक्टर नहीं बनना चाहता, वह अपनी माँ की बात सुनता है। वह अपना एम.बी.बी.एस. पूरा करता है, एक सरकारी छात्रवृत्ति लेकर विदेश जाता है और फिर भारत लौटता है। उसका विवाह सुषमा से होता है और अब चार वर्ष बाद वह बेंगलुरु के एक सरकारी अस्पताल में एक सहायक सर्जन के रूप में काम करता है।

निंगम्मा के पहले दोनों बेटों की शादियों के पहले वर्ष के भीतर ही उनके बच्चे होते हैं। लेकिन सुरेश और सुषमा उतने खुशकिस्मत नहीं हैं। सुषमा कई बार गर्भवती होती है, लेकिन हर बार अपने-आप गर्भपात हो जाता है। इसलिए सुरेश उसे उसी अस्पताल में काम करनेवाली महिला स्त्री रोग विशेषज्ञ डॉ. कमला के पास ले जाता है।

डॉ. कमला एक वरिष्ठ गायनोकोलॉजिस्ट और विभागाध्यक्ष हैं। वे बहुत सारे परीक्षण करवाने के लिए कहती हैं। परीक्षणों के नतीजे आने के बाद वे बहुत सावधानी से अपनी राय देती हैं, ''सुषमा, तुम्हारा गर्भाशय बहुत कमजोर है। उसमें नौ महीने तक बच्चे को धारण करने की क्षमता नहीं है। इसलिए जब तुम गर्भवती हो जाओगी तो तुम्हें शिरोडकर स्टिच नाम एक विशेष स्टिच की आवश्यकता पड़ेगी। इसके अलावा तुम्हें पूरी गर्भावस्था के दौरान पूरी तरह आराम करना होगा।''

सुरेश एक सहकर्मी है, इसलिए डॉ. कमला इस केस में शामिल होने से हिचकिचा रही हैं। वह एक वी.आई.पी. पेशेंट है। अगर सबकुछ ठीक-ठाक हुआ तो उसे कुछ सराहना मिल सकती है, लेकिन अगर कुछ गड़बड़ हुई तो कोई भी सच्चाई का पता लगाने की कोशिश नहीं करेगा। उसकी बजाय जाँच या उसका स्थानांतरण हो सकता है। वह जानती है कि यह केस अपने-आप में उतना जटिल नहीं है, लेकिन उसके नतीजे भारी हैं और वह उनके कार्य संबंधों या अस्पताल में उसके भविष्य को प्रभावित कर सकता है।

अपने तीस वर्षों के अनुभव में डॉ. कमला ने कई केस देखे हैं, जहाँ उन्होंने कुछ भी गड़बड़ होने की कल्पना नहीं की थी, लेकिन गड़बड़ हुई थी। इसलिए उन्हें लगता है कि ऐसे केस किसी ऐसे डॉक्टर के पास जाने चाहिए, जिनके साथ मरीज सहज महसूस करे। वे थोड़ी देर रुककर कहती हैं, ''यदि आप सेकेंड ओपिनियन लेना चाहते

हैं तो आप किसी और डॉक्टर से भी बात कर सकते हैं।''

सुरेश डॉ. कमला की बहुत इज्जत करता है। वह जानता है कि वे भ्रष्ट नहीं हैं और अपने काम में दक्ष हैं। उसने उनकी गाइडेंस में एक वर्ष रेसीडेंसी की है। इसलिए वह कहता है, ''नहीं मैडम, हमें दूसरे डॉक्टर की राय की जरूरत नहीं है। मुझे आप पर पूरा भरोसा है। मैं चाहता हूँ कि यह केस आप ही देखें।''

फिर जैसे ही सुषमा गर्भवती होती है, वह हर महीने डॉ. कमला के पास आती है। डॉ. कमला सुषमा का गर्भाशय सिल देती हैं और उसे सलाह देती हैं, ''भारी चीजें मत उठाना। पूरी तरह आराम करो। तुम्हें तय तिथि से एक माह पहले आकर अस्पताल में भरती होना होगा।''

सुषमा घबराई हुई है, वह पूछती है, ''डॉक्टर, क्या आपको लगता है कि मुझे सी-सेक्शन की जरूरत पड़ेगी?''

''यह अभी बताना मुश्किल है। इस तरह की चीजें डिलीवरी के समय पर तय की जाती हैं। लेकिन चिंता मत करो। सबकुछ ठीक होगा।''

डॉ. कमला के दो सहायक हैं—डॉ. लता और डॉ. संजय। डॉ. लता के पिता विधानसभा में एक वरिष्ठ आई.ए.एस. अधिकारी हैं। वह बेंगलुरु में पली-बड़ी है, उसका परिवार काफी संपन्न है और वह कभी किसी गाँव में नहीं गई है। वह कुशाग्र है, अच्छी अंग्रेजी बोलती है और किसी को भी प्रभावित कर सकती है। उसने अपना एम.बी.बी.एस. बेंगलुरु से किया। फिर वह काम के लिए इंग्लैंड चली गई और कुछ वर्ष बाद लौटी। उसने अपनी डिग्री पूरी करके अस्पताल में लेक्चरर का पद ग्रहण कर लिया। डॉ. लता आमतौर पर कोई जिम्मेदारी नहीं लेती, लेकिन मेहनत करने का दिखावा करती है। उसका पति एक आयकर अधिकारी है। उसके पिता ने उन्हें विवाह के उपहार के रूप में सदाशिवनगर में एक बड़ा सा बँगला दिया है और वह कार से अस्पताल आती है।

डॉ. कमला लता से अधिक संजय को पसंद करती हैं। जब डॉ. कमला शहर से बाहर होती हैं, वे संजय को प्रभार सौंपकर जाती हैं। हालाँकि वह अधिक बात नहीं करता, लेकिन अपना काम बहुत अच्छी तरह करता है। यहाँ तक कि डॉ. कमला के न होने पर अस्पताल के कर्मचारी भी लता से अधिक संजय को पसंद करते हैं।

एक दिन अस्पताल में डॉ. लता की शिफ्ट होती है। शाम को 8 बजे मंत्री के घर से फोन आता है कि सुषमा अस्पताल के लिए निकल चुकी है और उसे प्रसव पीड़ा शुरू हो गई है। दुर्भाग्यवश डॉ. कमला चेन्नई में हैं। डॉ. लता को डर लगता है, क्योंकि सुषमा एक वीआईपी पेशेंट है और कोई भी वरिष्ठ डॉक्टर अस्पताल में नहीं है। वह संजय के पास जाकर उसे पकड़ती है, वह अस्पताल से निकल ही रहा होता है। वह

कहती है, ''संजय, एक महत्त्वपूर्ण केस है। मैडम शहर से बाहर हैं। कृपया मत जाओ।''

''माफ करना। वे कोई महिला डॉक्टर चाहते होंगे। इसलिए मेरा कोई काम नहीं होगा।''

उसी वक्त सुषमा अंदर आती है। उसे काफी दर्द हो रहा है। डॉ. सुरेश डॉ. लता को कहते हैं, ''मैडम ने मुझे बताया था कि सुषमा को उसके ड्यू डेट से एक महीने पहले भरती करना है। मैं माफी चाहता हूँ कि मैं ऐसा नहीं कर सकता। हमारे चुनाव-क्षेत्र में एक उप-चुनाव था और हम व्यस्त हो गए। सुषमा को प्रसव पीड़ा शुरू होने के बाद ही हमें याद आया। वह बच्चे की हलचल महसूस नहीं कर पा रही है।''

संजय सोचता है, 'सुरेश कैसा पति है? उसकी पत्नी की इतनी जटिल गर्भावस्था थी और खुद एक डॉक्टर होते हुए वह शिरोडकर स्टिच का महत्त्व जानता है। वह इतना व्यस्त कैसे हो गया कि अपनी पत्नी की मेडिकल जरूरतों को भी भूल गया।'

डॉ. लता इस स्थिति से बचना चाहती है। वह कहती है, ''मैडम शहर से बाहर हैं। आप अपनी पत्नी को किसी दूसरे प्राइवेट नर्सिंग होम में ले जा सकते हैं। हमें कोई आपत्ति नहीं है।''

सुरेश आग्रह करता है, ''नहीं, हम कहीं और नहीं जाना चाहते। उसकी केस हिस्टरी यहाँ है। आप भी एक प्रशिक्षित डॉक्टर हैं।''

लता नहीं जानती कि क्या करना है। इसलिए वह संजय को एक ओर ले जाकर अनुरोध करती है, ''संजय, तुम्हारे पास मुझसे अधिक अनुभव है। मैं खुद से इस वी.आई.पी. केस को नहीं देख सकती। कृपया क्या तुम मेरी मदद करोगे?''

संजय के लिए यह कोई कठिन केस नहीं है। उसने बंबई में ऐसे ही केस सँभाले हैं। डॉ. जोग बहुत अच्छे बॉस थे और उनके साथ काम करते हुए संजय को विभिन्न प्रकार के केस देखने को मिले थे। संजय सोचता है, 'लता एक प्रशिक्षित डॉक्टर है। वह इतना डरी हुई क्यों है? मुझे तो ताज्जुब है कि उसने इंग्लैंड में क्या सीखा है।'

फिर वह रोगी के बारे में सोचता है और बाकी सभी चीजें भूल जाता है। वह लता की मदद करने के लिए तैयार हो जाता है। संजय को लगता है कि सुषमा को तुरंत एक सी-सेक्शन की जरूरत है, क्योंकि गर्भनाल शिशु की गरदन के चारों ओर फँस चुकी है। इसलिए वह सुषमा के ऑपरेशन की तैयारी करता है और लता उसकी सहायता करती है। वे सी-सेक्शन करते हैं। जब शिशु को सुरक्षित निकाल लिया जाता है तो वह नवजात शिशु को देखकर प्रसन्न होता है। कुछ मिनट बाद वह हाथ धोने और कपड़े बदलने चला जाता है।

डॉ. लता नवजात शिशु को बाहर ले जाकर उसके पिता और दादी को दिखाती है। निंगम्मा अपने पहले पोते को देखकर बहुत खुश होती है और भावुक हो जाती है। कुछ

ही समय बाद मंत्री भी अस्पताल पहुँच जाते हैं। निंगम्मा अपने पति की ओर मुड़कर कहती है, "भगवान् शिव हम पर दयालु हैं। इस लेडी डॉक्टर ने वाकई मेहनत की और सुषमा तथा बच्चे का पूरा खयाल रखा।"

लता इस अवसर का लाभ उठाती है और जवाब देती है, "जी हाँ, सर। यह एक बहुत मुश्किल केस था। आखिर में मुझे सी-सेक्शन करना पड़ा।"

"तुम कब से यहाँ काम कर रही हो?" मंत्री दिलचस्पी से पूछते हैं।

"पिछले पाँच वर्षों से। सर, आप मेरे पिता को जानते होंगे, श्री बालासुब्रहमण्यम।"

"ओह तो तुम मुख्य सचिव बालासुब्रहमण्यम की बेटी हो?"

"जी हाँ, सर।"

अचानक शिशु रोने लगता है और लता शिशु को अंदर ले जाती है। संजय अभी नहीं लौटा है। वह अब भी डॉक्टरोंवाली यूनिफॉर्म बदलने में व्यस्त है। सुषमा एनेस्थीसिया के असर में बेहोश है। लता उत्साहित है कि उसने मौके का फायदा उठा लिया।

जल्द ही मंत्री नागालिंगगौडा के दौहित्र का नामकरण संस्करण आता है। उत्सव का माहौल है। मंत्री उप-चुनाव भी जीत जाते हैं और उन सभी का शुक्रिया अदा करना चाहते हैं, जिन्होंने इसमें मदद की। इसलिए दोनों अवसरों का जश्न मनाने के लिए एक बड़ा समारोह और पार्टी आयोजित की गई है। मंत्री डॉ. लता को निमंत्रण-पत्र देते हैं और उसे कहते हैं कि सुषमा के ऑपरेशन के दौरान सहायता करनेवाले हर किसी को निमंत्रण-पत्र दे। लता नर्सों और आयाओं को निमंत्रण दे देती है, लेकिन संजय को कार्ड नहीं देती। उसे डर है कि यदि मंत्री को पता चल गया कि ऑपरेशन डॉ. संजय ने किया था तो उसकी छवि खराब हो जाएगी।

समारोह हो जाता है और संजय को पता भी नहीं चलता कि पार्टी में उसे भी निमंत्रित किया गया था।

कुछ दिन बाद संजय अपने कमरे में बैठकर एक कॉन्फ्रेंस की तैयारी कर रहा है। लेकिन उसे निराशा महसूस हो रही है और वह चिंतित है कि आगे जाकर उसे इसका लाभ मिलेगा या नहीं। डॉ. कमला उसके कमरे में आती हैं। वे रिटायर होनेवाली हैं और उन्होंने अपने जीवन में बहुत से उतार-चढ़ाव देखे हैं। अपने लंबे कॅरियर में उन्होंने बहुत से लोगों की मदद की है और उन्हें इस बात का संतोष है। डॉ. कमला को देखकर संजय अपना काम रोक देता है और उनके सम्मान में खड़ा हो जाता है। डॉ. कमला मुसकराते हुए कहती हैं, "संजय कृपया बैठ जाओ। तुम्हारे खयाल से तुम्हारा पेपर कब तक पूरा हो जाएगा?"

डॉ. कमला शिक्षा के क्षेत्र में दिलचस्पी रखती हैं। वे संजय जैसे मेहनती युवाओं को प्रोत्साहित करती हैं, क्योंकि सरकारी अस्पतालों में काम करनेवाले कम ही लोग

शैक्षिक उत्कृष्टता हासिल करना चाहते हैं। वे जानती हैं कि लता का ज्ञान खोखला है—उसे एक अच्छी डॉक्टर बनने से अधिक दिलचस्पी प्रचार में है। लता यहाँ पर सिर्फ अपने पिता के प्रभाव की वजह से है। वरना अस्पताल में उसे नहीं रखा जाता। डॉ. कमला को पता है कि ऑपरेशन किसने किया है और संजय को निमंत्रण क्यों नहीं मिला।

संजय पूछता है, ''मैडम, समारोह कैसा रहा?''

''वह एक औपचारिकता थी। तुम्हारे-मेरे जैसे साधारण लोगों को ऐसी पार्टियों की सारी वजहें समझ नहीं आ सकतीं।''

संजय चुप रहा। कमला ने उसे वह साड़ी दिखाई जो मंत्री के परिवार ने उसे दी है, वे कहती हैं, ''संजय तुम जानते हो कि मैंने वह ऑपरेशन नहीं किया। शायद उन्होंने मुझे यह उपहार इसलिए दिया, क्योंकि मैंने गर्भावस्था के दौरान सुषमा की जाँच की थी। लेकिन मुझे एक बात पर हैरत हुई⋯''

''वह क्या मैडम?''

''मुझे आश्चर्य हुआ कि हर कोई वहाँ लता की तारीफ कर रहा था और वह धड़ल्ले से झूठ बोल रही थी। वह कह रही थी कि उसने लंदन में ऐसे कई केस सँभाले हैं। मैं जानती हूँ कि यह झूठ है। लेकिन सच को सामने कौन लाएगा? लता को मुझसे भी बेहतर उपहार मिला होगा। संजय, एक बात सच है—सरकारी अस्पतालों में सिर्फ अच्छा काम करना ही जरूरी नहीं है, बल्कि दूसरों के सामने उसका प्रदर्शन भी महत्त्वपूर्ण है।''

संजय डॉ. कमला की बातों पर विचार करने लगता है और जवाब नहीं देता।

13

आदर्शवाद का पतन

शिशिर के जन्म के बाद मृदुला का जीवन पूरी तरह बदल जाता है। वह चाहती है कि दिन के समय बच्चे की देखभाल के लिए कोई मिल जाए, ताकि वह नौकरी पर लौट सके। रुकमा और भीमन्ना उससे कहते हैं, ''तुम बच्चे को हमारे पास अलादाहल्ली में छोड़ सकती हो। हम उसकी देखभाल कर लेंगे।''

लेकिन मृदुला इसके लिए तैयार नहीं होती। हालाँकि वह खुद अलादाहल्ली में पैदा हुई और पली-बढ़ी, तथा वह इस गाँव को पसंद भी करती है, मगर अपने बच्चे को वहाँ छोड़ना उसके लिए मुश्किल है। संजय भी इस बात से सहमत है। भीमन्ना या रुकमा भी गाँव का अपना जीवन छोड़कर लंबे समय तक मृदुला के साथ नहीं रह सकते।

अब तक मृदुला को अच्छी तरह समझ आ गया है कि उसकी सास उसकी मदद

नहीं करेंगी। संजय ने घुमा-फिराकर अपनी माँ से कहा था, "अम्मा, मृदुला को चिंता हो रही है कि नौकरी पर लौटने के बाद वह बच्चे को कहाँ छोड़ेगी।"

रत्नम्मा चुप रही थी। वह वहाँ आकर बच्चे की देखभाल करने की इच्छुक नहीं थी। फिर भी मृदुला अपनी सास की आभारी है। कम-से-कम वे अन्य सासों की तरह उसे परेशान नहीं करतीं। वे उसपर व्यंग्यपूर्ण टिप्पणियाँ नहीं करतीं या अपनी बेटी का पक्ष लेकर मृदुला के साथ भेदभाव नहीं करतीं। रत्नम्मा पूरी तरह एक अलग दुनिया में रहती है।

मृदुला अपनी नौकरी छोड़कर घर पर रह सकती है, लेकिन यह चलेगा नहीं। संजय और मृदुला ने अपने फ्लैट के लिए एक लोन लिया है। जब तक कि दोनों नौकरी न करें, वे लोन का भुगतान करने में सफल नहीं होंगे। मृदुला एक-एक पैसा बचा रही है। वह ऑटो नहीं लेती या अपनी साड़ियों के साथ मैचिंग ब्लाउज सिलवाने पर पैसे खर्च नहीं करती। वह जल्दी-से-जल्दी लोन चुकाना चाहती है। लेकिन लक्ष्मी उसका मजाक उड़ाती है। वह उसके पीछे कहती है, "इतना कमाने और शिक्षा का क्या लाभ जब मृदुला ढंग के कपड़े भी नहीं पहन सकती?"

मृदुला चाहती है कि अलादाहल्ली से कोई आकर उसके घर रहे और काम करे, लेकिन उसके विजयनगर अपार्टमेंट में रहने के बाद वे जल्दी ही ऊब जाते हैं। वे तीन महीने के भीतर वापस चले जाते हैं, क्योंकि उन्हें गाँव के जीवन की कमी खलती है।

एक दिन मृदुला कुछ सब्जियाँ खरीदते हुए इस समस्या के बारे में सोच रही होती है और अचानक मुनियप्पा और कांताम्मा से टकरा जाती है। वह उनसे मिलकर बहुत खुश होती है। कांताम्मा उससे बोलीं, "मृदुला, हम कोलार वापस नहीं गए। हम भी विजयनगर में एक किराए के मकान में रह रहे हैं।"

वे उसे अपना पता देते हैं और आने के लिए कहते हैं। चूँकि मृदुला को उनसे काफी लगाव है, वह अगले रविवार शिशिर के साथ उनके घर जाती है। वह उन्हें दिन के दौरान बच्चे की देखभाल की अपनी कठिनाइयों के बारे में बताती है और कहती है, "मुझे नहीं लगता कि मैं आगे नौकरी कर पाऊँगी, यदि मुझे कोई भरोसेमंद व्यक्ति न मिला।"

पति-पत्नी एक-दूसरे को देखते हैं और बात करने के लिए अंदर चले जाते हैं। वे पाँच मिनट में अपने शयनकक्ष से बाहर आते हैं। कांताम्मा स्नेह से मृदुला को कहती हैं, "देखो, तुम और तुम्हारे पति सहमत हों तो तुम अपना बच्चा हमारे पास छोड़ सकती हो। मैं अपने पौत्र की तरह उसकी देखभाल करूँगी। कृपया किसी अनजान नौकर के साथ उसे अकेले मत छोड़ो।"

मृदुला अपनी प्रसन्नता को दबा नहीं पाती। कृतज्ञता से उसकी आँखों से आँसू निकलने लगते हैं। बाद में वह संजय से बात करती है और उसे भी इस बात पर कोई

आपत्ति नहीं है।

शिशु और लेक्चरर की नौकरी के बावजूद, संजय अपना अधिकांश समय पुस्तकालय में बिताता है। एक दिन अस्पताल की ओर से डॉक्टरों को विश्व स्वास्थ्य संगठन (डब्ल्यू.एच.ओ.) द्वारा अमेरिका में आयोजित होनेवाले एक तीन दिवसीय एड्स प्रशिक्षण कार्यक्रम के बारे में सूचित किया जाता है। सरकारी अस्पतालों में काम करनेवाले सभी डॉक्टर इस प्रशिक्षण के लिए पात्र हैं, परंतु वहाँ पर शिक्षण-कार्य भी कर रहे स्त्री रोग विशेषज्ञों को प्राथमिकता दी जा रही है। संजय को लगता है कि यह उसके लिए एक अच्छा अवसर है, क्योंकि उसके पास व्यक्तिगत रूप से जाकर प्रशिक्षण में शामिल होने लायक धन नहीं है। इसलिए वह आवेदन-पत्र भरकर डॉ. कमला के कमरे में जाता है।

डॉ. कमला एक मेडिकल पत्रिका पढ़ने में व्यस्त हैं। जब संजय आकर उनके सामने बैठता है, वे पूछती हैं, ''क्या बात है संजय?''

''मैडम, मुझे एक मदद चाहिए। मैं न्यूयॉर्क में प्रशिक्षण कार्यक्रम के लिए आवेदन कर रहा हूँ। क्या आप इसके लिए मेरी सिफारिश करेंगी?'' संजय हिचकिचाते हुए पूछता है। उसे किसी से सहायता माँगना बहुत कठिन लगता है।

''संजय, मैंने पिछले वर्ष प्रशिक्षण किया था। वहाँ आप बहुत से लोगों से मिलते हैं। इंटरनेट जानकारी प्राप्त करने में मददगार होता है, लेकिन सेमिनार या प्रशिक्षण में शामिल होना अधिक उपयोगी होता है। यह अच्छा खयाल है।''

''मैडम, क्या आपको लगता है कि मुझे चुना जा सकता है? आप मेरी कार्यशैली और मेरे स्वभाव से परिचित हैं।''

कमला एक पल के लिए चुप हो जाती हैं, फिर कहती हैं, ''मैं इस स्थिति के बारे में जानती हूँ। मैं तुम्हारे साथ कई वर्ष से काम कर रही हूँ, लेकिन नहीं जानती कि तुम जा पाओगे या नहीं।''

''क्यों नहीं, मैडम?''

''इतने समय के बाद भी मैं समझ नहीं पाती हूँ कि अस्पताल का पैनल किस आधार पर किसी व्यक्ति का चयन करता है। हर वर्ष भिन्न मानदंड होते हैं। वे उम्मीदवारों के आधार पर चयन-प्रक्रिया को संशोधित करते हैं। इसलिए मैं इस वर्ष के नियमों के बारे में नहीं जानती।''

संजय का चेहरा उतर जाता है। डॉ. कमला उसे सांत्वना देती हैं, ''संजय, मैं तुम्हें हतोत्साहित नहीं कर रही हूँ। सच्चाई यह है कि मैं तुम्हें झूठी उम्मीद नहीं देना चाहती। सच्चा मित्र वही होता है, जो आपको कड़वा सच बताता है। यह जरूरी नहीं है कि तुम सरकार की ओर से जाओ। कुछ मेडिकल कंपनियाँ भी इस प्रशिक्षण को प्रायोजित करती हैं।''

संजय सौम्यता से मुसकराते हुए कहता है, ''मैंने सुना कि डॉ. लता ऐसे ही किसी प्रायोजन पर मलेशिया गई थीं। क्या मुझे भी ऐसा प्रायोजन मिल सकता है?''

डॉ. कमला चुप हो जाती हैं। संजय को वह प्रायोजन नहीं मिल सकता। लता अंशकालिक रूप से एक निजी नर्सिंग होम के लिए भी काम करती है। दवा कंपनियाँ निजी अस्पताल के डॉक्टरों को प्रायोजित करती हैं, सरकारी डॉक्टरों को नहीं। लता को दूसरा लाभ भी प्राप्त है। उसका पति आयकर विभाग में है। उसकी मदद न करनेवाले लोगों का आयकर ऑडिट हो सकता है और उनके घरों में छापा पड़ सकता है। इसलिए हर कोई उससे डरता है। डॉ. कमला को याद है कि कुछ वर्ष पहले लता सिंगापुर जाना चाहती थी और उसने छह सप्ताह की छुट्टी माँगी थी। विभाग में कम स्टाफ होने के कारण डॉ. कमला ने इनकार कर दिया था। अगले सप्ताह आयकर विभाग ने उनका ऑडिट किया। उनके भरे हुए आयकर में कुछ भी गड़बड़ नहीं थी, लेकिन कई बार अधिकारियों के आने, वेरीफिकेशन और इंतजार ने बहुत परेशान किया था।

जब डॉ. कमला आयकर कार्यालय गईं तो जाँच अधिकारी लुईस को अजीब लगा। उसकी बेटी मेरी डॉ. कमला की छात्रा रही थी और वह उनका काफी सम्मान करता था। उसने सौम्यता से डॉ. कमला से कहा, ''मैडम आपकी प्रतिष्ठा से मैं परिचित हूँ। मेरी बेटी आपकी छात्रा रही है।''

फिर वह उसके लिए कॉफी लेकर आया। वेरीफिकेशन के बाद लुईस ने कहा, ''मैडम, कृपया बुरा मत मानिएगा, हम तो सिर्फ कनिष्ठ अधिकारी हैं।''

डॉ. कमला ने उससे पूछा, ''कृपया क्या आप बता सकते हैं कि मेरा ऑडिट करने के आदेश आपको किसने दिए?''

''मैडम, कृपया आप मुझसे यह न पूछें। यहाँ दीवारों के भी कान हैं। आशा है आप समझेंगी।''

जब वे अस्पताल लौटीं तो वहाँ उन्हें उषा मिली, जिसने मुसकराते हुए बहुत मासूमियत से उनसे पूछा, ''मैडम, आप थकी हुई लग रही हैं। क्या आप अभी-अभी आई हैं? क्या आपकी तबीयत ठीक नहीं है? आप घर जाना चाहेंगी?''

डॉ. कमला ने जवाब दिया, ''मैं सिर्फ इसलिए दूसरों को परेशान नहीं करती कि मेरे पास पावर है।''

लता डॉ. कमला से आँखें नहीं मिला पाई। वह नीचे देखने लगी और वहाँ से चली गई। उसके बाद उसने ऐसे दिखाया मानो कुछ हुआ ही न हो।

हालाँकि डॉ. कमला ने उसे सिर्फ एक सप्ताह की छुट्टी दी, लता ने अपने पिता के द्वारा बीमारी का एक मेडिकल सर्टिफिकेट भिजवा दिया और पारिवारिक छुट्टी के लिए छह सप्ताह तक सिंगापुर में रही। वह सिंगापुर से लोगों के लिए उपहार लेकर आई

और अस्पताल में अपने काम आनेवाले लोगों को दिया। उसमें क्लर्क और सफाई कर्मचारी शामिल थे। वह उन्हें खुश रखना चाहती थी, ताकि वे उसकी लंबी छुट्टी या उसके आलस की शिकायत न करें। डॉ. कमला यह सब जानती थीं, लेकिन वे चुप रहने पर मजबूर थीं, क्योंकि उन्हें अस्पताल का समर्थन नहीं था।

वे सोचती हैं, 'संजय यह सब कैसे समझेगा? यह समझाना मुश्किल है। पच्चीस वर्ष पहले मैं ठीक संजय जैसी थी—अपने काम से संतुष्ट और आदर्शवाद में मेरा विश्वास था। जीवन ने मुझे बड़े सबक सिखाए हैं। यदि कोई व्यक्ति बुद्धिमान और आदर्शवादी हो तो वह एक अच्छा शिक्षक होगा। और यदि कोई व्यक्ति बुद्धिमान और स्वार्थी हो तो वह पैसा कमाने के लिए किसी भी हद तक जा सकता है। आखिरकार यह व्यक्तिगत पसंद होती है कि हम अपने सिद्धांतों पर कितना चलते हैं।'

संजय को पता नहीं है कि डॉ. कमला के दिमाग में क्या चल रहा है। वह यह सोच रहा है कि उसे प्रायोजन कैसे मिलेगा। वह चाहता है कि डॉ. कमला किसी दवा-कंपनी में उसकी सिफारिश करें। डॉ. कमला जानती हैं कि वह क्या सोच रहा है। वे यह भी जानती हैं कि कोई दवा कंपनी संजय को प्रायोजित नहीं करेगी, क्योंकि अब कोई उसकी बात नहीं सुनेगा। सभी कंपनी मेडिकल रिप्रजेंटेटिव उनकी आसन्न सेवानिवृत्ति के बारे में जानते हैं और अब अगले विभागाध्यक्ष डॉ. सरोजा को खुश करने का प्रयास कर रहे हैं।

दवा कंपनियों के द्वारा प्रायोजन के बारे में बात करने की बजाय डॉ. कमला कहती हैं, ''हमारी स्वास्थ्य मंत्री हमारे राज्य में डब्ल्यू.एच.ओ. फंड की अध्यक्ष हैं। क्यों नहीं तुम जाकर उनसे मिलते? मैं तुम्हारे लिए सिफारिश लिख सकती हूँ।''

संजय सहमत हो जाता है। उसे लगता है कि उसे यह कोशिश भी करनी चाहिए।

डॉ. कमला के सुझाव के कुछ दिनों बाद संजय स्वास्थ्य सचिवालय जाने का फैसला करता है। वह बिल्डिंग में दाखिल होता है। यह बहुत गरम दोपहरी है और आस-पास ढेरों पंखों के बावजूद संजय पसीने से तर-बतर है। बहुत से लोग स्वास्थ्य मंत्री के निजी सहायक (पी.ए.) के सामने खड़े हैं। बाकी गलियारे में खड़े होकर सिगरेट पीते हुए बात कर रहे हैं। हर किसी को कोई-न-कोई समस्या है। किसी को स्थानांतरण करवाना है तो किसी को पदोन्नति चाहिए। संजय अलग-थलग महसूस करता है। वह पहली बार मदद के लिए किसी मंत्री के दफ्तर पहुँचा है।

संजय हिचकिचाते हुए पी.ए. के सामने खड़ा होता है। पी.ए. उसकी ओर देखता है, लेकिन कुछ बोलता नहीं। हालाँकि उसके सामने एक कुरसी है, लेकिन वह संजय से बैठने को नहीं कहता। वह अपने मोबाइल फोन पर बात कर रहा है और संजय को पूरी तरह उपेक्षित करता है। आखिरकार उसकी बात खत्म होती है। अब भी खड़ा

संजय पी.ए. को नमस्कार करता है। पी.ए. उसका जवाब तक नहीं देता। वह सीधे-सीधे पूछता है, ''क्या चाहते हो?''

संजय अपनी फाइल पी.ए. को दिखाता है। पी.ए. मन में सोचता है, 'लोग मेरा अभिवादन तभी करते हैं, जब उन्हें काम होता है, वैसे तो वे मुझे पहचानते तक नहीं। मैं क्यों उनसे अच्छा व्यवहार करूँ?'

पी.ए. रूखेपन से कहता है, ''मुझे एक कारण बताओ कि सरकार तुम्हें प्रायोजित क्यों करे। तुम्हें लगता होगा कि सरकार के पास बहुत पैसा है। पहले जाकर प्रायोजन के नियम समझो, फिर यहाँ आना। तुम मेरा समय बरबाद कर रहे हो।''

''मैं सरकार से पैसा नहीं माँग रहा। मैं डब्ल्यू.एच.ओ. फंड से सहायता की माँग कर रहा हूँ।''

पी.ए. और नाराज हो जाता है, ''उस फंड की जानकारी तुम्हें किसने दी? उस आदमी को यहाँ लेकर आओ। मैं मान भी लूँ कि ऐसे फंड हैं तो उसे तुम पर खर्च क्यों होना चाहिए? तुमसे अधिक सीनियर लोग हैं। हमें उनको भी मौका देना चाहिए।''

''क्या मैं स्वास्थ्य मंत्री से मिल सकता हूँ?''

''यदि तुम इस वजह से उनसे मिलना चाहते हो तो...''

पी.ए. का वाक्य पूरा करने से पहले ही उसका फोन फिर बजने लगता है। पी.ए. अच्छे मूड में आ जाता है और विनम्रता से बात करने लगता है, ''भाई, कृपया मुझे गलत मत समझो। मैंने स्वास्थ्य मंत्री से कह दिया है। वे बहुत सख्त हैं। जब वे अच्छे मूड में होंगी, मैं आपकी फाइल उन्हें दे दूँगा।''

पी.ए. कॉर्डलिस लेकर गलियारे में चला जाता है, ताकि अलग से बात कर सके। संजय को समझ में नहीं आता कि वह क्या करे।

इस बीच एक व्यक्ति उसे देख रहा होता है। वह संजय के पास पहुँचता है और उसका अभिवादन करता है। संजय उसे देखता है। वह करीब पैंतीस साल का थोड़ा-मोटा व्यक्ति है और साधारण कपड़े पहने हुए है। संजय उसे नहीं जानता। वह व्यक्ति उससे बात करने लगता है, ''डॉक्टर आप मेरा नाम नहीं जानते होंगे। मेरी पत्नी आपकी मरीज थी। जब हम आपके अस्पताल आए थे तो डॉ. कमला अम्मा छुट्टी पर थीं। इसलिए आपने उसका ऑपरेशन किया था और बहुत अच्छी तरह उसकी देखभाल की थी। आपने हमसे पैसे भी नहीं माँगे थे। हमने कृतज्ञता जाहिर करने के लिए आपको फल और फूल भेजे थे। लेकिन आपने वे भी स्वीकार नहीं किए थे।''

संजय को उसका चेहरा याद नहीं आ रहा है। सरकारी अस्पताल में बहुत से मरीज आते हैं और उन सभी के नाम याद रखना मुश्किल है। यदि उस व्यक्ति ने ऑपरेशन का नाम बताया होता तो संजय को उसकी पत्नी याद आ जाती। संजय अपनी सेवाओं के लिए

उपहार नहीं लेता, चाहे वे फल और फूल ही क्यों न हों। संजय कहता है, ''माफ कीजिए। मैं अब भी आपको पहचान नहीं पा रहा हूँ। आपका नाम क्या है?''

''मेरा नाम चिकनंजप्पा है और मेरी पत्नी का नाम केंपम्मा है।''

चिकनंजप्पा पान से रँगे लाल दाँत दिखाते हुए मुसकराता है। वह पूछता है, ''डॉक्टर, आप यहाँ क्यों आए हैं?''

संजय उसे वस्तुस्थिति समझाता है और उसे वह फाइल दिखाता है। चिकनंजप्पा कहता है, ''डॉक्टर, मैं एक क्लर्क हूँ, हमें यहाँ बात नहीं करनी चाहिए। हर कोई हमारी बात सुन रहा है। साढ़े पाँच बजे चालुक्य होटल आइए। वहाँ चाय पीते हुए बात करेंगे।''

बिना और कुछ कहे चिकनंजप्पा वहाँ से चला जाता है।

जल्द ही पी.ए. वापस आ जाता है। कई लोग अब भी उसका इंतजार कर रहे हैं। पी.ए. घोषणा करता है, ''मैडम उत्तरी कर्नाटक के दौरे पर हैं। वहाँ से वे दिल्ली जाएँगी। इसलिए अगले सप्ताह के अंत तक किसी को मिलने का समय नहीं मिल सकता।''

शाम को पाँच बजे संजय चालुक्य होटल की ओर चल पड़ता है। वह निराश और हताश है। वह लेक्चरर के पद पर अपने चयन के बारे में सोचता है। वह आराम से हो गया था। डॉ. कमला चयन समिति में थीं और उसे बिना किसी सिफारिश के यह नौकरी मिल गई थी। लेकिन पिछले दो वर्षों में स्थितियाँ बहुत बदल गई हैं। हालाँकि वह ईमानदारी से काम करता है, लेकिन उसको उचित श्रेय और पदोन्नति माँगना कठिन लगता है।

होटल के रास्ते में संजय सोच में डूबा रहता है। बाह्य-रोगी विभाग में लगभग 180-200 रोगी प्रतिदिन उपचार के लिए आते हैं। किसी पर निजी अस्पताल की तरह ध्यान नहीं दिया जाता, लेकिन साथ ही किसी को वापस भी नहीं किया जाता। आमतौर पर चार से छह डॉक्टर सारा दिन काम करते हैं। रोगियों और उनके अंतहीन सवालों को झेलना कठिन होता है। सभी डॉक्टरों को सिखाया जाता है कि अपने मरीज की सेवा करना सबसे बड़ा कर्तव्य होता है, भले ही वह उसका शत्रु ही क्यों न हो। लेकिन जब ऐसे डॉक्टर सरकारी कार्यालयों में आते हैं तो कुरसी पर बैठे लोग, जो डॉक्टर से कम शिक्षित हो सकते हैं, उनके साथ बहुत बुरा व्यवहार करते हैं। कभी-कभार उसे यहाँ नौकरी करना मुश्किल लगता है।

जब तक वह चालुक्य होटल पहुँचता है, चिकनंजप्पा उसका इंतजार कर रहा होता है और पहले से दो कॉफियों का ऑर्डर दे चुका होता है। चिकनंजप्पा उससे कहता है, ''डॉक्टर, मैं आपको सच्चाई बताना चाहता हूँ। आपको प्रायोजित नहीं किया जाएगा। केवल कनेक्शनवाले लोगों को ही यह सुविधा मिलती है। फिर भी मैं आपके सभी विवरण अपने पास रखना चाहता हूँ। अपने घर का फोन नंबर दीजिए ताकि बात बनने पर मैं आपको फोन कर सकूँ। क्या आप जानते हैं कि सरकारी अस्पतालों में आपकी तरह बहुत

कम डॉक्टर हैं? जब कोई रोगी किसी मंत्री की सिफारिश लेकर आता है तो उसका उपचार वी.आई.पी. की तरह किया जाता है। हमारे जैसे लोगों के लिए स्टोर में दवाएँ उपलब्ध होने के बाद भी अस्पताल का स्टाफ देने से मना कर देता है। हर ऑपरेशन के लिए तय दरें होती हैं और आपको इसके बारे में पता तक नहीं है। इसी तरह स्थानांतरण, अनापत्ति प्रमाण-पत्र और अन्य चीजों के लिए हमारे ऑफिस में निश्चित दरें हैं। यह अलिखित नियम कोई नहीं बदल सकता। संक्षेप में, मैं तुम्हारी पीठ खुजाऊँ और तुम मेरी पीठ खुजाओ।''

संजय समझ नहीं पाता कि क्या कहे। चिकनंजप्पा आगे कहता है, ''डॉक्टर, अगर आप सरकारी अस्पताल में काम करते रहेंगे तो आपको कई बार हमारे विभाग में आना पड़ेगा। आपको हमारे विभाग के सहयोग के बिना स्थानांतरण, पदोन्नति, अनापत्ति या प्रायोजन नहीं मिल सकता। आपको यहाँ के लोगों की जानकारी भी होनी चाहिए। हमारे लोग डॉक्टरों की मदद करते हैं। इसी वजह से कई डॉक्टर हमारे विभाग के लोगों को वी.आई.पी. मानते हैं। अगर आपने कभी ध्यान दिया हो, आपके कई सहकर्मी अकसर हमारे विभाग में आते हैं।''

संजय ने इस बात पर ध्यान नहीं दिया था। अगर चिकनंजप्पा ने उसे बताया नहीं होता तो संजय इससे अनजान ही रहता। वेटर कॉफी का बिल लेकर आता है और संजय भुगतान करने का आग्रह करता है, लेकिन चिकनंजप्पा उसे ऐसा नहीं करने देता।

खड़े होते हुए संजय उससे पूछता है, ''मैं दो दिन बाद आपको फोन करूँ?''

''कृपया ऐसा मत कीजिएगा। हमारे विभाग में लोग अपना काम करने की बजाय यह पता करने में अधिक दिलचस्पी रखते हैं कि दूसरे लोग क्या कर रहे हैं। ऑफिस में कोई फोन आने पर मेरे बॉस को लगता है कि मैं पैसे कमा रहा हूँ। यदि किसी को पता चल गया कि मैं आपकी सहायता करने की कोशिश कर रहा हूँ तो वे सोचेंगे कि मैं आपको सारे अंदरूनी राज बता रहा हूँ। वे मुझे दंडित करेंगे और बेल्लारी जैसी जगह या पर्यटन विभाग में मेरा तबादला कर देंगे। कृपया हमारी मुलाकात को गोपनीय ही रखें।''

संजय ऐसा करने का वादा कर के चल देता है। चिकनंजप्पा वहीं बैठा रहता है, शायद किसी और से मुलाकात की प्रतीक्षा में।

अगले दिन डॉ. कमला संजय को बुलाती हैं और उसे सलाह देती हैं, ''संजय, पिछले साल मैं बंबई की एक डॉक्टर से मिली थी। उसका नाम वर्षा है और उसे टाटा ने प्रायोजित किया था। उसने मुझे बताया कि टाटा फाउंडेशन हर वर्ष कुछ डॉक्टरों को प्रायोजित करता है। सरकार से सहायता प्राप्त करने की बात भूल जाओ। उसमें तुम्हें बहुत सी कठिनाइयाँ आएँगी। निजी गैर सरकारी संगठनों से सहायता पाने की कोशिश करो। वे आमतौर पर निष्पक्ष होते हैं और सिर्फ प्रतिभा पर भरोसा करते हैं। टाटा के

अलावा तुम बेंगलुरु के कुछ अच्छे गैर सरकारी संगठनों से भी प्रायोजन के लिए आवेदन कर सकते हो। याद रखो—किसी एक पर निर्भर न रहो। अपना आवेदन हर कहीं भेजो।''

डॉ. कमला संजय को डॉ. वर्षा का पता और फोन नंबर देती हैं।

अगले सात दिन संजय प्रायोजन हेतु विभिन्न संगठनों को भेजने के लिए अनुरोध-पत्र तैयार करने में व्यस्त रहता है। पहला नकारात्मक जवाब टाटा फाउंडेशन से मिलता है। उनका उत्तर होता है, ''आपकी उपलब्धियाँ उत्तम हैं। हम निश्चित रूप से आपको प्रायोजित कर सकते थे, मगर हमारा एक बुनियादी नियम है कि हम बंबई में काम करनेवाले डॉक्टरों को ही प्रायोजित करते हैं। प्रशिक्षण के बाद उस डॉक्टर को तीन सालों तक बंबई के नागरिकों के लिए काम करना होगा। अत: हमें खेद है कि आप हमारे द्वारा प्रायोजित किए जाने के पात्र नहीं हैं। हम आपको शुभकामनाएँ देते हैं।''

बाकियों के पास भी संजय का आवेदन खारिज करने का कोई-न-कोई कारण है। कुछ ने कहा, ''हम पूरी राशि प्रायोजित नहीं कर सकते। हम आपको सिर्फ 10,000 रुपए दे सकते हैं।'' कुछ कहते हैं, ''हम आपको प्रशिक्षण के लिए आधी राशि ही दे सकते हैं। बाकी आधे का इंतजाम आपको खुद करना होगा।'' कुछ अन्य का जवाब है, ''हमने अपने फंड को किसी और परियोजना में लगा दिया है, इसलिए इस बार हम आपको प्रायोजित करने में असमर्थ हैं।''

संजय निराश हो जाता है।

एक शाम भारी मन से घर लौटने के बाद वह देखता है कि मृदुला शिशिर को खाना खिला रही है और उत्साहित लग रही है। उसके पूछने से पहले ही वह बोल पड़ती है, ''एलेक्स और अनीता बेंगलुरु आए हुए हैं। अनीता ने अभी-अभी मुझे फोन किया। वे चार दिन यहीं रहेंगे।''

एलेक्स और संजय संपर्क में बने रहे हैं। एलेक्स को अपना पोस्टग्रेजुएशन नहीं करना था। इसलिए वह मध्य पूर्व चला गया और वहाँ खूब पैसे कमाए। उसके श्वसुर पिंटो बहुत खुश हुए।

एलेक्स और अनीता हर वर्ष भारत आते हैं और इस बार वे अपनी बच्ची जूलियट प्रतिभा के साथ आए हैं। एलेक्स सिर्फ दो सप्ताह रुकेगा, मगर अनीता चार महीने भारत में ही रहेगी और वे अपना अधिकांश समय गोवा, बेंगलुरु और मंगलौर में बिताना चाहते हैं। अनीता बहुत खुले दिल की है और अलग-अलग पृष्ठभूमि से आने के बावजूद उनमें खूब बनती है। अनीता हमेशा मृदुला के लिए कोई-न-कोई उपहार लेकर आती है।

अँधेरा हो रहा है। इसलिए संजय अपना स्कूटर पार्क करता है और हाथ-मुँह धोने चला जाता है। मृदुला मेज पर उसका खाना लगाने के साथ बात करती रहती है, ''मैं उन्हें

रात के भोजन पर बुलानेवाली हूँ। उनकी बच्ची यहाँ नहीं है, क्योंकि उन्होंने कुछ दिन के लिए उसे मंगलौर में छोड़ दिया है।''

संजय कुछ नहीं कहता।

हमें बच्ची को क्या कहकर बुलाना चाहिए—जूलियट या प्रतिभा? मुझे जूलियट नाम पसंद है। तुम्हें क्या लगता है?

संजय अब भी चुप है।

''तुम्हें पता है, वे यहाँ एक मकान खरीदना चाहते हैं? मगर मैं नहीं जानती कि उन्होंने बेंगलुरु को क्यों चुना। दोनों में से कोई यहाँ का नहीं है। क्या एलेक्स ने इस बारे में तुमसे कोई बात की?''

संजय के जवाब का इंतजार किए बगैर वह उत्साह में बोलती रही, ''अनीता को हुबली से एक कसूती साड़ी चाहिए। वह आग्रह कर रही है कि मैं उसे कम-से-कम एक बार वहाँ लेकर जाऊँ। तुम्हें ट्रैफिक आइलैंड चौराहे पर कोई गोमांतक होटल पता है? उस होटल का मालिक एलेक्स को जानता है। अनीता बचपन में एक बार हुबली गई थी। मैंने उसे कहा कि अगर तुम सिर्फ एक कसूती साड़ी खरीदने के लिए वहाँ जाना चाहती हो तो रहने दो। मेरी माँ ने मेरे जन्मदिन पर मुझे एक काली साड़ी भेजी है और मैंने अभी उसे इस्तेमाल नहीं किया है। मैं वह अनीता को दे सकती हूँ। साथ ही होसुर में भी कसूती साड़ी की एक नई दुकान खुली है। मैं वहाँ से भी खरीद सकती हूँ।''

संजय चुपचाप खाना खा रहा है, मगर उसका दिमाग कहीं और है। अब मृदुला को एहसास होता है कि संजय उसकी बात नहीं सुन रहा है। वह पूछती है, ''तुम कुछ बोल क्यों नहीं रहे हो? क्या अस्पताल में कोई समस्या है?''

संजय चुपचाप खाता रहता है।

मृदुला फिर से कोशिश करती है, ''तुम्हारे अमेरिका जाने का क्या हुआ? मुझे यकीन है कि तुम्हें प्रायोजक मिल जाएगा। तुम एक तेज विद्यार्थी और बुद्धिमान हो। सतीश और शैला भी काम से बेंगलुरु आ रहे हैं, लेकिन तब तक तुम अमेरिका में होंगे। शैला सतीश से अधिक होशियार है। उसने हुबली में घर बनाने के लिए एक लोन लिया है। वह पिछले वर्ष बच्चे के जन्म के समय सरला की सहायता के लिए अमेरिका भी गई थी। वह लोगों की मदद करती है, मगर व्यक्तिगत रूप से बहुत अधिक नहीं जुड़ती। क्या मैं दो सप्ताह के लिए शैला को यहाँ रहने के लिए बुला लूँ? वह हमेशा हमारे लिए कुछ-न-कुछ लाती है। ओह, इससे मुझे याद आया। तुम्हारे लिए और एक खबर है—अगले साल सरला और प्रसन्ना भारत वापस आ सकते हैं। मगर मुझे पता नहीं कि वे बेंगलुरु में बसेंगे या बंबई में।''

उसके बात खत्म करने से पहले ही संजय उठ खड़ा होता है और हाथ धोने लगता

है। मृदुला उसके पीछे-पीछे जाती है, ''क्या मैं शैला को कह दूँ कि वह यहाँ रह सकती है?''

''क्यों नहीं,'' यह संजय का छोटा और प्यारा सा जवाब है।

''मैं जानती थी कि तुम मना नहीं करोगे। अलादाहल्ली में हमारे घर अकसर मेहमान आते थे और खूब मजा आता था। मुझे अपने आस-पास ढेर सारे लोग अच्छे लगते हैं। वरना मैं अकेलापन महसूस करती हूँ। तुम अपनी पढ़ाई और अपने काम में व्यस्त हो। लेकिन मेरे लिए लोग बहुत महत्त्वपूर्ण हैं।'' मृदुला आगे बोलती है, ''ओह! मैं तो भूल ही गई थी। अनीता ने पिछली बार मुझे सोने की एक चेन दी थी। मुझे महँगे उपहार पसंद नहीं, लेकिन वह बात ही नहीं सुनती। वह शिशिर को भी बहुत प्यार करती है और मुझे भी जूलियट बहुत पसंद है। मैं इस बार जूलियट के लिए कुछ खरीदना चाहती हूँ। तुम्हें कोई ऐतराज तो नहीं है?''

मृदुला बरतन धोने लगती है। नायलन के स्क्रबर से एक बरतन रगड़ते हुए वह संजय के पीछे-पीछे शयनकक्ष तक चली जाती है। संजय कहता है, ''तुम्हें जो अच्छा लगे, वह उसे दे सकती हो। क्या मैंने कभी तुम्हें पैसे खर्च करने से रोका है?''

''कभी नहीं। लेकिन मैं तुम्हें बताए बिना एक रुपया भी खर्च नहीं करती। मेरे खयाल से पति और पत्नी को एक-दूसरे के साथ ईमानदार होना चाहिए और मिलकर फैसले करने चाहिए। अगर तुम मुझे बताए बिना पैसे खर्च करो और मैं बिना तुम्हें बताए पैसे खर्च करूँ तो जिंदगी मुश्किल हो जाएगी। है न?''

संजय अकेला रहना चाहता है। वह कह देता है, ''हाँ।''

अचानक भोजन-कक्ष से शिशिर मृदुला को पुकारता है। सबकुछ भूलकर मृदुला टेबल लैंप के पास बरतन छोड़ देती है और शिशिर के पास भागती है।

पंखे के चलने के बावजूद काफी गरमी है। संजय जीवन के बारे में सोचने लगता है, 'सिर्फ परिवर्तन ही स्थायी होता है। अपनी परिस्थितियों के मुताबिक बदलना जरूरी है। मृदुला कुछ चीजों को छोड़कर बिलकुल नहीं बदली है। उसने बेंगलुरु की कन्नड़ अच्छी तरह सीख ली है, उसकी पाकशैली बेहतर हुई है और उसके कपड़े पहनने का अंदाज बदला है। लेकिन उसका दिल वही है। मुझे बरसों पहले विवाह-कक्ष में उसे देखना याद है। उसका मन एक खुली किताब है। कभी-कभार उसे समझ ही नहीं आता कि सामनेवाला उसकी बात सुन रहा है या नहीं। वह इतनी भोली है।'

संजय पढ़ नहीं पा रहा, न ही उसे नींद आ रही है। उसके दिलोदिमाग में तूफान सा चल रहा है। अगर वह मृदुला को अपनी समस्या के बारे में बताता है तो वह इस नाजुक स्थिति को समझेगी नहीं। वह अपनी ही खुशनुमा दुनिया में है और अनीता से मिलने के लिए उत्सुक है। वह समझ नहीं पाता कि मृदुला किस तरह अनीता को

सबकुछ बता देती है। वह कोई बात छिपा नहीं सकती। सबसे बुरी बात यह है कि मृदुला हर किसी को अपनी तरह समझती है।

संजय को याद आता है कि शादी के तुरंत बाद वे हुबली से बेंगलुरु जा रहे थे। रास्ते में मृदुला ने उससे कहा, 'मैं तुम्हें एक राज बताना चाहती हूँ—सतीश का राज।'

संजय को याद नहीं आया कि सतीश कौन है। मृदुला ने समझाया कि वह उसका ममेरा भाई है।

'ओह, हाँ, मुझे याद आया।'

'तुम उसके बारे में क्या सोचते हो?'

'वह अच्छा है।'

'जानते हो, वह मुझसे शादी करना चाहता था।'

संजय के कान खड़े हो गए। वह अपनी उत्सुकता रोक नहीं पाया, 'तुम्हें किसने बताया?'

'किसी ने नहीं।'

'फिर तुम्हें यह पता कैसे चला?'

'मैंने उसके बटुए में अपनी तसवीर देखी।'

'कब?'

'हमारी सगाई के बाद।'

संजय ने तुरंत पूछा, 'तुमने क्या किया?'

'मुझे अच्छा नहीं लगा। मैंने अपनी तसवीर निकाल ली।'

'उसने क्या कहा?'

'कुछ नहीं। मुझे बहुत अजीब सा लगा। मैंने कभी उसे इस तरह नहीं देखा। मैंने यह बात किसी को नहीं बताई।'

संजय उसकी मासूमियत पर हँसने लगा। उसने सोचा, 'मृदुला और सतीश एक साथ बड़े हुए और कोई भी लड़का मृदुला को पसंद करेगा। वह आकर्षण रहा होगा। उसे मुझे यह बात बताने की कोई जरूरत नहीं थी।'

मृदुला ने कहा, 'मैं तुमसे कोई राज नहीं रखना चाहती। अगर तुमने मुझसे पहले किसी लड़की को पसंद किया है तो कृपया मुझे बता दो। मैं बुरा नहीं मानूँगी। मगर मुझे सच बताओ।'

संजय कुछ सेकेंड रुका और बोला, 'कोई नहीं थी। तुम पहली और आखिरी लड़की हो, जिसकी ओर मैं आकृष्ट हुआ हूँ।' अपने मन में कहीं उसे वसुधा का खयाल आया, लेकिन उसने तुरंत उसे अपने दिमाग से झटक दिया।

बंगाल की खाड़ी में तूफान आया हुआ है, जिसके कारण बेंगलुरु में खूब बारिश

हो रही है। हवा बहुत तेज बह रही है और जमीन पर गिरे कुछ सूखे नारियल उड़-उड़कर उनके छोटे से बगीचे में बल्बों को तोड़ गए हैं। संजय अपने खयालों से बाहर आता है और एक खिड़की खोलता है। ठंडी हवा अंदर आती है। हालाँकि वह बहुत अच्छी तरह रही है, लेकिन संजय का दिमाग शांत नहीं है। वह जानता है कि अगले दिन एलेक्स उससे क्या कहेगा, 'संजय, सोचो। तुम पूरी जिंदगी एक सरकारी अस्पताल में काम करके कितना कमा लोगे? प्राइवेट प्रैक्टिस में तुम एक साल के भीतर इतना पैसा कमा सकते हो। सरकारी नौकरी से रिटायर होने के बाद तुम प्रोफेसर के रूप में काम करोगे और शायद वृद्धावस्था पेंशन भी पाओगे। सरकारी सेवा में सबसे बड़ा सिरदर्द है स्थानांतरण। सरकारी नौकरी करने लायक नहीं है।'

हालाँकि संजय एलेक्स की बातों से सहमत है, लेकिन उसका दिल इसे मानने के लिए तैयार नहीं है। अगर वह सरकारी नौकरी करता रहा तो वह अगली पीढ़ी को पढ़ा सकता है और उसे आसानी से सर्जरी, दवाओं और चिकित्सा-जगत् की अन्य कामयाबियों के बारे में नई जानकारियाँ मिलती रह सकती हैं। वह अपने पिता की बात याद करता है, 'संजय, एक डॉक्टर का पहला कर्तव्य अपने रोगियों की देखभाल करना है। एक डॉक्टर के रूप में तुम्हें एक रोगी की पीड़ा को समझना चाहिए और उसकी सेवा इस तरह करनी चाहिए, जिस तरह तुम ईश्वर की करते हो। ईश्वर सिर्फ टी नरसीपुरा के मंदिर में विराजमान नहीं हैं। वे मरीज की शक्ल में भी आते हैं।'

फिर संजय पूछता, 'अप्पा, मरीज को कैसा व्यवहार करना चाहिए?'

'बेटे, रोगियों के लिए भी एक संहिता होती है। उन्हें अपने डॉक्टर में ईश्वर को देखना चाहिए। तभी वे उसपर भरोसा कर सकते हैं। यदि रोगी डॉक्टर पर भरोसा करता है तो एक अच्छा संबंध विकसित होता है। पुराने लोगों का कहना है कि यदि डॉक्टर रोगी को पानी भी देगा तो उसका भरोसा पानी को दवा में बदल देगा।'

संजय सोचता है, 'अगर पिताजी आज जीवित होते तो वे क्या कहते।'

उम्मीद के मुताबिक अगले दिन रात के भोजन पर जब संजय एलेक्स से मिलता है तो एलेक्स उसका मजाक उड़ाता है, ''अरे संजय, समय बदल गया है। कभी चर्च के पादरी को डॉक्टर माना जाता था। उससे पहले नाई तक डॉक्टर थे। लेकिन आज किसी नाई का डॉक्टर से दूर-दूर तक कोई रिश्ता नहीं है। हमारे पादरी का चेहरा मैं सिर्फ रविवारों को देखता हूँ, अगर मैं चर्च जाता हूँ। चिकित्सा का पेशा अब सेवा नहीं रहा है। वह एक व्यवसाय हो गया है। और किसी भी व्यावसायिक संगठन में आपको प्रशासन-व्यवस्था, भुगतान पद्धतियों की तथा प्रोफेशनल होने की जरूरत होती है। समय के साथ हमारा समाज हर बात में बदल गया है, चाहे वह परिधान हो, जीवनशैली या भाषा। फिर तुम चिकित्सा में दृष्टिकोण बदलने की उम्मीद क्यों नहीं करते? सिर्फ अपने आस-पास की

चीजों को परखो। हम अब तुम्हारे पिता की तरह नहीं हो सकते। अगर किसी व्यक्ति को कैंसर है तो किसी प्रकार की सद्भावना या डॉक्टर पर भरोसा मरीज को ठीक नहीं कर सकते। उसके लिए सर्जरी की जरूरत है। उस तरह का भावुक समाज अब नहीं है। इसलिए मैं तुम्हारे पिता की बातों से बिलकुल भी सहमत नहीं हूँ।''

संजय चुप रहता है।

एलेक्स एक आक्रामक और जोरदार नेता है। वह अपनी बात जारी रखता है, ''मैं तुम्हें गोवा की एक लोककथा सुनाता हूँ। तुम्हें पता है कि गोवा में बहुत सी धाराएँ हैं, जो समुद्र की ओर बहती हैं। पुराने दिनों में उन्हें पार करने के लिए छोटी नावों का इस्तेमाल किया जाता था। तब कोई पुल नहीं होता था और कोई सरकारी डॉक्टर नहीं था। गाँव का चिकित्सक इन नावों पर कई गाँवों में जाता था। मरीज के उपचार के बाद वापस जाते समय नाव पर डॉक्टर को जो पैसे दिए जाते थे, वही उसकी आय का स्रोत था। एक बार एक मरीज बीमार था और उसका परिवार डॉक्टर को लेने आया। रोगी के उपचार के बाद डॉक्टर रोगी के रिश्तेदारों के साथ नाव में वापस लौट रहा था। तभी एक बड़ा तूफान आया। नाविक ने नाव में सवार लोगों से कहा कि वे एक व्यक्ति को नदी में फेंक दें, जिससे नाव पर भार कम हो जाएगा। तत्काल रोगी के रिश्तेदारों ने इसके लिए डॉक्टर को चुन लिया। इससे उन्हें कई सारे लाभ मिल गए। उन्हें डॉक्टर को पैसे भी नहीं देने पड़े और उनके रिश्तेदार का उपचार भी समाप्त हो चुका था। इसलिए संजय, यहाँ संदेश यह है कि 'कृतज्ञता' नाम की कोई चीज नहीं है। तुम एक आदर्शवादी हो—तुम प्रतिभावान हो, मरीजों का खूब खयाल रखते हो और उनकी पूरी जिम्मेदारी लेते हो। मेरी बात सुनो। हम लोग एक नर्सिंग होम खोलते हैं। बेंगलुरु विकसित हो रहा है और सॉफ्टवेयर कंपनियाँ यहाँ पर अपने ऑफिस खोल रही हैं। हमारा काम खूब चलेगा।''

संजय उसकी बात का जवाब नहीं देता। उसका मन अब भी एलेक्स की बात मानने से इनकार कर रहा है।;

14

परिवार

शिशिर मृदुला की अनुपस्थिति में मुनियप्पा के घर जाता रहता है। इस बीच उनका बेटा अरुण एक सॉफ्टवेयर कंपनी में नौकरी करने लगता है और अपनी सहकर्मी बिहार की अनुराधा से शादी कर लेता है। पहले तो उसके माता-पिता खास तौर पर मुनियप्पा इस शादी के लिए इनकार कर देते हैं। लेकिन कांताम्मा को पता है कि बेटा उनसे दूर हो

सकता है। इसलिए वे आगे बढ़कर मुनियप्पा को इस रिश्ते के लिए तैयार करती हैं।

अब उनका बेटा और पुत्रवधू दोनों नौकरी पर जाते हैं। उन्हें खुशी होती है कि घर की देखभाल के लिए घर में बड़े हैं। इसी वजह से वे भी उनके साथ रह रहे हैं। हालाँकि मुनियप्पा वापस कोलार जाना चाहते हैं, मगर कांताम्मा नहीं जाना चाहतीं। वे कहती हैं, 'हम तीस सालों से कोलार से दूर रह रहे हैं। इस उम्र में हम वहाँ क्या करेंगे? वहाँ पानी की कमी है और काफी गरमी होती है। सबसे बड़ी बात कि वहाँ हमारे ढेर सारे रिश्तेदार हैं और अनावश्यक रूप से रिश्तेदारी निभाने में हमारा काफी खर्च होगा। बेंगलुरु में अपने बेटे-बहू के साथ रहना बेहतर है।'

अरुण भी उनके साथ रहना चाहता है। अनुराधा को किसी बात से कोई फर्क नहीं पड़ता। वह लगभग हमेशा ही अपने एमपी 3 प्लेयर में गाने सुनती रहती है या कंप्यूटर पर गेम्स खेलती रहती है। उसे कन्नड़ नहीं आती, न ही वह इस भाषा को सीखने की कोशिश करती है। अरुण ने हिंदी सीख ली है और पति-पत्नी के बीच हिंदी या अंग्रेजी में बात होती है। अनुराधा सोचती है, 'सास-ससुर के साथ रहना अच्छा रहेगा, इससे मुझे बाद में बच्चे की देखभाल की चिंता नहीं करनी पड़ेगी।'

शिशिर को हर रोज कुछ घंटे मुनियप्पा के घर पर रहने की आदत पड़ गई है। वे उसके मुँहबोले दादा-दादी हो गए हैं। वह मुनियप्पा को 'ताता' और कांताम्मा को 'अज्जी' बुलाता है। स्कूल की वैन स्कूल के बाद उसे मुनियप्पा के घर छोड़ देती है। वह वहीं पर दोपहर का भोजन करता है, अपना होमवर्क करता है और रात को ही घर लौटता है। अरुण और अनुराधा भी उसे बहुत प्यार करते हैं। कभी-कभी अनुराधा शिशिर को अपनी नई कार में ब्रिगेड रोड या एमजी रोड ले जाती है और उसे खिलौने खरीद कर देती है। वह उन्हीं की तरह रागी खाना पसंद करता है। वह मृदुला से कहता है, "अम्मा तुम अज्जी की तरह खाना नहीं बना सकतीं। वह रागी के बहुत अच्छे व्यंजन बनाती हैं।"

इस बीच अलादाहल्ली में स्थितियाँ बहुत बदल चुकी हैं। कृष्णा और उसकी पत्नी वत्सला का भी लड़का हुआ है। वत्सला और मृदुला में बहुत अच्छी दोस्ती नहीं है। हैरानी की बात है कि वत्सला गाँव की होते हुए भी चतुर है और मृदुला को अपनी प्रतिद्वंद्वी मानती है। एक बार चंपक्का ने सौम्यता से रुकमा से कहा, "वत्सला न तो काम में अच्छी है, न ही मृदुला की तरह घुलने-मिलनेवाली है। वह स्वार्थी और मतलबी है।"

वत्सला को बहुत जल्दी गुस्सा आता है और वह अपने जीवन से असंतुष्ट है। वह गाँव से अधिक शहर पसंद करती है। उसका कहना है, "गाँव में करने को क्या है? वही खेती-किसानी—बीज बोओ, फसल काटो, अनाज जमा करो और खाद लाओ।

बीच-बीच में हनुमान-जयंती जैसे धार्मिक उत्सव हो जाते हैं। कुछ भी नहीं बदलता है! अगर हम हुबली में होते तो कितनी चीजें करने को होतीं। मैं इस जगह से ऊब चुकी हूँ।''

वह हमेशा कृष्णा से शिकायत करती रहती है। कृष्णा शांत और गंभीर है, अकसर वह उसकी बातों का जवाब नहीं देता। लेकिन कभी-कभी उससे कहता है, ''तुम सारा दिन शिकायत क्यों करती रहती हो? जब तुमने मुझसे शादी की तो तुम्हें पता था कि यह गाँव कैसा है। मृदुला यहाँ कभी नहीं ऊबती थी। वह हम सभी से अधिक व्यस्त थी। तुम चंपक्का से बहुत सी चीजें सीख सकती हो। वह तरह-तरह के व्यंजन और रंगोली बनाना जानती हैं। तुम मृदुला की तरह उनके बगीचे की देखभाल कर सकती हो।''

ऐसे में वत्सला को तेज गुस्सा आता, ''अपनी बहन की बातें मत करो। वह कुछ और नहीं जानती थी, इसलिए उसने यह बेकार काम सीखा। वह जानती थी कि एक दिन उसकी शादी हो जाएगी और वह शहर चली जाएगी। इसी लिए उसे अलादाहल्ली अच्छा लगता था—उसे कुछ दिनों के लिए यहाँ रहना था। तुम्हारी बहन अब अलादाहल्ली नहीं आती, क्योंकि उसे बेंगलुरु अच्छा लगता है। चंपक्का के बारे में मुझसे बात मत करो। वह हमेशा मेरी तुलना मृदुला से करती रहती है और बहुत बोलती है।''

वत्सला को बस लड़ने का एक बहाना चाहिए होता है और मृदुला का नाम तक वह नहीं सहन कर पाती। वह हुबली में रहना चाहती है और सिर्फ सप्ताहांतों में अलादाहल्ली आती है। जब वह हुबली में आभूषणों की दुकानों को देखती है तो उसे उसी तरह के आभूषण खरीदने का मन करता है, लेकिन घर के बड़े लोग उसे ऐसा नहीं करने देते।

मृदुला वर्ष में एक-दो बार गाँव आती है। अब रुकमा को आर्थराइटिस हो गया है और भीमन्ना को ऊँचा सुनाई देता है। लेकिन मृदुला वत्सला के साथ सहज महसूस नहीं करती। वत्सला उसे ताने मारती रहती है और उसके आते ही उससे लड़ना शुरू कर देती है। तनावपूर्ण वातावरण के कारण उस दिन कोई खाना नहीं खा पाता और वत्सला रोना शुरू कर देती है। फिर वह अपने बेटे को लेकर अपनी माँ के घर चली जाती है। इससे मृदुला को बुरा लगता है। इसलिए वह ज्यादा-से-ज्यादा दो सप्ताह अलादाहल्ली में बिताती है।

संजय मजाक में कहता, ''अरे मृदुला, तुम तो इतना बोलती हो कि किसी पत्थर को भी दोस्त बना लो। वत्सला क्यों नहीं?''

मृदुला उदास होकर कहती, ''हाँ, मैं एक पत्थर को बुलवा सकती हूँ, लेकिन पत्थर दिल व्यक्ति को नहीं।''

अलादाहल्ली से वह हुबली में सतीश के घर जाती और वहाँ एक सप्ताह रहती। शैला आतिथ्य में बहुत आगे रहती है। लेकिन शिशिर अलादाहल्ली और हुबली में ऊब

जाता। वह बेंगलुरु वापस जाने की रट लगा देता। उसे सिर्फ अपने घर और कांताम्मा के घर में रहना पसंद था।

संजय के जीजा शंकर को भी सहायक प्रबंधक के रूप में पदोन्नति और दफ्तर से कार मिली। लेकिन वे मृदुला और संजय से बहुत कम मिलते-जुलते थे। लक्ष्मी का संजय से बहुत जुड़ाव नहीं है। रत्नम्मा भी कभी बेंगलुरु नहीं आती। कभी-कभी शिशिर टी नरसीपुरा जाता। रत्नम्मा अपनी छोटी दुकान से रोज दो केले अपने पौत्र को देती और उसे सलाह देती, 'शिशिर, बहुत अधिक पैसे नहीं खर्च करने चाहिए। अगर तुम्हें कोई पैसे देता है तो उसे निवेश कर दो ताकि वह बढ़े। मिठाइयाँ खरीदकर सबकुछ खर्च मत कर देना। वैसे भी मिठाइयाँ स्वास्थ्य के लिए अच्छी नहीं होतीं।' फिर वह कहती, 'बेटे, मैं अभी जो भी कमा और बचा रही हूँ, वह मेरे मरने के बाद तुम्हें ही मिलेगा।' फिर भी रत्नम्मा और शिशिर में कोई अपनापन नहीं है।

इन दिनों अनीता बेंगलुरु में है और मृदुला अकसर उसके साथ खरीदारी के लिए जाती है। अनीता मध्य पूर्व में खुश नहीं है। वह कहती है, ''मैं वहाँ ऊब जाती हूँ।''

''तुम नौकरी क्यों नहीं करती?''

''वहाँ स्त्रियाँ काम नहीं कर सकतीं। जब हम बाहर जाते हैं तो मुझे बुरका पहनना पड़ता है। सभी औरतों को बुरका पहनना पड़ता है, चाहे उनका धर्म कोई भी हो। महिलाएँ वहाँ कुछ ही पेशे अपना सकती हैं, जैसे शिक्षक, डॉक्टर या नर्स का। मैं नहीं जानती कि वहाँ समय कैसे बिताया जा सकता है।''

''क्या घर पर तुम्हारे पास बहुत काम होता है?''

''नहीं, घर पर करने के लिए कुछ नहीं होता। वहाँ हमारे पास कोई मेहमान भी नहीं आते। एलेक्स हमेशा व्यस्त रहता है। तुम जानती हो कि मुझे चर्च में गाने का शौक है। लेकिन वहाँ पर आप सिर्फ एक ही काम कर सकते हैं, सोने की खरीदारी।''

''ओह, क्या वहाँ बहुत सी सोने की दुकानें हैं?''

''वहाँ सोने की दुकानें ऐसी ही हैं, जैसे यहाँ पर फैंसी-स्टोर। वहाँ तरह-तरह के आभूषण होते हैं और वे सब चमकीले पीले होते हैं। सभी शॉपिंग मॉल केंद्रीय वातानुकूलित होते हैं और उनमें चमकीली रोशनियाँ होती हैं। उन रोशनियों में रत्नाभूषण चमकते रहते हैं। लेकिन मृदुला मेरा अब सोना पहनने का मन नहीं करता। जब मैं कोई आभूषण पहनती हूँ तो अपने मित्रों की सराहना अच्छी लगती है। वहाँ इसकी कोई संभावना ही नहीं है। इसलिए मैं आभूषण पहनती ही नहीं।''

''अनीता, तुम्हारे सास-ससुर तुम्हारे पास क्यों नहीं जाते?''

''मेरे सास-ससुर गोवा नहीं छोड़ना चाहते। मीराबार बीच पर उनका घर है, काजू के खेत हैं और उन्हें वहाँ खूब सारी ताजी मछलियाँ मिल जाती हैं। उनका घर एक स्वर्ग

है। चर्च भी निकट है। फेनी उनके घर में पानी की तरह बहती है। मुझे बताओ, वे कहीं और क्यों जाना चाहेंगे? मेरे माता-पिता भी मेरे पास आने के इच्छुक नहीं रहते। मृदुला, अगर मैं तुम्हें टिकट भेजूँ तो क्या तुम तीन महीनों के लिए वहाँ आओगी?''

''इसमें तो बहुत पैसे लग जाएँगे अनीता!''

''वह तुम्हें मेरा उपहार होगा। अगर मेरी कोई बहन होती और वह वहाँ आती तो मैं ऐसा ही करती। तुम मेरे लिए बहन से बढ़कर हो। लेकिन अगर तुम्हें इससे बेहतर लगता हो तो मैं शॉपिंग का खर्च तुम पर छोड़ दूँगी।'' अनीता आगे कहती है, ''मृदुला, हम कुछ वर्षों में भारत वापस आना चाहते हैं। मैंने एलेक्स से कहा कि अगर हम वापस आए तो बेंगलुरु में रहेंगे। यह एक बड़ा शहर है, यहाँ पर अच्छे स्कूल हैं और यहाँ महानगरीय संस्कृति है। लेकिन मैं अब भी यहाँ कन्नड़ बोल सकती हूँ। सबसे बड़ी बात यह कि तुम यहाँ हो।''

अनीता स्पष्टवादी, उदार और बहुत स्नेहमयी है। उनकी जब भी बात होती है, वह मृदुला का दिल जीत लेती है। उन दोनों में अच्छी आपसी समझ है। मृदुला लक्ष्मी, वत्सला या और किसी के बारे में ऐसा नहीं महसूस करती।

इस बीच चिकनंजप्पा का फोन संजय के लिए निराशा लेकर आता है, ''डॉक्टर मैंने सभी गोपनीय फाइलें देखी हैं। तीन लोगों को प्रायोजित किया जा रहा है। एक उम्मीदवार गुलबर्ग का है। वह विपक्षी दल में किसी का रिश्तेदार है। अगर वे उनके उम्मीदवार को प्रायोजित नहीं करेंगे तो विधान सभा में काफी शोर होगा। अगला उम्मीदवार कोलार से कोई है। मुझे जितनी जानकारी मिली है, उसके हिसाब से उसके चाचा सरकार को मशीनों की आपूर्ति करते हैं। तीसरा डॉ. सुरेश हैं। उन्हें इसलिए चुना गया है, क्योंकि उनके पिता मंत्री हैं। डॉक्टर कृपया किसी को मत बताइएगा कि मैंने यह सब आपको बताया है। इनमें से किसी उम्मीदवार को हटाकर आपको प्रायोजित करवाने की क्षमता मुझमें नहीं है। मैं आपको सिर्फ जानकारी दे सकता हूँ।''

''मेरे लिए आपने जो कष्ट उठाया, उसके लिए धन्यवाद चिकनंजप्पा। मैं आपका कहीं जिक्र नहीं करूँगा।''

संजय फोन रख देता है। वह सोचता है, 'इनमें से कोई उम्मीदवार न तो गायनोकोलॉजिस्ट है, न ही शिक्षक। उनका प्रशिक्षण सरकार के लिए किसी काम का नहीं होगा। उन्हें उनके संपर्कों के कारण चुना गया है, उनकी प्रतिभा के कारण नहीं। एलेक्स कहेगा कि मैंने तुम्हें पहले ही कहा था कि सिर्फ प्रतिभा किसी काम की नहीं होती। व्यक्ति को सही समय में सही स्थान पर होना चाहिए।' वह चिकनंजप्पा का आभारी है। कम-से-कम उसने बता दिया कि मेरा चयन नहीं हुआ है। वरना मैं उम्मीद लगाए रहता।

एलेक्स और अनीता उस रात के भोजन पर संजय के घर आते हैं। एलेक्स संजय का चेहरा देखकर समझ जाता है कि कुछ गड़बड़ है। वह पूछता है, ''क्या बात है, संजय?''

संजय को यह खबर उसे देने का मन नहीं करता, ''अरे, कुछ भी नहीं।''

''रहने दो संजय, मुझसे कुछ मत छिपाओ। मैं तुम्हें अच्छी तरह जानता हूँ। क्या तुम्हारे विभाग में कोई समस्या है? क्या तुम्हारा ट्रांसफर कर दिया गया है या किसी ऐसी गलती के लिए दंडित किया गया है, जो तुमने नहीं की?''

''नहीं एलेक्स। ऐसा कुछ नहीं है। अगर मैं तुम्हें बता भी दूँ कि मुझे कौन सी बात परेशान कर रही है तो उसका हल हमारे हाथ में नहीं है। और जो तुम मुझसे कहोगे, वह मैं पहले से जानता हूँ।''

''संजय मेरा फंडा अलग है। मान लो तुम्हें दस हजार रुपए वेतन मिलता है। उसका आधा तुम्हें अपने आस-पास हो रहे अन्याय को सहने के लिए मिलता है और आधा तुम्हारे असली काम के लिए। अगर तुम अब भी यह बात नहीं समझे तो तुम बेवकूफ हो।''

''तुम्हारे खयाल से तो मैं हमेशा बेवकूफ होता हूँ।''

''संजय मेरा इरादा तुम्हें दुःखी करने का नहीं है। तुम जानते हो कि तुम्हें अपने कॅरियर को लेकर कुछ फैसले करने हैं।''

अनीता उन्हें वहीं छोड़कर रसोई में मृदुला की मदद करने चली जाती है।

संजय एलेक्स को इस प्रायोजन के बारे में सबकुछ बताता है। भोजन की मेज पर एलेक्स कहता है, ''मृदुला मैंने संजय को उसके कॅरियर के बारे में अपनी राय बता दी है। मैं जानता हूँ कि तुम दोनों ने यह अपार्टमेंट खरीदने के लिए लोन लिया है। तुम लोग जिस गति से चल रहे हो, अगले बारह साल तक यह लोन चुकाते रहोगे। तब तक शिशिर कॉलेज में होगा। तुम दोनों पढ़े-लिखे हो और शिक्षा को प्राथमिकता देते हो। यदि शिशिर मेडिसिन की पढ़ाई करना चाहता है और उसे अंकों पर भी दाखिला नहीं मिला तो क्या करोगे? तुम्हें मालूम होना चाहिए कि वे दिन गए, जब सिर्फ अंकों और प्रतिभा का सम्मान किया जाता था। आज कड़ी प्रतिस्पर्धा का जमाना है और हर क्षेत्र में आरक्षण है। एक अच्छे दोस्त की तरह, मैं सच कहूँगा, चाहे उससे तुम्हें दुःख हो। अपने-आप को देखो। संजय तुम अब भी स्कूटर पर चलते हो। तुम्हारे छात्र तीन वर्षों की प्राइवेट प्रैक्टिस में कार खरीद लेते हैं और पाँच वर्ष के भीतर घर बना लेते हैं। आठ साल में उनका अपना नर्सिंग होम होता है। क्या यह सच नहीं है?''

संजय जानता है कि एलेक्स सही कह रहा है। एलेक्स आगे बोलता है, ''प्रतिभा के साथ-साथ व्यावहारिकता भी जरूरी है। अधिक पैसा कमाने में कोई बुराई नहीं है।

अगर आप लोगों की मदद करना चाहते हैं तो अपनी आय का एक फीसदी परोपकार के लिए रखो या कुछ गरीब मरीजों का इलाज मुफ्त में करो।''

संजय ने सोचा था कि गरीब मरीज सरकारी अस्पतालों में जाते हैं। लेकिन एलेक्स की बात सुनकर उसे लगता है कि वह प्राइवेट प्रैक्टिस में भी गरीबों की मदद कर सकता है। एलेक्स कहता है, ''अब मुझे देख लो। मैंने मध्य पूर्व में काम करके पर्याप्त पैसे कमा लिये हैं। मैं पणजी में अपने चर्च की मदद कर सकता हूँ और अनीता मंगलौर में एक अनाथालय के लिए मदद देती है। मैंने अपने भाई के लिए एक काजू का फॉर्म खरीदा है। मेरा परिवार खुश है। पैसा बहुत काम की चीज है। वह चाकू की तरह है—आप उससे किसी को मार भी सकते हैं या सेब भी काट सकते हैं। यह आपके ऊपर है कि आप उसका इस्तेमाल किस तरह करते हैं।''

एलेक्स मृदुला की ओर मुड़ता है, ''तुम्हारी स्थायी सरकारी नौकरी है। इसलिए अगर संजय अपनी नौकरी छोड़ भी दे तो तुम्हारे लिए जीवन मुश्किल नहीं होगा, हालाँकि अपना लोन चुकाने में तुम्हें परेशानी हो सकती है। लेकिन कष्ट उठाए बिना फल नहीं मिलता। मैं कुछ वर्ष बाद भारत लौटना चाहता हूँ। लेकिन फिलहाल मैं एक बिजनेस-पार्टनर की तलाश कर रहा हूँ। मैं सबसे पहले संजय से पूछना चाहता हूँ। अगर वह इनकार कर दे तो मुझे बुरा नहीं लगेगा। लेकिन मेरे खयाल से यह एक बढ़िया मौका है। मैं यह सिर्फ इसलिए नहीं कह रहा कि मैं संजय को अपने साथ चाहता हूँ। इससे तुम्हें और तुम्हारे परिवार को भी फायदा होगा। इस बारे में सोच लो। ऐसा न हो कि संजय नौकरी छोड़ दे और बाद में पछताए।''

एलेक्स और अनीता के जाने के बाद मृदुला संजय से पूछती है, ''तुम एलेक्स के प्रस्ताव के बारे में क्या सोचते हो? यह एक बड़ा फैसला है। अगर तुम जो कर रहे हो, उससे खुश नहीं हो तो तुम्हें इसपर विचार करना चाहिए। सरकार के लिए काम करने में बहुत सी बाधाएँ हैं। स्थानांतरण एक बड़ा मुद्दा है। मैं जानती हूँ कि मेरी नौकरी के साथ भी बेंगलुरु में रहना कितना कठिन है। हमारे बहुत सारे संपर्क नहीं हैं। मेरा स्वभाव अलग है और मैं जीवन को इतनी गंभीरता से नहीं लेती। लेकिन तुम दूसरों के साथ अपनी भावनाएँ नहीं बाँटते और सबकुछ गंभीरता से लेते हो। इसलिए तुम्हें इस्तीफा देकर अपना कुछ शुरू करना चाहिए।''

''मगर मृदुला, यह आसान नहीं है। प्राइवेट प्रैक्टिस का अर्थ यह नहीं है कि तत्काल पैसे की बरसात होने लगेगी। अपने-आप को जमाने में बरसों लग जाते हैं। तब तक आय का एकमात्र स्रोत तुम्हारा वेतन होगा। कुछ वर्ष बाद हमारे अंदर इतना उत्साह नहीं भी हो सकता है। हम सब में सबसे अधिक भार तुम्हारे ऊपर होगा।''

''संजय मेरी चिंता मत करो। मेरी खूब खरीदारी करने या पैसे खर्च करने की आदत नहीं है। काम में तुम्हारी संतुष्टि और खुशी मेरी मुश्किलों से अधिक महत्त्वपूर्ण

है। मैंने कभी घर पर ट्यूशन नहीं पढ़ाए। लेकिन अब शिशिर बड़ा हो गया है। जरूरत होने पर मैं शाम को घर पर ट्यूशन भी पढ़ा सकती हूँ।''

संजय अभिभूत हो जाता है। वह सोचता है, 'मृदुला मुझसे बेहतर परिवार की है। वह खूबसूरत है और किसी से भी विवाह कर सकती थी। वह जानती थी कि मुझसे विवाह करके उसे एक मध्यवर्गीय जीवन मिलेगा, लेकिन वह तब भी खुश थी। उसकी कजिन सरला की आर्थिक स्थिति हमसे बेहतर है। लेकिन पैसा मृदुला के लिए कभी महत्त्वपूर्ण नहीं रहा है। यदि होता तो वह मुझसे शादी नहीं करती।'

फिर भी संजय अपनी प्रैक्टिस शुरू करने में हिचकिचा रहा है। वह मृदुला से कहता है, ''मुझे फैसला करने के लिए थोड़ा वक्त दो।''

15

मोहभंग

अस्पताल में बहुत से बदलाव होते हैं। डॉ. सरोजा नई विभागाध्यक्ष बन जाती हैं। कार्यभार सँभालते समय वे एक भाषण देती हैं, ''मुझे अपने विभाग को बेहतर बनाना है। यह विभाग उत्साह से भरपूर होना चाहिए। ऊर्जावान और उत्साही लोगों को प्राथमिकता दी जाएगी।'' संजय डॉ. कमला के प्रति निष्ठावान समझा जाता है और डॉ. सरोजा उन्हें पसंद नहीं करती थीं। इसके अलावा डॉ. सरोजा के खयाल से संजय उत्साही नहीं है। इसलिए काम पर संजय को उपेक्षित कर दिया जाता है।

डॉ. कमला के कार्यकाल के दौरान बहुत से सख्त नियमों का पालन कराया जाता था। हर सहायक डॉक्टर के लिए एक नाइट-शिफ्ट करना अनिवार्य होता था और किसी डॉक्टर को सप्ताह में एक बार से अधिक नाइट-शिफ्ट नहीं दिया जाता था, हर किसी को प्रति माह कम-से-कम एक रविवार की छुट्टी दी जाती थी और गरीबों के लिए आरक्षित डोनेशन के पैसे से कोई अपना परामर्श-शुल्क नहीं ले सकता था। उस पैसे को सिर्फ गरीबों के लिए रक्त की व्यवस्था करने के लिए इस्तेमाल किया जाता था।

डॉ. सरोजा के कार्यकाल में स्थिति बदलने लगी। संजय को हर सप्ताह दो नाइट-शिफ्ट दी जाती और हर रविवार वही ड्यूटी पर होता है। जब वह डॉ. सरोजा से इस बारे में बात करता है तो वे मुसकराते हुए बड़े प्यार से कहती हैं, ''अरे संजय, तुम ईमानदार हो। मैं तुम्हारी बड़ी इज्जत करती हूँ। अगर मैं रविवार की शिफ्ट किसी और को देती हूँ तो वे रिश्वत में पैसे कमा सकते हैं, क्योंकि उस दिन नजर रखनेवाला कोई नहीं होता।''

संजय जानता है कि वह झूठ बोल रही है, लेकिन उसे जवाब देना या बहस करना

नहीं आता और वह ईमानदारी से अपना काम करता रहता है।

एक दिन अपनी नाइट-शिफ्ट के बाद संजय घर जाने ही वाला होता है। डॉ. सरोजा अपने राउंड पर हैं। वे अपने सहायक से जोर-जोर से अपने संपर्कों के बारे में बात कर रही हैं। वे जैसे ही दूर से संजय को देखती हैं, उसे आकर बात करने का इशारा करती हैं। वे उससे कहती हैं, "दो मरीज लेबर रूम में हैं। वे किसी वी.आई.पी. की रिश्तेदार हैं और बहुत महत्त्वपूर्ण हैं। उनकी अभी डिलीवरी होनी है। जूनियर डॉक्टर उनकी देखभाल कर रहे हैं। कोई समस्या नहीं है, लेकिन मैं चाहती हूँ कि तुम जाकर उन दोनों को देखो। मुझे बताओ कि क्या कोई समस्या है। तुम बाद में घर चले जाना।"

डॉ. सरोजा जानती हैं कि संजय एक ईमानदार डॉक्टर है और वे उसपर भरोसा कर सकती हैं। जब संजय मरीजों को देखने जाता है तो उसे पता चलता है कि दोनों की डिलीवरी हो चुकी है। वहाँ दो जूनियर डॉक्टर, एक लड़का और एक लड़की बैठे हुए हैं। वे सटकर बैठे हुए हैं और धीमी आवाज में बात कर रहे हैं। स्पष्ट है कि उन दोनों का प्रेम चल रहा है। संजय को देखते ही वे चौंककर अलग हो जाते हैं। संजय दोनों मरीजों की जाँच करता है। उन दोनों की नॉर्मल डिलीवरी हुई है और कोई कांप्लीकेशन नहीं है। चिंता की कोई बात नहीं है।

एक मरीज का नाम नंजम्मा है और उसका पति एक मंत्री के घर में माली है। दूसरी मरीज का नाम केमपुनंजम्मा है और उसका पति एक दूसरे मंत्री के घर पर रसोइया है। इसलिए ये दोनों वी.आई.पी. की सिफारिशवाले हैं। केमपुनंजम्मा का रसोइया पति अकड़ के साथ संजय से कहता है, "मेरी पत्नी की अच्छी देखभाल होनी चाहिए। वरना मैं मंत्री से शिकायत कर दूँगा। फिर वे खुद आकर तुम्हारी खबर लेंगे।"

संजय नाराज हो जाता है। आखिरकार वह एक योग्य और अनुभवी डॉक्टर है। वह जवाब देता है, "क्या मतलब है तुम्हारा? हम अपने सभी मरीजों की देखभाल करते हैं। तुम्हारी पत्नी की नॉर्मल डिलीवरी हुई है और उसे किसी किस्म की कोई दवाई देने की जरूरत नहीं है। तुम अस्पताल के किसी और डॉक्टर को बुला सकते हो। वह भी यही इलाज करेगा।"

रसोइया भड़क जाता है। संजय उसे अनदेखा कर के जाकर डॉ. सरोजा से बात करता है। वह उनसे कहता है कि सबकुछ ठीक है। फिर संजय अस्पताल से चला जाता है।

तीन दिन बाद डॉ. सरोजा संजय को अपने कमरे के सामने से निकलते देखती है। वे चिल्लाती हैं, "संजय, यहाँ आओ। मुझे तो लगा था कि तुम एक जिम्मेदार डॉक्टर हो। मैं तुमसे बहुत निराश हूँ। तुमने वी.आई.पी. केसों को खराब कर दिया है।"

संजय को समझ में नहीं आता। अस्पताल में रोज वी.आई.पी. केस आते हैं,

''आप किसकी बात कर रही हैं मैडम,'' वह विनम्रता से पूछता है।

''केमपुनंजम्मा का केस।''

संजय सोचता है, 'वह मेरा केस नहीं है। वह तो इन्हीं का केस है।' फिर वह डॉ. सरोजा से कहता है, ''लेकिन दोनों मरीज तो ठीक थे।''

''वे ठीक होंगे, लेकिन उनकी वजह से मैं ठीक नहीं हूँ।''

''क्या हुआ?''

''क्या तुमने आज का अखबार नहीं पढ़ा? केमपुनंजम्मा के पति ने मीडिया से कहा है कि उनके बच्चे जन्म के समय बदल दिए गए। यहाँ तक कि स्वास्थ्य मंत्री ने मुझे फोन भी किया।''

डॉ. सरोजा का फोन आता है। वे नहीं चाहतीं कि संजय फोन पर उनकी बातचीत सुने, वे उसे जाने का इशारा करती हैं। संजय कमरे से बाहर आ जाता है, लेकिन वह चकराया हुआ है। लेबर रूम की आया मरियम्मा उसके पीछे आती है। वह कहती है, ''डॉक्टर, यह आपकी गलती नहीं है। डॉ. सरोजा अपनी गलती आप पर थोपना चाहती हैं। शिशुओं की अदला-बदली नहीं हुई है। सच्चाई यह है कि एक शिशु बीमार पड़ा और उसकी मृत्यु हो गई। मृत शिशु एक लड़की है। लड़के की माँ नन्जम्मा है। उसने जन्म लेते ही अपने बेटे को देखा था और वह जानती थी कि उसने एक लड़के को जन्म दिया है। इसलिए वह अपने बेटे को गोद में लेना चाहती थी। लेकिन केमपुनंजम्मा का चार्ट गलत है। ड्यूटी पर मौजूद जूनियर डॉक्टरों ने उसके चार्ट पर बच्चे का लिंग गलत लिख दिया। उसने लड़की को जन्म दिया था, लेकिन चार्ट में गलती से यह लिख दिया गया कि बच्चा लड़का था। इसलिए उसने आरोप लगाया कि लड़का शिशु उसका है। नंजम्मा के चार्ट में सही लिखा था कि उसने लड़के को जन्म दिया है। इसीलिए अब उस लड़के शिशु के लिए लड़ाई हो रही है। यह उन जूनियर डॉक्टरों की गलती है, जो चार्ट को सही-सही भरने की बजाय आपस में इश्क लड़ाते रहे। गलती आपकी नहीं है। डॉ. सरोजा उनकी सुपरवाइजर हैं और दोष उनका है।''

संजय को लगता है कि मरियम्मा सच बोल रही है। वह सोचता है, 'शिशुओं को आसानी से नहीं बदला जा सकता। यह एक बड़ा अपराध है और हर कोई यह बात जानता है। बच्चे को पैदा होते ही अपनी माँ के बगल में रखा जाता है। चालीस वर्ष पहले हर नवजात को जन्म के तुरंत बाद स्नान के लिए ले जाया जाता था। उस समय शिशु के हाथ में माँ के नाम का टैग लगाया जाता था और शिशु की ऊँचाई तथा लिंग लिख लिया जाता था। आज पानी की कमी की वजह से वह प्रथा समाप्त हो गई है। मुझे इस विवाद में क्यों घसीटा जा रहा है? न तो मैंने ये दोनों डिलीवरी कराई हैं, न ही चार्ट मैंने भरा है।'

डॉ. सरोजा फिर उसे आवाज देती हैं और अपने ऑफिस में आने के लिए कहती हैं। वे कहती हैं, ''संजय, कल इस मामले में जाँच हो सकती है। तुम सतर्क रहना।''

''मैडम, इस मामले से मेरा क्या संबंध है?''

''तुम सीनियर डॉक्टर थे। तुम्हारी देख-रेख में डिलीवरी हुई।''

''नहीं, वे मेरी देख-रेख में नहीं हुईं। मैंने सिर्फ आपके कहने पर एक बार उनका स्वास्थ्य जाँचा था। चार्ट शिफ्ट डॉक्टरों ने भरे थे।''

''लेकिन शिफ्ट डॉक्टर तो जूनियर हैं। क्या तुम्हारी जिम्मेदारी नहीं थी कि तुम उनका लिखा एक बार देख लो?''

संजय को अब गुस्सा आ रहा है। वह शांति से कहता है, ''नहीं, मैडम। ड्यूटी डॉक्टर पोस्टग्रेजुएट विद्यार्थी हैं। मानक नियम यह है कि डिलीवरी करानेवाला डॉक्टर ही चार्ट भरता है। मैं क्यों नहीं इस नियम का पालन करूँ? आखिरकार मैं केवल एक साधारण लेक्चरर हूँ। मैं अपनी सीमाएँ जानता हूँ।''

सरोजा गुस्से से लाल हो जाती हैं, ''डॉ. संजय, मुझे लेक्चर मत दो। याद रखो कि मैं तुम्हारी बॉस हूँ। कल तुम इन्क्वायरी का सामना करोगे।''

डॉ. सरोजा का फोन फिर घनघनाता है और संजय वहाँ से बाहर आ जाता है। वह चिंता में पड़ जाता है। वह चार्ट देखना चाहता है, लेकिन अब वे उपलब्ध नहीं हैं। वह जानता है कि उसे गलत तरीके से इसमें घसीटा जा रहा है। वह कुछ नहीं कर सकता, क्योंकि डॉ. सरोजा विभागाध्यक्ष हैं। वह असहाय महसूस करता है।

चलते-चलते उसकी मुलाकात ऑफिस सुपरिंटेंडेंट गोविंदान्ना से होती है। गोविंदान्ना एक धूर्त मैनेजर है, लेकिन संजय के लिए उसके दिल में नरम कोना है। वह डॉ. सरोजा को सहन नहीं कर सकता। गोविंदान्ना और सरोजा दूर के रिश्तेदार हैं, लेकिन उससे अधिक वे एक-दूसरे के कट्टर दुश्मन हैं। इसलिए गोविंदान्ना संजय से कहता है, ''मैं जानता था कि तुम बलि का बकरा बनोगे। इस महिला की पहुँच हर कहीं है।''

संजय चिंतित होकर पूछता है, ''गोविंदान्ना, मैं इस केस से कहीं भी जुड़ा हुआ नहीं हूँ। वे मुझे इसमें घसीट रही हैं। क्या मैं चार्ट देख सकता हूँ?''

गोविंदान्ना धीमी आवाज में कहता है, ''डॉ. सरोजा ने उन्हें ताले में रखा है, क्योंकि वे सुबूत हैं। वैसे मेरे पास उसकी एक प्रति है।''

गोविंदान्ना अपनी स्टील की अलमारी खोलकर संजय को वे प्रतियाँ दिखाता है। संजय सरोजा की हस्तलिपि को पहचान लेता है। उसने चार्ट में संजय का नाम जोड़ दिया है। संजय हक्का-बक्का रह जाता है, ''क्या यह मेरी ईमानदारी का पुरस्कार है? अगर मैं किसी प्राइवेट अस्पताल में प्रैक्टिस करके पैसे कमा रहा होता और अपनी ड्यूटियों को उपेक्षित कर रहा होता तो मुझसे इस तरह का व्यवहार नहीं किया जाता।

डॉ. लता काम के प्रति ईमानदार भी नहीं है और हमेशा काम छोड़कर चली जाती है, लेकिन वह हमेशा अपने संपर्कों की बात करती रहती है ताकि लोग उससे डरें। वह कहेगी, "आज मैंने और डैडी ने स्वास्थ्य मंत्री के साथ नाश्ता किया" या "मैं डैडी के साथ गोल्फ खेल रही थी और वहाँ मुख्यमंत्री से मिली।" इसके कारण उसके देर से आने पर भी कोई उससे सवाल नहीं करता। दुनिया में कहीं न्याय नहीं है।"

वह पूछता है, "गोविंदान्ना, अब क्या होगा?"

गोविंदान्ना अनुभवी है। उसने अपने कार्यकाल में कई कार्यालयों को सँभाला है और वह दाँव-पेच से किसी भी जटिल स्थिति को सँभाल सकता है। वह सच्चाई, ईमानदारी और वादा जैसे मूल्यों में विश्वास नहीं करता। लेकिन वह संजय का भला सोचता है। वह कहता है, "डॉक्टर आप डरो मत। डॉ. सरोजा आपके डर का फायदा उठा रही हैं। उनसे कहो कि आपकी शिफ्ट आठ बजे समाप्त हो गई थी और चूँकि डिलीवरी का समय 8.30 बजे का है तो आप इसके लिए जिम्मेदार नहीं हैं, क्योंकि आप वहाँ थे ही नहीं। चुप मत रहिए। यह महिला किसी भी हद तक जा सकती है। आप डॉ. लता की तरह बड़े-बड़े नाम भी ले सकते हैं।"

"लेकिन गोविंदान्ना, मैं किसी मंत्री को नहीं जानता और डॉ. सरोजा यह बात जानती हैं।"

"उस स्थिति में आप कहिए कि आप एक बड़े अखबार के मुख्य संपादक को जानते हैं। मेरा एक कजिन मुख्य संपादक है। डॉक्टर यह बात याद रखें कि ऐसी परिस्थितियों में आपको सच्चा होने की कोई जरूरत नहीं है। कोई भी इस बात की जाँच नहीं करने जा रहा है कि आप वाकई किसी मुख्य संपादक को जानते हैं या नहीं। जब सामनेवाला झूठ बोल रहा हो और आपको नुकसान पहुँचा सकता हो तो आपको बुद्धू बनने की जरूरत नहीं है। यहाँ तक कि महाभारत में कृष्ण ने भी झूठ बोला था। आपको पता होगा—आप मुझसे अधिक पढ़े-लिखे हैं। लेकिन किसी को मेरी सलाह के बारे में मत बताइएगा। ये प्रतियाँ मुझे वापस दे दीजिए। मैं उन्हें अंदर रख देता हूँ।"

अचानक उन्हें पदचाप सुनाई देती है। गोविंदान्ना संजय की ओर पीठ करके मौसम की बात करने लगता है। थोड़ी देर में संजय भारी मन से घर के लिए निकल जाता है।

घर पहुँचने पर उसे मृदुला शयनकक्ष में मिलती है। वह स्कूल के वार्षिकोत्सव की तैयारी में व्यस्त है। वह ढेर सारा क्रेप-पेपर खरीदकर लाई है और उसे विभिन्न आकारों में काट रही है। शिशिर उसके बगल में बैठकर उसकी मदद कर रहा है। जब संजय कमरे में आता है तो वह अपने काम के बारे में बात करना चाहती है। वह उसे कॉफी लाकर देती है और कहती है, "परसों हमारा विद्यालय दिवस है। लेकिन कल वाद-

विवाद दिवस है। इसके निर्णायक एक स्थानीय कन्नड़ अखबार के संपादक श्री दशरती हैं। मैंने वाद-विवाद के लिए एक विषय चुना है—आदर्शवादी होना चाहिए अथवा नहीं?'' आपको क्या लगता है, यह विषय बच्चों के लिए अच्छा है?

संजय का पहले ही मोहभंग हो चुका है, वह कहता है, ''पता नहीं।''

''मुझे लगता है कि बच्चों को आदर्शवादी होना चाहिए,'' फिर मृदुला संजय की ओर देखती है और समझ जाती है कि वह कुछ परेशान है। वह पूछती है, ''क्या बात है संजय? क्या आपकी तबीयत ठीक नहीं है? क्या आपको सिरदर्द है?''

संजय अपनी समस्या के बारे में नहीं बताना चाहता, न ही मृदुला के सवालों का सामना करना चाहता है। इसलिए वह कहता है, ''हाँ, मुझे सिरदर्द है।''

''फिर आप आराम कीजिए। बाहर बहुत गरमी है, आप थक गए होंगे। शोर-शराबे और प्रदूषण से भी सिरदर्द बढ़ गया होगा। एक घंटे के लिए सो जाइए, आप ठीक हो जाएँगे। मैं शिशिर को खेलने के लिए बाहर ले जाती हूँ, ताकि आपको कोई परेशानी न हो।''

वह शिशिर को उठाकर शयनकक्ष का दरवाजा बंद करती हुई चली जाती है।

संजय अगले दिन अस्पताल जाता है तो उसे तत्काल डॉ. सरोजा से मिलने के लिए कहा जाता है। जब वह उनके कमरे में जाता है तो डॉ. सरोजा मुसकराते हुए कहती हैं, ''संजय, तुम्हें देखकर मुझे खुशी हो रही है। केमपुनंजम्मा को अपनी गलती का एहसास हो गया है और उसने अस्पताल से माफी माँगी है। अब जाँच बंद कर दी गई है।''

सरोजा पिछले दिन के अपने व्यवहार और आरोपों के लिए खेद तक प्रकट नहीं करतीं। वे इस तरह जताती हैं, मानो कुछ हुआ ही न हो।

जब बेंगलुरु से स्थानांतरित होनेवाले उम्मीदवारों की सूची अस्पताल में आती है तो संजय यह देखकर हैरान रह जाता है कि सूची में पहला नाम उसी का है। उसका स्थानांतरण बेल्लारी कर दिया गया है। अस्पताल में ऐसे कई लोग हैं, जो उससे अधिक समय से बेंगलुरु में हैं, लेकिन उन्हें अब भी बेंगलुरु में रखा गया है। उसकी सहकर्मी लता लंबे समय से बेंगलुरु में है, लेकिन उसका स्थानांतरण कभी नहीं हुआ। वह जानता है कि उसे इसलिए यहाँ से भेजा जा रहा है, क्योंकि लता की तरह उसके तगड़े संपर्क नहीं हैं।

जब वह अपनी डेस्क पर पहुँचता है तो स्थानांतरण का पत्र अपनी मेज पर पड़ा देखता है। उस पत्र में लिखा है, ''लोगों के हित और उनकी सेवा के लिए, आपको बेल्लारी स्थानांतरित किया जाता है।''

अभी वह यह सब समझने की कोशिश ही कर रहा है कि डॉ. सरोजा कमरे में आती हैं। वे कहती हैं, ''संजय, मुझे बहुत दुःख है। तुम मेरे दाहिने हाथ हो। मुझे नहीं

पता कि तुम्हारे बिना मैं यह विभाग कैसे चलाऊँगी। लेकिन तुम्हारी सेवाओं की ज्यादा जरूरत बेल्लारी में है। वह एक खूबसूरत जगह है। तुम्हें मेरी शुभकामनाएँ। तुम्हें वहाँ रहना अच्छा लगेगा।''

डॉ. सरोजा को पता है कि बिना रिश्वत दिए इस स्थानांतरण को रुकवाया नहीं जा सकता। उन्होंने खुद अंतिम समय में लता के द्वारा किसी को रिश्वत दिलवाते हुए अपना स्थानांतरण रद्द कराया था। डॉ. लता ने ही डॉ. सरोजा के स्थानांतरण की बात की थी ताकि उसे दबाकर रखा जा सके और बाद में उसे रद्द कराते हुए उनकी मदद करने का दिखावा किया। लेकिन संजय को इन चीजों का पता नहीं है। जाने से पहले डॉ. सरोजा कहती हैं, ''तुम्हें आज से अपनी ड्यूटी से रिलीव किया जाता है। घर जाओ और बेल्लारी की तैयारी करो।''

लता भी अपनी सहानुभूति दिखाती है, ''संजय, तुम एक ईमानदार व्यक्ति हो। अगर उन्होंने मुझे बेल्लारी भेजा होता तो मैं चली जाती। लेकिन सरकार को तुम्हारी सेवाओं की जरूरत है। तुम्हारे जैसा ईमानदार व्यक्ति अधिक ध्यान से गरीबों की सेवा कर पाएगा। तुम वहाँ एक साल तक काम करो। उसके बाद मैं अपने डैडी से कहूँगी कि तुम्हें वापस बेंगलुरु बुलवा लें और मैं वहाँ चली जाऊँगी। सरकारी सेवा में पारस्परिक विनिमय की अनुमति है।''

निराश संजय घर की ओर चल पड़ता है। वे अपने अपार्टमेंट का क्या करेंगे? शिशिर यहाँ स्कूल जाता है। मृदुला की नौकरी भी यहीं है। उसे समझ में नहीं आता कि क्या करे।

मृदुला उसे दिलासा देती है, ''क्या हम जाकर मंत्री से मिलें? उसे मालूम होना चाहिए कि बहुत से ऐसे लोगों का स्थानांतरण नहीं हुआ है, जो तुमसे लंबे समय से बेंगलुरु में हैं। यह गलत है।''

संजय स्वास्थ्य सचिवालय के अपने पिछले अनुभव को भूला नहीं है। वह कहता है, ''नहीं मृदुला। उससे कुछ नहीं होगा। इसके अलावा हम मंत्री को जानते तक नहीं हैं। मेरे जैसे सैकड़ों लोग अपनी समस्याओं के लिए मंत्री की मदद चाहते हैं। किसी मंत्री से मिलने के लिए किसी विधायक की सिफारिश चाहिए होती है और हम किसी विधायक को नहीं जानते।''

मृदुला पूछती है, ''याद करो अगर कभी कोई विधायक या उसके रिश्तेदार उपचार के लिए तुम्हारे पास आए हों।''

''जब मैं अपने मरीजों को देखता हूँ तो वे मेरे लिए सिर्फ मरीज होते हैं। मैं उनसे यह नहीं पूछता कि वे कौन हैं। मैं सिर्फ स्वास्थ्य विभाग के एक क्लर्क चिकानंजप्पा को जानता हूँ।''

मृदुला को हर नकारात्मक चीज में सकारात्मक पहलू देखना अच्छी तरह आता है। यह उसका स्वभाव है। वह कहती है, ''यह बहुत अच्छी बात है। कभी-कभी निचले पदों पर मौजूद लोग बड़े संपर्कों से अधिक उपयोगी होते हैं। आप चिकानंजप्पा से क्यों नहीं पूछते? वह हमें बता सकता है कि हम किस तरह मंत्री से बात कर सकते हैं।''

संजय चिकानंजप्पा को फोन करता है और उसे स्थिति समझाता है। चिकानंजप्पा कहता है, ''डॉक्टर, इस व्यस्त समय में मंत्री से मिलने का समय मिलना कठिन है। मेरे जैसा छोटा आदमी आपकी मदद नहीं कर सकता। किसी विधायक के माध्यम से जाना बेहतर होगा। लेकिन बेल्लारी में अपनी नौकरी पर तत्काल मत जाइए। कम-से-कम एक सप्ताह तक आराम कीजिए।''

मृदुला सुझाव देती है, ''संजय, क्यों नहीं हम जाकर प्रिंसिपल मुनियप्पा से मिलते? मेरे खयाल से उन्होंने कभी मुझे यों ही बातों-बातों में बताया था कि वे कोलार के एक विधायक को जानते हैं। संभव होने पर वे निश्चित रूप से हमारी मदद करेंगे।''

संजय की प्रिंसिपल मुनियप्पा और कांताम्मा के साथ बहुत कम बातचीत होती है। इसलिए वह हिचकिचा रहा है, लेकिन मृदुला आग्रह करती है कि उन्हें जाना चाहिए।

वे एक शुक्रवार शाम को उनसे मिलते हैं। अरुण और अनुराधा घर पर नहीं हैं। कांताम्मा उनका स्वागत करती हैं और उनके लिए कॉफी लाने रसोईघर में चली जाती हैं। संजय बस दो लाइनों में अपनी समस्या प्रिंसिपल मुनियप्पा को बताकर चुप हो जाता है। मृदुला कहती है, ''किसी विधायक की सिफारिश के बिना स्वास्थ्य मंत्री का इस समय मिलना कठिन है। हम किसी विधायक को नहीं जानते। अगर आप हमें किसी विधायक से मिला दें तो बड़ी मेहरबानी होगी।''

''मृदुला मैंने बहुत से बच्चों को पढ़ाया है और आज उनमें से बहुत ऊँचे पदों पर हैं। लेकिन जब हम उनसे मदद माँगते हैं तो लोगों की प्रतिक्रिया अलग होती है। कुछ लोग तो हमें पहचानने से भी इनकार कर देते हैं। कुछ कहेंगे कि वे हमारी मदद करेंगे, लेकिन उन्हें बदले में कुछ चाहिए। संजय एक डॉक्टर है और हर कोई सोचेगा कि उसने खूब पैसा कमाया है। इसलिए वे तुमसे पैसा निकालने की कोशिश करेंगे। कोई यह नहीं देखेगा कि तुम्हारा पति एक ईमानदार डॉक्टर है।''

संजय जानता है कि मुनियप्पा की बातों में सच्चाई है। मुनियप्पा आगे कहते हैं, ''अगर तुम स्वास्थ्य मंत्री से मिलते हो तो इस बात की कोई गारंटी नहीं है कि वह तुम्हारा अनुरोध मानेगी। सभी मंत्री तुम्हारे सामने ''हाँ'' कहेंगे, लेकिन तुम्हारा काम नहीं करेंगे। इसी वजह से मेरा बेटा कभी सरकारी नौकरी नहीं करना चाहता था। वह एक निजी कंपनी में खुश है।''

तब तक कांताम्मा कॉफी लेकर बाहर आती हैं। मुनियप्पा कहते हैं, ''हाँ मैं कोलार के एक विधायक को जानता हूँ। उनका नाम थायम्मा है और मैंने उनके बेटे को पढ़ाया है। वह मुझे याद करता है और हमेशा मुझसे पढ़ने के कारण मुझे शुक्रिया कहता है। आजकल विद्यार्थियों के लिए ऐसा करना काफी विरल है। मैं उससे बात करूँगा।''

मृदुला कहती है, ''सर, हम थायम्मा से स्थानांतरण रद्द करने के लिए नहीं कहेंगे, लेकिन अगर वे मंत्री से हमारी मुलाकात करवा दें तो बड़ी मदद हो जाएगी।''

दो दिन बाद मुनियप्पा मृदुला को फोन करके सुबह 9 बजे स्वास्थ्य मंत्री के साथ उनकी मुलाकात का समय बताते हैं। चूँकि उस दिन शिशिर का स्कूल नहीं है, मृदुला और संजय उसे कुछ घंटों के लिए मुनियप्पा के घर पर छोड़ देते हैं। फिर दोनों मंत्री से मिलने जाते हैं।

जब वे स्वास्थ्य मंत्री के घर पहुँचते हैं तो उनका घर आगंतुकों से भरा हुआ है और कहीं बैठने की जगह नहीं है। वे किसी तरह सिकुड़कर एक बेंच पर बैठते हैं। उनके बगल में एक बुजुर्ग बैठे हुए हैं। वे विनम्रता से चपरासी से पूछते हैं, ''क्या मैडम घर पर हैं?''

चपरासी ऊँची आवाज में और अकड़ के साथ कहता है, ''नहीं, मैडम टुनकुर गई हैं। वे किसी भी समय आ सकती हैं। आप बस वहाँ बैठकर इंतजार कीजिए।''

संजय चकरा जाता है, ''स्वास्थ्य मंत्री ने सुबह 9 बजे का समय क्यों दिया, जब वे खुद दौरे से लौटी नहीं हैं? जब वे लोगों के समय की कद्र नहीं करतीं तो उनकी मदद कैसे करेंगी।''

हर कोई इंतजार करता रहता है। दोपहर तक मंत्री का कोई अता-पता नहीं है।

बुजुर्ग व्यक्ति दूसरे चपरासी से पूछते हैं, ''मैडम कब आ रही हैं?''

उसे बुजुर्ग पर दया आती है, वह जवाब देता है, ''मैडम घर पर हैं। हाई कमान से फोन आया हुआ है, इसलिए वे व्यस्त हैं।''

''वे हमसे कब मिलेंगी?''

''कृपया इंतजार कीजिए। जैसे ही वे यहाँ आती हैं, मैं आपको बता दूँगा।''

बाहर हॉल में इंतजार कर रहे लोग बेचैन हो जाते हैं। कुछ लोगों को भूख लग जाती है और वे स्वास्थ्य मंत्री के घर के बाहर एक चाय की दुकान से कॉफी पीने और नाश्ता करने चले जाते हैं। उस दिन दुकान खूब चल रही है। मृदुला आस-पास के कुछ लोगों से बात करने लगती है। संजय परेशान हो जाता है। वह कहता है, ''मृदुला, मैं चाय पीने बाहर जा रहा हूँ। तुम्हें कुछ चाहिए?''

''नहीं, आप जाइए। मैं यहाँ रुकती हूँ। अगर मंत्री इस बीच आपका नाम बुलाती हैं तो मैं जाकर उनसे बात कर सकती हूँ।''

उनके बगल में बैठे बुजुर्ग सज्जन उनकी बातचीत सुन रहे हैं। वे कहते हैं, ''मैं भी तुम्हारे साथ आता हूँ।''

चाय की दुकान तक चलते हुए, संजय उनसे पूछता है, ''ऐसा नहीं लगता कि आप किसी सरकारी सेवा में हैं। आप यहाँ क्यों आए हैं?''

''मैं अपनी बेटी और जामाता के लिए मदद माँगने आया हूँ। दोनों डॉक्टर हैं और उनका स्थानांतरण कहीं और कर दिया गया है।''

संजय बुजुर्ग से कहता है कि वह भी यहाँ इसी मतलब से आया है। बुजुर्ग कहते हैं, ''हाँ, यह आम बात हो गई है। यहाँ आए अधिकतर लोग अपना स्थानांतरण रद्द करवाने आए हैं। हर किसी की अलग-अलग वजहें हैं। कुछ लोग झूठ बोलते हैं और कहते हैं कि उनके पति या पत्नी को कैंसर है और बेंगलुरु में अच्छा कैंसर अस्पताल है। वे कहीं से झूठा सर्टिफिकेट भी ले आते हैं। कुछ लोग कुछ सालों में रिटायर होनेवाले हैं और यहाँ बसे हुए हैं। इसलिए वे बेंगलुरु नहीं छोड़ना चाहते। उत्तरी कर्नाटक के लोग पाँच वर्ष के लिए यहाँ आते हैं और फिर वापस नहीं जाना चाहते। यहाँ तक कि दूसरे राज्यों के लोग भी यहाँ आकर यहाँ के सुहाने मौसम के कारण यहाँ से लौटना नहीं चाहते। हर कोई बेंगलुरु में बसना चाहता है।''

संजय सोचता है, 'यह सच है। बेंगलुरु में कैंसर, हार्ट, आँखों, न्यूरोसर्जरी और अन्य बीमारियों के लिए हाईटेक अस्पताल हैं। यहाँ शिक्षा-व्यवस्था भी अच्छी है। कोई भी बेंगलुरु नहीं छोड़ना चाहता।'

वे चाय लेकर वापस मंत्री के घर की ओर चल पड़ते हैं। बुजुर्ग संजय से और बातें करना चाहते हैं। वे कहते हैं, ''बेंगलुरु में करीब 53 इंजीनियरिंग कॉलेज और 10 मेडिकल कॉलेज हैं।''

''क्या आप मंत्री को जानते हैं?'' संजय पूछता है।

''थोड़ा-बहुत। काफी पहले, वे हमारे गाँव के स्कूल में एक स्थानापन्न शिक्षिका थीं। बाद में वे राजनीति में आ गईं और धीरे-धीरे तरक्की करती गईं। उन्हें राजनीति का अच्छा अनुभव है।''

''कम शिक्षित होने के बावजूद वे अपना काम कैसे सँभाल पाती हैं?''

''कौन कहता है कि वे सँभालती हैं। उनके अधीन लोग हैं, जो सबकुछ सँभालने में मदद करते हैं। लेकिन मैं उनके साहस और आक्रामकता का वाकई मुरीद हूँ, खासकर क्योंकि वे एक महिला हैं। वे तनावपूर्ण स्थितियों में भी परेशान नहीं होतीं। उनसे अधिक पढ़े-लिखे लोग अपना स्थानांतरण रुकवाने के लिए उनके सामने पंक्ति में खड़े रहते हैं। किसी में वह काबिलियत नहीं है, जो किसी मंत्री में होनी चाहिए। मैं अपनी बेटी से कहता हूँ कि हर साल स्थानांतरण की यह बीमारी तुम्हें परेशान करती है। तुम

और तुम्हारे पति, दोनों डॉक्टर हो। तुम लोग इस्तीफा देकर अपना नर्सिंग होम क्यों नहीं शुरू करते? लेकिन वे नहीं मानते। उनका कहना है कि सरकारी नौकरी में काफी सुरक्षा होती है और प्राइवेट प्रैक्टिस मुश्किल होती है। इसलिए वे हर बार मुझे स्थानांतरण रुकवाने के लिए भेजते हैं। उनके पास अपने पर फैलाने का भी साहस नहीं है।''

संजय एलेक्स के बारे में सोचता है। वह एक साहसी व्यक्ति है। एक मिनट के लिए संजय दु:खी होता है कि वह उसकी तरह क्यों नहीं है। वापस आने पर वे देखते हैं कि भीड़ और बढ़ गई है, लेकिन मैडम का अब तक कोई पता नहीं है। सुरक्षाकर्मी कहता है, ''मैडम काफी परेशान हैं। इसलिए वे आराम कर रही हैं। मुझे नहीं पता कि वे कब तक उपलब्ध होंगी।'' कुछ समय बाद एक दूसरा चपरासी कहता है, ''मैडम स्नान कर रही हैं। फिर वे पूजा करके भोजन करेंगी।''

एक के बाद एक बहाना आता रहता है। एक बात तय है—स्वास्थ्य मंत्री को दूसरे लोगों के समय की कोई परवाह नहीं है। शाम को 4 बजे मैडम आखिरकार बाहर आईं। वे थुलथुल हैं और पचासेक साल की हैं। उन्होंने एक महँगी सिल्क साड़ी और खूब सारे गहने पहने हुए हैं। एयरकंडीशनर के चलने के बावजूद उन्हें बहुत पसीना आ रहा है।

लोग उनके आस-पास भीड़ लगा देते हैं। सुरक्षाकर्मी हर किसी से पंक्ति में आने के लिए कहते हैं। संजय और मृदुला एक दूरी पर खड़े हो जाते हैं। वे देखते हैं कि हर कोई अपना आवेदन देता है और लगभग सारे लोग स्थानांतरण रद्द करने या पदोन्नति की बात करते हैं। मृदुला को लगता है कि अगर वे वहीं खड़े रहे तो कोई उन्हें नहीं देखेगा। स्वास्थ्य मंत्री किसी भी पल वापस चली जाएँगी और पूरा दिन बरबाद हो जाएगा। मृदुला आग्रह करती है कि संजय जाकर आवेदन दे दे। उनकी बारी आने तक स्वास्थ्य मंत्री का धैर्य चुक चुका है और वे थकी हुई लग रही हैं। आवेदन की ओर देखे बिना वे पूछती हैं, ''आपको किस विधायक ने भेजा है?''

''थायम्मा। वह कोलार से विधायक हैं।''

''बताइए, आप क्या चाहते हैं?''

''मेरा स्थानांतरण बेल्लारी कर दिया गया है।''

''और आप वहाँ नहीं जाना चाहते। देखिए अगर कोई बेल्लारी नहीं जाना चाहेगा तो हमारा राज्य तरक्की कैसे करेगा? कर्नाटक का मतलब यह नहीं कि आप सिर्फ बेंगलुरु में काम करेंगे। इसके अलावा यह एक सरकारी आदेश है।''

संजय को समझ नहीं आता कि क्या कहे। स्वास्थ्य मंत्री आगे कहती हैं, ''आप युवा और ऊर्जावान हैं। आपकी उम्र में कोई शारीरिक समस्या भी नहीं होती। आपको उत्साही और साहसी होना चाहिए। अगर आप रिटायर होनेवाले होते तो मुझे समझ आता कि आप यहाँ से क्यों नहीं जाना चाहते। लेकिन आपको बेल्लारी जाना चाहिए।

अगले वर्ष फिर आइए मैं आपको वापस बेंगलुरु बुलवा लूँगी। मैं थायम्मा को हमारी बातचीत का विवरण भी दे दूँगी।''

मंत्री का वैयक्तिक सहायक एक कॉर्डलेस फोन के साथ आता है। मैडम खुशी-खुशी फोन पर बात करती हैं। वे फोन लेकर पीछे मुड़े बिना घर में वापस चली जाती हैं। संजय और मृदुला के पास बाहर आने के सिवा कोई चारा नहीं है। मृदुला कहती है, ''मैंने यहाँ दूसरे लोगों से अपनी स्थिति के बारे में बात की। ज्यादातर लोगों को हमसे अधिक परेशानियाँ हैं। हम सरकारी सेवा में स्थानांतरण से मना नहीं कर सकते। हम अभी युवा हैं और शिशिर अभी निचली कक्षा में है। मंत्री ने वादा भी किया है कि अगले वर्ष हमारा स्थानांतरण वापस बेंगलुरु हो जाएगा। मैं शिशिर के साथ एक वर्ष तक अकेले रह लूँगी। हम अगले साल फिर से कोशिश करेंगे।''

मृदुला को शांति पसंद है और वह लड़ाई-झगड़े नहीं पसंद करती। वह हर किसी पर भरोसा कर लेती है। अगर कोई उससे कुछ अच्छी बात कर लेता है तो उसे लगता है कि वह व्यक्ति बहुत अच्छा है। मंत्री का निर्णय सुनते ही वह एक साल के लिए संजय के बिना रहने को तैयार हो जाती है।

कुछ घंटे बाद स्वास्थ्य मंत्री के पास थायम्मा का फोन आता है। वे कहती हैं, ''मैडम मैंने अपने बेटे के शिक्षक के दबाव के कारण आपके पास एक व्यक्ति को भेजा था। उसका नाम संजय है। उसके मामले में आप जो चाहें तय कर सकती हैं। फैसला पूरी तरह आपका होगा। इस मामले में मेरी कोई व्यक्तिगत दिलचस्पी नहीं है।''

यह राजनीति है। सभी विधायक सिफारिशी पत्र दे देते हैं, लेकिन इसका मतलब यह नहीं कि उन्हें वाकई परवाह होती है। कभी-कभार वे खुद फोन करके मंत्रियों से काम करने के लिए मना कर देते हैं। अगर वह काम हो जाता है तो उन्हें श्रेय मिल जाता है। अगर नहीं हुआ तो वे कह देते हैं, ''मैंने पूरी कोशिश की। लेकिन इन दिनों कोई किसी की बात नहीं सुनता। ईश्वर को भी अपना काम याद दिलाने के लिए पूजा और घंटियों की जरूरत होती है। स्वास्थ्य मंत्री का काम आसान नहीं है। उन पर पार्टी के कार्यकर्ताओं, स्थानीय और केंद्र सरकार का दबाव होता है। इसी वजह से उनका रक्तचाप उच्च रहता है।''

और यह नाटक चलता रहता है। आज की राजनीति में हर कोई अभिनेता होता है, लेकिन कोई अभिनेता स्थायी नहीं होता। राजनीति में इकलौती स्थायी चीज पैसा और सत्ता है। आपको सत्ता में रहने के लिए पैसे की जरूरत होती है और ज्यादा पैसे कमाने के लिए सत्ता में होना होता है। कोई संजय की मदद क्यों करेगा जो कभी बदला चुकाने की स्थिति में नहीं होगा।

इसलिए संजय एक वर्ष के लिए बेल्लारी जाने का फैसला करता है। मातृत्व

अस्पताल बेल्लारी के सत्यनारायण पेट में है। संजय रसोईघर और अटैच्ड बाथरूम के साथ एक छोटा सा कमरा किराए पर लेता है। चूँकि वह सिर्फ एक वर्ष के लिए रहना चाहता है, वह घरेलू इस्तेमाल की चीजें अधिक नहीं खरीदता। मृदुला शिशिर के साथ बेंगलुरु में ही रहती है। रुकमा और भीमन्ना आकर पंद्रह दिन तक मृदुला के साथ रहते हैं, लेकिन वे वहाँ ऊब जाते हैं। शहर का प्रदूषण उनको रास भी नहीं आता। इसलिए वे वापस अलादाहल्ली चले जाते हैं।

अधिकांश सप्ताहांतों पर संजय हंपी एक्सप्रेस से बेंगलुरु आता है और दो दिन बाद वापस चला जाता है। स्कूल की छुट्टियों के दौरान मृदुला और शिशिर बेल्लारी में उसके पास आ जाते हैं। वहाँ के लोग अच्छे और मिलनसार हैं। संजय की ईमानदारी सब को दिखाई देती है और वह लोकप्रिय हो जाता है। कभी-कभार संजय सोचता है, 'मुझे बेंगलुरु वापस क्यों जाना चाहिए? अगर मैं मृदुला से कहूँ कि मैं यहाँ रहना चाहता हूँ तो वह तैयार हो जाएगी। लेकिन बेंगलुरु के अपने आकर्षण हैं। वहाँ अच्छे कॉलेज हैं। लोग अपने बच्चों को शिक्षा के लिए वहाँ भेजना चाहते हैं। फिर मैं शिशिर को बेल्लारी क्यों लाऊँ? उसकी शिक्षा बेंगलुरु में बेहतर हो पाएगी।'

कुछ माह बाद स्वास्थ्य मंत्री का नाम एक घोटाले में आ जाता है और मीडिया द्वारा उनकी खूब आलोचना होती है। इसलिए मंत्री बदल दिया जाता है। नए स्वास्थ्य मंत्री अलग स्वभाव के हैं। वे आर्थिक रूप से सशक्त परिवार से हैं और देश की सेवा करने के एकमात्र उद्देश्य से राजनीति में आए हैं। वे करीब साठ साल के हैं और उन्हें काफी अनुभव है। वे अपने वादों को पूरा करते हैं। लेकिन लोग फिर भी उनकी आलोचना करते हैं और कहते हैं, ''उनका व्यक्तित्व आकर्षक नहीं है।''

इस बीच अनीता और एलेक्स छावनी रेलवे स्टेशन के पास एक महँगा पेंटहाउस खरीदते हैं। अनीता मृदुला से इस बारे में विस्तार से बताती है, लेकिन उसे कभी याद नहीं रहता। वह एक चार शयनकक्षवाला विशाल अपार्टमेंट है। हालाँकि उनके रिश्तेदार भी हैं, लेकिन एलेक्स उन्हें किराए पर मकान नहीं देना चाहता। वह कहता है, ''अगर आप अपने रिश्तेदारों को किराए पर मकान देते हैं तो आपके पास न घर रहेगा न रिश्ता।'' इसलिए वह घर खाली पड़ा रहता है। मृदुला हर माह अपनी नौकरानी के साथ जाकर उनके पेंटहाउस की सफाई करवाती है। मृदुला के विरोध के बावजूद अनीता सफाई का खर्च उठाती है।

देखते-देखते एक वर्ष निकल जाता है और फिर से तबादले का समय आ जाता है। संजय नए स्वास्थ्य मंत्री से मिलने उनके आवास पर जाता है। इस बार उनके घर पर कम लोग हैं। संजय मंत्री से मिलकर अपनी स्थिति समझाता है। मंत्री ध्यान से उसकी बात सुनते हैं और फिर कहते हैं, ''डॉक्टर, मैं बिना किसी विशेष कारण के एक साल के बाद आपको

वापस बेंगलुरु स्थानांतरित नहीं करवा सकता। लोग आपसे वही कहेंगे, जो आप सुनना चाहते हैं। लेकिन सच्चाई यह है कि आपको कम-से-कम तीन साल और बेल्लारी में रहना होगा। अगर किसी ने पैसे लेकर आपको बेंगलुरु स्थानांतरित कराने का वादा किया हो तो वह झूठ बोल रहा है।''

संजय समझ जाता है। वह एक शिशु की तरह महसूस करता है, जो अपने माँ के गर्भ से बाहर आ गया हो, लेकिन वहाँ लौटकर नहीं जा सकता। वह बेंगलुरु वापस आना चाहता है। वह मंत्री को धन्यवाद देकर चल देता है। घर पहुँचने तक उसका सिर चकराने लगता है। उसे चिकानंजप्पा की बात याद आती है, ''जब तक आप पैसे नहीं देंगे, आपका बेंगलुरु वापस स्थानांतरण नहीं होगा।''

संजय को समझ में आ जाता है कि फैसला लेने का समय आ गया है। वह सोचता है, 'मैं डॉ. लता या डॉ. सरोजा की तरह नहीं हूँ। मुझे कभी किसी पाठ्यक्रम के लिए प्रायोजित नहीं किया जाएगा, भले ही मैं उसके योग्य हूँ। मैं हमेशा विभाग के लिए बलि का बकरा और बेंगलुरु से बाहर भेजा जानेवाला पहला व्यक्ति रहूँगा। इतने दिनों बाद मैंने क्या पाया? मेरे विद्यार्थी भी कॉलेज से निकलने के बाद मुझे नहीं पहचानते। बंबई के मेरे सहकर्मियों ने अपने नर्सिंग होम खोल लिये हैं। संतोष ने मध्य पूर्व की अपनी नौकरी छोड़ दी और एक कंप्यूटर कोर्स करने के बाद अमेरिका चला गया। अरुण से जब मैं पहली बार मिला था, तब वह एक किशोर था और अब वह जे.पी. नगर में एक घर बना रहा है। मैंने क्या किया है? मेरी पत्नी एक सरकारी सेवक है और हम दोनों मेहनत से काम करते हैं। इसके बावजूद हमें एक अपार्टमेंट खरीदने के लिए लोन लेना पड़ा। मैं हर महीने अपनी माँ को भी पैसे भेजता हूँ। मैंने बिलकुल भी पैसा नहीं बचाया।'

फिर वह शंकर के बारे में सोचता है, 'शंकर साहसी है। उसने मैसूर में एक जमीन खरीदी और अपनी पत्नी के नाम से एक कंपनी चला रहा है। मेरे परिवार के अधिकतर लोग मुझे नीची निगाह से देखते हैं, क्योंकि मैंने उतना पैसा नहीं कमाया।'

जब डॉ. कमला रिटायर होनेवाली थीं तो उन्होंने उससे कहा था, ''संजय, समय बदल गया है। अब हमें उपभोक्ता कानून को ध्यान में रखना पड़ता है। वे दिन गए जब हम मरीज की ओर से फैसले ले लिया करते थे। आज मरीज पैसे के लिए हम पर मुकदमा कर सकते हैं। यहाँ तक कि विद्यार्थी भी बदल गए हैं। उन्हें यह जानने में अधिक दिलचस्पी होती है कि कम-से-कम पढ़कर अधिक अंक कैसे लाए जा सकते हैं। मैं इस नए वातावरण में नहीं ढल सकती। आप या तो स्वैच्छिक सेवानिवृत्ति ले सकते हैं या नई व्यवस्था के अनुरूप ढल सकते हैं।''

अब संजय को उनकी बातों का मतलब समझ में आ रहा है। वह सोचता है,

'मृदुला की कोई समस्या नहीं है। मैं जो भी निर्णय लूँगा, उसमें वह मेरे साथ होगी। इस बार निर्णय पूरी तरह मेरा है।'

फिर उसे एलेक्स की बात याद आती है, ''सिस्टम में रहकर संघर्ष करने से बेहतर है, सिस्टम से बाहर निकलकर लड़ना।''

वह एलेक्स को फोन करता है।

16

फैसला

उस सप्ताह एलेक्स मध्य-पूर्व से लौटकर आता है। उसने भारत में बसने का फैसला किया है। पहले अनीता आ रही है और एलेक्स बाद में आएगा। रात के भोजन के समय एलेक्स कहता है, ''मृदुला इस बार तुम्हें कोशिश करनी चाहिए। अपने पति को इस बात के लिए तैयार करो कि वह कुछ अपना शुरू करे।''

पहली बार संजय बीच में बोलता है, ''एलेक्स यह हमारा फैसला है, सिर्फ मेरा नहीं। मैं सरकारी नौकरी छोड़ने को तैयार हूँ, लेकिन मैं प्राइवेट प्रैक्टिस शुरू करने के संघर्षों को समझना चाहता हूँ।''

''संजय तुम रातों-रात अमीर नहीं बन सकते। पैसा आना शुरू होने पर अधिकतर लोगों का विवाद हो जाता है। इसलिए अगर हम पार्टनर बने तो हमें सतर्क रहना होगा और एक-एक रुपए का हिसाब रखना होगा। यही एक लंबी साझेदारी और दोस्ती का राज है।''

''तुम्हारे खयाल से हमें कहाँ पर नर्सिंग होम खोलना चाहिए?''

''उसे किसी भीड़वाले इलाके में होना चाहिए। हमें उसे साफ-सुथरा रखना होगा। और हम दोनों को पच्चीस-पच्चीस लाख रुपए का निवेश करना पड़ेगा।''

''यह तो बहुत ज्यादा है!'' मृदुला डर जाती है।

''चिंता न करो मृदुला। तुम्हें पंद्रह लाख रुपए का लोन मिल सकता है। इस तरह तुम्हें सिर्फ दस लाख रुपए लगाने होंगे। हम काम को दो भागों में बाँट सकते हैं— तकनीकी और प्रशासनिक। मैं प्रशासनिक पक्ष देख लूँगा और संजय क्लीनिकल सँभाल लेगा। हम दोनों शुरुआत में दस हजार रुपए का वेतन लेंगे। मेरे दिमाग में एक बिल्डिंग है।''

''कहाँ पर?''

''बनेरघट्टा रोड पर। हम कल उसे देख सकते हैं। इलाका अच्छा है। उस

बिल्डिंग में दो फ्लोर हैं और हम उसे किराए पर ले सकते हैं।'' एलेक्स संजय की ओर देखते हुए आगे कहता है, ''संजय तुम्हें एक कार खरीदनी होगी। चाहे तुम्हें उसके लिए लोन लेना पड़े। अगर तुम अपने स्कूटर पर आओगे तो लोगों को लगेगा कि तुम्हारे पास कम जानकारी और अनुभव है। मैं तुम्हें कुछ और भी बताना चाहता हूँ, लेकिन थोड़ी हिचकिचाहट हो रही है।''

संजय पूछता है, ''क्या बात है एलेक्स, मुझे बताओ।''

''तुम्हारी व्यापक जानकारी को देखते हुए तुम्हें बहुत कुछ सीखने की जरूरत नहीं है। फिर भी तुम्हें कम-से-कम छह महीने के लिए इंग्लैंड जाना चाहिए। इसके बाद फिर छह माह और मध्य पूर्व में काम करना चाहिए। जब लोगों को पता चलेगा कि तुमने विदेश में पढ़ाई और काम किया है तो तुम्हें अधिक सम्मान मिलेगा।''

''लेकिन मेरे पास इंग्लैंड जाने के लिए पैसे नहीं हैं।''

''इसीलिए मैंने मध्य पूर्व का सुझाव दिया। मैं तुम्हारे लिए सारी व्यवस्था कर सकता हूँ। वहाँ पुरुष गायनोकोलॉजिस्ट नहीं होते। इसलिए मैं व्यवस्था कर दूँगा कि तुम एक जनरल प्रैक्टिश्नर के रूप में काम करो। कृपया बुरा मत मानना। ये चीजें जरूरी हैं।''

एलेक्स जाने लगता है, फिर वह मुड़कर कहता है, ''संजय मैं तुम्हारी आर्थिक सहायता कर सकता हूँ, लेकिन अगर हम पार्टनर बनने जा रहे हैं तो यह उचित नहीं होगा। इससे बाद में गलतफहमियाँ होंगी। मैं जानता हूँ कि तुम इस बात को समझोगे।''

एलेक्स के जाने के बाद संजय चिंता में पड़ जाता है कि उसकी जिंदगी कितनी तेजी से बदल रही है। मृदुला भी चिंतित है। जीवन और तनावपूर्ण होनेवाला है। अब तक वह एक शांत नदी की तरह सहज गति से बह रहा था। लेकिन अब वहाँ जलप्रपात और तूफान होंगे, जो उसे झेलने होंगे।

मृदुला आत्मविश्वास से भरपूर है। वह कहती है, ''संजय, चिंता मत करो। मुश्किलों से लड़ना बेहतर होता है। एलेक्स तुम्हारे साथ है और मैं तुम्हारा सहयोग करती हूँ। अगर तुम कुछ भी नहीं कमाओगे, तब भी मैं सँभाल लूँगी। हमारे पास अपना घर है और मेरे पास एक स्थायी सरकारी वेतन है, जो वह हम तीनों के लिए पर्याप्त होगा।''

''मृदुला अभी हमें बहुत सारा लोन चुकाना है।''

''संजय, मेरे पास स्वर्णाभूषण हैं, जो मेरे माता-पिता ने हमारी शादी पर दिए थे। मैं वैसे भी अधिक सोना नहीं पहनती। मैं उसे बेच सकती हूँ। मैं अप्पा से थोड़े पैसे भी माँग लूँगी। हम बाकी का पैसा एक बैंक से लोन पर ले सकते हैं। लेकिन हम एलेक्स से कोई पैसा नहीं लेंगे।''

"लेकिन मृदुला, इन सब से तुम्हें काफी असुविधा होगी।"

"मुझे फर्क नहीं पड़ता। जब तक तुम कानूनी और नैतिक रूप से पैसे कमाते हो, मैं तुम्हारे साथ हूँ। मैं तुम्हारे संघर्ष में तुम्हारी मदद करूँगी। तुम गैरकानूनी तरीके से भी पैसा कमा सकते हो, लेकिन मैं कभी उसका समर्थन नहीं करूँगी।"

"मृदुला, क्या हम अम्मा से पैसे माँगें?"

"नहीं।"

मृदुला इसकी वजह नहीं बताती, लेकिन संजय को पता है। रत्नम्मा मृदुला से अच्छा व्यवहार करती है पर वह त्योहारों या विशेष अवसरों पर भी उन्हें कोई पैसा नहीं देती। वे शंकर से भी नहीं माँग सकते, क्योंकि लक्ष्मी और वह बहुत खर्चीले हैं। रत्नम्मा अकसर मृदुला से लक्ष्मी की खर्चीली आदतों की शिकायत करती रहती है।

मृदुला ने अपनी शादी के बाद से कभी अपने पिता से कुछ नहीं माँगा। उसके माता-पिता हर वर्ष उसे एक उपहार देते हैं और वह उसी में खुश है। लेकिन अब उसके पास कोई चारा नहीं है। उसे लगता है कि संजय के परिवार से माँगने की बजाय अपने पिता से पैसे माँगना बेहतर है। इसलिए वह अपने माता-पिता के पास जाने का फैसला करती है।

जब वह अपने पिता को यह बताने के लिए फोन करती है कि वह अकेली आ रही है तो भीमन्ना को यह थोड़ा अजीब लगता है, लेकिन वह उससे कोई सवाल नहीं करता। आमतौर पर जब भी मृदुला अपने परिवार से मिलने जाती है तो वह शिशिर और संजय के साथ जाती है। संजय अपना अधिकांश समय पढ़ने या सोने में बिताता है। वह किसी से अधिक बात नहीं करता। अब वह शादी के दस साल बाद पहली बार अकेली अलादाहल्ली जा रही है।

जब मृदुला अपने घर में प्रवेश करती है तो उसे महसूस होता है कि उसका घर पिछले दशक में धीरे-धीरे बहुत बदल गया है। जब मृदुला छोटी थी तो उनके पास एक कढ़ाईवाला टेबलक्लॉथ था, उसकी बनाई हुई एक पेंटिंग, एक पुराना रेडियो और अन्य चीजें थीं। आज पुरानी चीजें गायब हो गई हैं। डाइनिंग टेबल पर शीशे का टॉप है और घर में सीमेंस का एक फोन, बावन इंच का टेलीविजन तथा सोनी का लेटेस्ट म्यूजिक सिस्टम है। बगीचा भी काफी बदल गया है। अब वहाँ चमेली की लताएँ नहीं हैं। उसकी बजाय वुड रोज और क्रोटन के पौधे हैं। हालाँकि रसोईघर करीब-करीब वैसा ही है और रुकमा बाई अब भी उसकी प्रभारी है।

हर कोई प्यार से मृदुला का स्वागत करता है। लेकिन वत्सला उसका अभिवादन नहीं करती या उसे देखकर मुसकराती नहीं। मृदुला को लक्ष्मी की याद आती है। लक्ष्मी हमेशा मुसकराती है और खुशी-खुशी उसे आमंत्रित करती है। दोपहर के भोजन के बाद

मृदुला वत्सला समेत हर किसी से बात करने का फैसला करती है। वह कहती है, ''क्या आप सब यहाँ आकर बैठेंगे? मैं एक महत्त्वपूर्ण बात पर चर्चा करना चाहती हूँ।''

वत्सला व्यंग्यपूर्वक कहती है, ''नहीं, इस घर पर मेरा कोई अधिकार नहीं है। आखिरकार मैं एक बाहरी हूँ। तुम अपने भाई और माता-पिता से जो चाहो, बात कर सकती हो।''

मृदुला को दुःख होता है। वह कैसे पैसे माँग सकती है अगर उसके चर्चा शुरू करने से पहले ही कोई उससे नाखुश है। वह शांति से कहती है, ''सच कहूँ तो अब मैं बाहरी हूँ। तुम मेरे माता-पिता की देखभाल करती हो। कृपया आकर बैठो।''

वत्सला सिर हिलाते हुए अपने शयनकक्ष की ओर चली जाती है। लेकिन वह बातचीत सुनने के लिए दरवाजे के पास ही खड़ी रहती है।

मृदुला अपने माता-पिता और भाई की ओर मुड़कर कहती है, ''संजय एक प्राइवेट नर्सिंग होम शुरू करना चाहता है और हमें पच्चीस लाख रुपए लगाने हैं। हम बैंक से पंद्रह लाख रुपए का लोन ले रहे हैं। लेकिन हमारे पास पर्याप्त बचत नहीं है। अगर आप हमें पाँच लाख रुपए का लोन दे दें तो हम उसे तीन-चार सालों में ब्याज सहित वापस कर देंगे। और कोई नहीं है, जिससे मैं पैसे माँग सकूँ। अगर आप मुझे पैसे नहीं भी देते तो मुझे दुःख नहीं होगा। मैं समझती हूँ कि आपकी भी समस्याएँ हो सकती हैं। आपके साथ मेरे रिश्ते नहीं बदलेंगे।''

वत्सला मृदुला की बात सुनते ही गुस्से से लाल हो जाती है।

इस बीच कृष्णा मौन है। रुकमा भीमन्ना की ओर देखकर कहती है, ''पाँच लाख रुपए बहुत होते हैं। इन दिनों हमारी स्थिति बहुत बेहतर नहीं है। कभी-कभी बारिश नहीं होती तो बिलकुल भी मुनाफा नहीं होता। हमारा ट्रैक्टर पुराना हो गया है और उसे बदलने की जरूरत है। इसके अलावा वत्सला चाहती है कि हम हुबली में एक घर खरीदें।''

मृदुला को लगता है कि भीमन्ना सोच-विचार में पड़ गए हैं। वह अपने परिवार को इस बारे में बात करने का समय देना चाहती है। इसलिए वह कहती है, ''मैं कुछ देर के लिए चंपक्का आंटी से मिलकर आती हूँ।''

जब वह चंपक्का के घर की ओर जाती है तो मृदुला गाँव के स्कूल के बारे में सोचती है। उसने गाँव को भी बदलते हुए देखा है। हर कोई अब वत्सला की तरह सोचता है। वे चाहते हैं कि उनके बच्चे हुबली या धारवाड़ में पढ़ें, ताकि वे अंग्रेजी सीख सकें और बाद में अच्छे कॉलेजों में उनका दाखिला हो सके। जो लोग कमजोर आर्थिक स्थिति के कारण अपने बच्चों को हुबली या धारवाड़ नहीं भेज सकते, वही

उन्हें अलादाहल्ली के स्थानीय स्कूल में भेजते हैं। अच्छे शिक्षक शहर के स्कूलों में स्थानांतरण करा लेते हैं। कोई भी स्कूल को गाँव की संपत्ति के रूप में नहीं देखता। स्कूल अनाथ सा लगने लगा है।

चंपक्का मृदुला को देखकर बहुत खुश होती है। वह बहुत बुजुर्ग हो गई हैं, लेकिन उनका दिमाग हमेशा की तरह तेज है। वह कहती हैं, ''मृदुला, मुझे लगा कि तुम अलादाहल्ली को भूल गई हो और तुम अब बेंगलुरु से बाहर नहीं जाती। तुम इस गाँव से प्यार करती थी। तुम शहर में कैसे रह सकती हो? वहाँ भीड़-भाड़ होती है और लोग एक-दूसरे से उदासीन होते हैं।''

मृदुला जानती है कि चंपक्का यह सब मजाक में कह रही है। इसलिए वह उसे जवाब तक नहीं देती। वह ध्यान देती है कि चंपक्का का कूबड़ निकल आया है। चंपक्का आगे कहती है, ''मृदुला, आज मुझमें चलने की ताकत नहीं है। कल जब तुम्हारे पिता ने मुझे बताया कि तुम आ रही हो तो मैंने तुम्हारे लिए खास लड्डू बनाए। उस डिब्बे से लेकर खा लो। फर्श पर मत बैठो। आज ठंड है। इसलिए चटाई लेकर उस पर बैठो।''

आदत से मजबूर मृदुला चंपक्का के बगीचे की ओर देखती है। फिर वह लड्डू लेकर चंपक्का के सामने बैठ जाती है। वह पूछती है, ''आंटी आपके बगीचे को क्या हुआ? उसमें तो झाड़-झंखाड़ भरा हुआ है। सारे रंग-बिरंगे फूल कहाँ गए? केवल मेंहदी का पेड़ ठीक है।''

''बगीचे के बारे में बात मत करो मृदुला। मुझे दुःख होता है। जब तुम शादी के बाद चली गई तो उसकी देखभाल करनेवाला कोई नहीं था। तुम अपने बच्चे की तरह इसकी देखभाल करती थी। लेकिन तुम्हारी भाभी वत्सला को कोई परवाह नहीं है। तुम्हें पता है, उसने मुझसे क्या कहा?'' मृदुला जवाब नहीं देती, लेकिन चंपक्का अपनी बात जारी रखती है, ''उसने कहा कि वह मेरी नौकर नहीं है कि मेरे बगीचे की देखभाल करेगी और मुझे सौ रुपए में कोई नौकर रख लेना चाहिए, जो उसकी साफ-सफाई करे और पानी दे। वत्सला को हुबली बाजार से ककडा फूल खरीदना ज्यादा पसंद है। वह उसे फ्रिज में रखती है ताकि उसे कई दिनों तक इस्तेमाल कर सके। वह बगीचे में काम करके ताजे फूल नहीं उगाना चाहती। वह आलसी है।''

चंपक्का और वत्सला एक-दूसरे के दुश्मन बन गए हैं। मृदुला जानती है कि चंपक्का नरम दिल की है और आसानी से माफ कर देती है। लेकिन वत्सला अलग है। मृदुला उसके बारे में बात नहीं करना चाहती और विषय बदल देती है। वह पूछती है, ''आंटी, अब आपके बगीचे की देखभाल कौन करता है?''

''पीरांबी। लेकिन उसके पास घर पर बहुत सारा काम होता है। वह जितना हो सके बगीचे की देखभाल करती है। उसे मेंहदी के पौधे बहुत पसंद हैं। यही वजह है कि

मेंहदी का पौधा इतना फल-फूल रहा है। वह रोज हनुमान मंदिर में फूल लेकर जाती है। मृदुला, तुम मेंहदी के कितने खूबसूरत डिजाइन बनाती थी। गाँव में ऐसी कोई दुलहन नहीं थी, जिसके हाथों पर तुम्हारी मेंहदी न लगी हो।''

मृदुला को सुरेखा की शादी याद आती है और जिस तरह वह संजय से मिली थी। यह याद उसके मन को खुश कर देती है और वह वत्सला के बारे में भूल जाती है। चंपक्का उससे पूछती है, ''तुम अकेली क्यों आई हो? सबकुछ ठीक है न?''

मृदुला उसे सबकुछ बताती है। चंपक्का बोलती है, ''वे तुम्हें पैसे नहीं देंगे। तुम्हारी भाभी ऐसा होने नहीं देगी। पीरांबी ने मुझे बताया कि वत्सला ने आठ लाख रुपए में हुबली में दो बेडरूमवाला फ्लैट बुक कर लिया है।''

अलादाहल्ली में पीरांबी और भीमन्ना ऑल इंडिया रेडियो की तरह हैं। कोई भी बात राज नहीं रहती। चंपक्का धीमी आवाज में कहती है, ''मैंने सुना कि एक नया कानून विवाहित बेटियों को उनके माता-पिता की संपत्ति में हिस्सा देता है। पैसा लेने के लिए इस सूचना का इस्तेमाल करते हुए अपनी भाभी को डराओ।''

''आंटी मैं कानून का सहारा लेकर एक भी पैसा नहीं लेना चाहती। मैं चाहती हूँ मेरे भाई का परिवार खुशी-खुशी रहे और फले-फूले। मेरी माँ अपने भाई के लिए ईश्वर से प्रार्थना करती थी और उसने मुझे भी यही सिखाया है। जब हम कानूनी अधिकारों की बात करना शुरू करते हैं तो मुझे पैसा भले ही मिल जाए, लेकिन मैं वह रिश्ता खो दूँगी। मुझे अपने भाई और माता-पिता के साथ अपने रिश्तों की परवाह अधिक है।''

चंपक्का मुसकराती है और सहमति में सिर हिलाती है।

चंपक्का के घर से बाहर आने के बाद मृदुला घर नहीं जाती। वह हनुमान मंदिर जाकर वहाँ के झूले पर बैठ जाती है। झील से आनेवाली ठंडी हवा उसे प्रसन्न कर देती है। वह गाने लगती है। उसके पास माता-पिता, एक भाई, बेटा और पति हैं, लेकिन सिर्फ अलादाहल्ली में होना उसे अपार खुशी देता है।

यह उगाडी का समय और फरवरी या मार्च का महीना है। गरमियाँ शुरू ही हुई हैं। आम के पेड़ों पर लालिमा लिये नरम हरे पत्ते आ गए हैं और कोयल मधुर आवाज में कूक रही हैं। गाँव में हर कोई इस त्योहार की तैयारी में व्यस्त है। फिर भी मंदिर के पास निस्तब्धता है।

लेकिन मृदुला के लिए कुछ भी महत्त्वपूर्ण नहीं है। वह बिना किसी बंधन के और मुक्त मन से झूला झूल रही है। वह खुश है।

मृदुला हर किसी की तरह नहीं है। वह अलग है। झूले से वह अपना घर देख सकती है। उसमें जीवन के प्रति अपार उत्साह और पढ़ने, खाना बनाने तथा तसवीर बनाने के लिए असीमित ऊर्जा है। वह हर पल को उपयोगी बनाना चाहती है। सूर्य

उसके लिए उगता है और इंद्रधनुष के रंग सिर्फ उसके लिए हैं। हर दिन पूर्णता से जीया जाता है और हर खूबसूरत पल का आनंद लिया जाता है।

रात के भोजन के बाद भीमन्ना मृदुला को अपने पास बुलाते हैं और कहते हैं, ''मृदुला, तुम हमारी बेटी हो। हम तुम्हें कर्ज नहीं दे सकते। तुम्हारी माँ और मैंने इस बारे में सोचा। हम खुशी और आशीर्वाद के साथ तुम्हें तीन लाख रुपए देना चाहते हैं। इस पैसे से तुम सफल होगी।''

कृष्णा और वत्सला अपने कमरे से झाँकते हैं और हर एक शब्द सुनते हैं।

मृदुला की आँखों में आँसू हैं। उसके माता-पिता ने यह रकम अपनी वृद्धावस्था के लिए रखी थी। वे अपनी पुत्रवधू को नाराज नहीं करना चाहते, इसलिए उन्होंने अपने इमरजेंसी फंड से रुपए निकाले होंगे। मृदुला कहती है, ''अप्पा, आप बहुत दयालु हैं। लेकिन आपसे यह पैसे लेते हुए मुझे अजीब लग रहा है। आपको इतनी बड़ी रकम मुझे उपहार में देने की जरूरत नहीं है। मैं बाद में यह पैसे लौटाना चाहती हूँ।''

''मृदुला, हम इस बारे में बात नहीं करेंगे। रुकमा, कुमकुम लाओ और मृदुला को इस चेक के साथ दे दो। चलो मुझे कुछ काम करना है। मुल्ला सबी बीमार हैं। वह आज अपने स्वास्थ्य की विस्तृत जाँच के लिए हुबली गए थे। मैं जानना चाहता हूँ कि क्या हुआ।''

भीमन्ना मृदुला की ओर देखकर मुसकराते हुए घर से बाहर निकल जाते हैं।

17

अंत की शुरुआत

चार साल बीत जाते हैं। मृदुला के जीवन में बदलाव आते हैं। वह विजयनगर हाईस्कूल की प्रिंसिपल बन जाती है। संजय और एलेक्स सुश्रुत नर्सिंग होम शुरू करते हैं। मृदुला भी खूब मेहनत करके अस्पताल को चलाते रखने में मदद करती है। वह अस्पताल में निवेश करने के लिए अपनी शादी के गहनों को गिरवी रखती है। जब वे अस्पताल शुरू करते हैं, उस समय अनीता के लिए बेंगलुरु नया शहर है और वह ज्यादा चीजें नहीं जानती। इसलिए मृदुला बढ़ई, धोबी, दरजी और अन्य लोगों से उसके काम करवाती है। हालाँकि एलेक्स को अस्पताल का प्रशासन देखना है, वह नर्सिंग होम के लिए दूसरी जगह की तलाश में व्यस्त है। इसलिए मृदुला बैंक का सारा काम भी करती है और आयकर का भी हिसाब रखती है। अस्पताल जल्द ही लोकप्रिय हो जाता है।

एक बार जब वे टी नरसीपुरा जाते हैं तो रत्नम्मा की तेज नजरें तत्काल देख लेती

हैं कि उसकी पुत्रवधू ने गहने नहीं पहने हुए हैं। वह मृदुला से पूछती है, ''तुम्हारे गहने क्या हुए?''

मृदुला उसे बताती है कि उसने अपने गहने गिरवी रखे हैं। रत्नम्मा उसे सलाह देती है कि जितनी जल्दी संभव हो, वह अपने गहने वापस ले ले, मगर वह उनकी मदद करने का प्रस्ताव नहीं देती। वह कहती है, ''तुम्हारे पिता ने तुम्हें शुद्ध सोने के आभूषण दिए हैं। अनुभव से मैं यह कह सकती हूँ कि एक बार गिरवी रखने पर लोग सोने को वापस नहीं लेते। बल्कि उसे बेच देते हैं। ऐसा मत करना।''

अस्पताल से कुछ पैसे कमा लेने के बाद संजय और मृदुला गिरवी के पैसे चुका देते हैं और मृदुला के गहने वापस मिल जाते हैं।

अस्पताल का काम अच्छा चल निकलता है और पैसा आने लगता है। संजय अपने काम से खुश है और आत्मविश्वास से भरपूर है। अब वह कार चलाता है और मृदुला के पास एक काइनेटिक होंडा है। उसने अपने घर का लोन चुका दिया है, लेकिन वे उसी अपार्टमेंट में रहते हैं। मृदुला जयनगर या जे.पी. नगर में एक घर बनवाना चाहती है, लेकिन उनके पास अभी उतना पैसा नहीं है। वह जानती है कि कुछ सालों में शिशिर कॉलेज जाएगा और फिर उसकी पढ़ाई के लिए पैसे की जरूरत होगी। इसलिए वह नए घर पर सारा पैसा खर्च नहीं करना चाहती। मृदुला सारा हिसाब-किताब रखती है और संजय आग्रह करता है कि वही सारे बैंक एकाउंट चलाए। वह अब भी संजय को पॉकेट मनी देती है।

इस बीच अनीता और एलेक्स मृदुला के घर आते-जाते रहते हैं। एलेक्स मध्य पूर्व में एक नया उद्यम शुरू कर देता है और इस सिलसिले में उसे खूब यात्राएँ करनी पड़ती हैं। अनीता को बेंगलुरु में रहना पसंद है। वह चर्च की गायक मंडली में शामिल हो जाती है। उसकी बेटी जूली रिचमंड रोड पर बेल्डविन गर्ल्स स्कूल जाती है।

अनीता मंगलौर की मैगी को अपने घर काम करने के लिए लेकर आती है। मैगी हाईस्कूल तक पढ़ी है और अच्छे से तैयार होकर रहती है। कभी-कभी वह अनीता से भी अच्छी दिखती है। मैगी अपने परिवार में पाँच बेटियों में सबसे बड़ी है और घर की आर्थिक स्थिति अच्छी न होने के कारण उसे अनीता के घर काम करना पड़ता है। अनीता उससे अच्छा व्यवहार करती है और उसके लिए एक बैंक खाता खोलती है, ताकि वह अपना वेतन जमा कर सके और पैसों की बचत करे। मैगी एवं अनीता की अच्छी पटती है और वे एक-दूसरे के साथ खुश हैं।

अब संजय को समझ आता है कि एक प्राइवेट नर्सिंग होम कैसे चलता है। वह सिर्फ बढ़िया उपचार से नहीं चलता। यह साफ-सफाई, विनम्रता से बात करने और मरीजों में भरोसा जगाने के बारे में है। जब एलेक्स ने पहले उसे यह बात बताई थी तो

संजय ने उसे गंभीरता से नहीं लिया था। लेकिन अब उसे एलेक्स की बातों का महत्त्व समझ में आता है। सरकारी अस्पतालों में मरीज का उपचार ही जरूरी होता है। सहायक डॉक्टर बाकी हर काम करते हैं। लेकिन प्राइवेट प्रैक्टिस में डॉक्टरों को हर बात का ध्यान रखना पड़ता है। अगर किसी वजह से किसी मरीज की मृत्यु हो जाती है तो तुरंत अस्पताल की प्रतिष्ठा पर असर पड़ता है। संजय को समझ आ गया कि किसी नर्सिंग होम के प्रसिद्ध हो जाने पर मरीज अपने-आप वहाँ आने लगते हैं। लेकिन अस्पताल का नाम बनाए रखने के लिए उसे सावधान रहना होगा।

पिछले कुछ सालों में शंकर का स्थानांतरण मैसूर हो गया है और उसने वहाँ एक बड़ा घर बनवा लिया है। लक्ष्मी और शंकर के गृहप्रवेश में मृदुला गई थी। लेकिन संजय के प्राइवेट प्रैक्टिस शुरू करने के बाद से वह शायद ही कहीं जाता है, क्योंकि वह काफी व्यस्त है। उसने इस बात में कोई दखल नहीं दिया कि लक्ष्मी को उसके गृहप्रवेश पर क्या उपहार दिया जाना चाहिए। घर में हर फैसला मृदुला का होता था। लक्ष्मी का घर बहुत खूबसूरत था। उसमें चार शयनकक्ष, एक इटालियन रसोईघर और मार्बल का फर्श था। लक्ष्मी ने गृहप्रवेश के लिए फूलों की सजावट पर 25,000 रुपए खर्च किए थे। मृदुला ने उसे एक सिल्क-साड़ी और शंकर को चाँदी का एक बाउल उपहार में दिया। लेकिन लक्ष्मी का रिटर्न-गिफ्ट उसके उपहारों से बेहतर था। रत्नम्मा भोजन के समय आई और उसने कोई उपहार नहीं दिया। उसे नहीं समझ में आया कि एक ही परिवार से दो उपहार क्यों दिए जाएँ। कुछ माह बाद शंकर ने स्वैच्छिक सेवानिवृत्ति ले ली और पूरी तरह लक्ष्मी के नाम पर शुरू किए गए व्यवसाय में लग गया।

एक वर्ष तक कोई संपर्क न होने के बाद लक्ष्मी मैसूर में उनसे मिलने आती है। आज रविवार है और मृदुला घर पर है। संजय अस्पताल में है। मृदुला उसे देखकर हैरान रह जाती है। आमतौर पर लक्ष्मी खूब सज-धजकर रहती है, लेकिन आज उसने एक सस्ती साड़ी पहन रखी है और नाखुश लग रही है। मृदुला कहती है, ''दीदी, अंदर आओ। आप मैसूर से कब आईं?''

''मैंने सुबह 6 बजे की बस ली।''

मृदुला को यह सुनकर हैरानी होती है कि लक्ष्मी बस से आई है। लेकिन वह कहती है, ''पहले तैयार होकर नाश्ता कर लो। फिर हम बात करेंगे।''

लक्ष्मी स्नान करने चली जाती है। वह मेहमानों का स्वागत-सत्कार बहुत अच्छी तरह करती है और मृदुला भी वैसा ही करना चाहती है। लेकिन आज स्थिति भिन्न है। मृदुला समझ जाती है कि लक्ष्मी किसी समस्या में है और वह उसकी मदद करना चाहती है। हालाँकि वे अमीर नहीं हैं, लेकिन उनकी आर्थिक स्थिति पहले से बेहतर है। लक्ष्मी ने इससे पहले कभी अपने भाई से मदद नहीं माँगी।

लक्ष्मी स्नान कर के आती है और मृदुला को एक थैला देती है। उसमें बैंगन, मैसूर के मोगरे के फूल और केले हैं। मृदुला प्यार से पूछती है, ''अक्का, आप यह सब क्यों लेकर आईं। आप कैसी हैं?''

लक्ष्मी रोने लगती है। वह सुबकते हुए कहती है, ''मृदुला मेरे पति को स्वैच्छिक सेवानिवृत्ति के बाद कुछ पैसे मिले थे और हमने उस पैसे से लोन लेकर उसे व्यवसाय में लगा दिया। उस समय हमारा होटल व्यवसाय खूब अच्छा चल रहा था। लेकिन हमारे साझीदार ने हमें धोखा दे दिया। हम भोले-भाले लोग हैं और हमने उसपर भरोसा कर लिया। हमने व्यवसाय को बढ़ाने के लिए अपना नया घर भी गिरवी पर रख दिया। अब हमारा तगड़ा नुकसान हो गया है और हम आर्थिक रूप से टूट चुके हैं। हम अपना घर और व्यवसाय खो चुके हैं।''

''अक्का, शंकर के भाई मैसूर में आपके साथ हैं। वे आपकी मदद नहीं कर रहे?''

''वे किसी काम के नहीं हैं। हम मुश्किल समय से गुजर रहे हैं और मदद करने की बजाय वे हमसे बात तक नहीं कर रहे। यही नहीं, वे हमारा मजाक उड़ा रहे हैं। हम सबकुछ खो चुके हैं। अनिल बहुत छोटा है और अभी अपने पिता की मदद नहीं कर सकता।''

मृदुला चिंतित हो जाती है। संजय एवं उसने अभी-अभी अपना लोन चुकाया है और लक्ष्मी की मदद करना उनके बूते से बाहर है। फिर भी वह लक्ष्मी से पूछती है, ''आपको नुकसान की भरपाई के लिए कितने रुपयों की जरूरत है?''

''लगभग 30 लाख रुपए।''

''कुछ दिन यहाँ रहिए। मैं इस बारे में संजय से बात करूँगी। वह भोजन के लिए आएँगे।''

''नहीं मृदुला मैं उतने लंबे समय तक नहीं रुक सकती। मुझे अभी राजाजीनगर में एक मित्र से मिलने जाना है। उसने हमसे कर्ज लिया था और अभी तक लौटाया नहीं। मैं रात तक लौट आऊँगी।''

लक्ष्मी नाश्ता करके निकल जाती है। मृदुला चिंता में पड़ जाती है। उसे लगता है मानो यह उसकी अपनी समस्या है।

जब संजय अस्पताल से जल्दी लौट आता है तो मृदुला चकित होती है। वह पूछती है, ''तुम आज जल्दी कैसे वापस आ गए?''

''रोजमेरी अब काफी काम सँभाल ले रही है। इसलिए मुझे अपने प्रशासनिक कामों से थोड़ा आराम मिल रहा है।''

जब उन्होंने पहले-पहल अस्पताल खोला था तो संजय को अपनी फीस माँगने में

अजीब लगता था, क्योंकि सरकारी अस्पताल में ऐसी कोई व्यवस्था नहीं थी। एलेक्स ने संजय के साथ बैठकर उसे समझाया कि वह अपने काम के लिए पैसे माँगना शुरू करे। उसने परामर्श, नॉर्मल डिलीवरी, सी-सेक्शन, ट्यूब टेस्टिंग और बाकी टेस्टों के लिए शुल्क तय करने में संजय की मदद की।

कुछ चतुर मरीज कहते, ''डॉक्टर, हमारे पास आज आपको देने के लिए पैसे नहीं हैं। क्या हम अगली बार पैसे दे दें?''

संजय कभी मना नहीं कर पाता था और वह इसके बारे में भूल जाता था। जब अगली बार वे मरीज आते तो उसे पिछली बार का पैसा लेना याद नहीं रहता और मरीज अपने-आप पैसा नहीं देते। इसलिए अस्पताल की आय पर फर्क पड़ने लगा। कुछ महीने बाद एलेक्स ने संजय से कहा, ''तुम इस तरह कोई व्यवसाय नहीं चला सकते। मैं लगातार बिजनेस दौरों पर रहता हूँ और ऐसे मरीजों की खोज-खबर लेने के लिए यहाँ नहीं रह सकता। हम एक होशियार सेक्रेटरी रख लेते हैं। हम उसे 3,000 रुपए मासिक दे देंगे। वह तुम्हारे ऑफिस के बाहर एक मेज पर बैठ सकती है और बिना किसी हिचकिचाहट के मरीजों से पैसे माँग सकती है।''

संजय ने राहत की साँस ली। उसे कभी मरीजों से पैसे माँगना अच्छा नहीं लगता था। इस तरह से रोजमेरी को काम पर रखा गया। एलेक्स लंबे समय से उसके परिवार को जानता था। उसने विज्ञान में स्नातक तक की पढ़ाई की हुई थी और एक गरीब परिवार की थी। वह चर्च की मदद के बिना अपना ग्रेजुएशन पूरा नहीं कर पाती। फिर उसने एक-दो वर्ष का नर्सिंग कोर्स करना शुरू किया। लेकिन पहले वर्ष ही उसके पिता का देहांत हो गया। रोजमेरी के पास पढ़ाई छोड़कर नौकरी खोजने के सिवा कोई चारा नहीं था, ताकि वह अपना परिवार चला सके। एलेक्स ने उसे नौकरी पर रखा और नर्सिंग होम के पहले तल पर उसके रहने की व्यवस्था कर दी। समय के साथ रोजमेरी वहाँ हैड नर्स बन गई।

अब वह सारे एकाउंट अच्छी तरह देख लेती है। अपनी बुद्धि और ईमानदारी से वह एक अच्छी डॉक्टर बन सकती थी।

मृदुला संजय को लक्ष्मी की समस्या बताती है, लेकिन वह कुछ नहीं कहता। फिर उसे अचानक अस्पताल में एक इमरजेंसी के लिए जाना पड़ता है। मृदुला अपनी सास को फोन करने का फैसला करती है। संजय और मृदुला अब उन्हें हर माह अधिक पैसे भेजते हैं, लेकिन फिर भी रत्नम्मा घर पर फोन नहीं लगवाना चाहती। संजय भी अपनी माँ से फोन करने के लिए नहीं कहता। कोई नहीं जानता कि पैसे कहाँ जाते हैं और वे उनसे पूछ नहीं सकते। हालाँकि रत्नम्मा के पास फोन नहीं है, उनकी बगल की दुकान में फोन है और वे लोग अच्छे हैं, जो कोई फोन आने पर उन्हें बुला देते हैं। इसलिए

मृदुला अपनी सास को फोन करती है और कहती है, ''अम्मा, अक्का यहाँ आई थीं। वह बहुत मुश्किल में हैं और उन्हें तीस लाख रुपयों की जरूरत है।''

मृदुला रत्नम्मा को बताती है कि लक्ष्मी उसके घर आई थी। दूसरी ओर चुप्पी है। मृदुला को लगता है कि लाइन कट गई है। वह कहती है, ''हैलो अम्मा, क्या आप मेरी आवाज सुन रही हैं?''

''मुझे तुम्हारी आवाज सुनाई दे रही है, मृदुला। लेकिन तुम किस बारे में बात कर रही हो? वह कल ही यहाँ आई थी और हाँ, उसने मुझसे कहा कि उसके पास पैसा नहीं है। लेकिन उसने तीस लाख रुपए का जिक्र नहीं किया। उसकी शादी के बाद से ही मैं उससे अपना खर्च कम करने और स्टेटस की चिंता न करने के लिए कहती रही हूँ। लेकिन वह मेरी बात नहीं सुनती। खैर, तुम खुद ही सोच लो कि तुम्हें उसकी मदद करनी है या नहीं। मैं इसमें दखल नहीं देना चाहती।''

रत्नम्मा फोन रख देती है। मृदुला को यह अजीब लगता है कि लक्ष्मी एक दिन पहले अपनी माँ के घर गई थी, लेकिन उसे बताया नहीं। उसे बुरा लगता है कि लक्ष्मी और शंकर को अपना नया घर बेचना पड़ेगा।

जब संजय अस्पताल से लौटकर आता है तो मृदुला पाती है कि संजय भी अपनी माँ की तरह सोचता है। वह कहता है, ''अगर मैं लक्ष्मी की आर्थिक मदद करता हूँ तो वह किसी काम नहीं आएगा, क्योंकि शंकर और वह अपनी कमाई से अधिक खर्च करने के आदी हैं। लेकिन चूँकि वह मेरी बहन है, मुझे उसके लिए कुछ तो करना होगा।''

''संजय, हमें लक्ष्मी के वापस आने से पहले यह फैसला कर लेना चाहिए कि हम उसकी क्या मदद कर सकते हैं।''

''मृदुला, हमारे पास उतना पैसा नहीं है। मैं दो साल तक उनके घर पर रहा हूँ और देखा है कि वे कैसे रहते हैं। वे बहुत दिखावा करते हैं। मैं उन्हें कोई लोन नहीं देना चाहता, क्योंकि वे उसे लौटाएँगे नहीं। अगर शंकर राजी हो तो मैं उसे एक मासिक वेतन के साथ अस्पताल में नौकरी दे सकता हूँ। लेकिन उन्हें अलग रहना होगा, हमारे घर में नहीं। इससे अधिक मैं उनकी मदद नहीं कर सकता। यह मेरा अंतिम फैसला है।''

मृदुला चुप रहती है। वह दु:खी है, क्योंकि संजय ने उसकी राय नहीं माँगी और अपने-आप फैसला कर लिया। अपने वैवाहिक जीवन में पहली बार वह असहज महसूस करती है। शंकर जैसे व्यक्ति को अपने नर्सिंग होम में लाना और किसी रिश्तेदार के सामने अपनी आर्थिक स्थिति प्रकट करना होशियारी नहीं है। इसके अलावा अगर वे एक ही शहर में रहे तो बाद में गलतफहमियाँ उत्पन्न हो सकती हैं। मृदुला रसोईघर में लौट जाती है और खाना पकाना शुरू कर देती है, ताकि उसे इस बारे में और न सोचना पड़े।

18
पैसा लाया बदलाव

अस्पताल के शुरू हुए पंद्रह वर्ष हो चुके हैं और संजय का अस्पताल अब बेंगलुरु का एक विख्यात मैटरनिटी होम बन चुका है। बहुत से लोगों ने संजय को नाकारा मान लिया था, लेकिन अब वह एक रोल-मॉडल बन चुका है। उसने दिन दूनी, रात चौगुनी तरक्की की है, खूब पैसा कमाया है और अपने लिए नाम कमाया है।

अनीता और एलेक्स पैलेस ऑरचर्ड्स में एक घर ले लेते हैं; जूली हाईस्कूल के आखिरी साल में है। मैगी की शादी जोसेफ से हो जाती है, जो अनीता के ड्राइवर के रूप में काम करने लगता है। अनीता और एलेक्स उन्हें अलग क्वार्टर दे देते हैं।

मृदुला और संजय ने अपना विजयनगर का घर बेच दिया है और जे.पी. नगर में एक खूबसूरत चार शयनकक्षवाले घर में रहते हैं। उनके पास अब तीन कारें हैं। मृदुला अब भी नौकरी करती है और जयनगर में एक हाई स्कूल की प्रिंसिपल हो गई है। शिशिर अब मेडिकल कॉलेज में है और उसके दोस्तों की कोई गिनती नहीं है। वह प्रतिभाशाली है, लेकिन जिद्दी भी है और पिता से उसे खूब लाड़-दुलार मिलता है। उनका ड्राइवर नंजा और उसकी पत्नी चिक्की उनके लिए काम करते हैं। मृदुला पुत्तेनहल्ली में घर खरीदने में उनकी मदद करती है। रसोइया सकम्मा रोजाना सुबह छह बजे आता है और रात को दस बजे चला जाता है। तीनों नौकर ईमानदार हैं। मृदुला पूरे समय के लिए कोई नौकर नहीं रखना चाहती।

कभी-कभी संजय उसकी नौकरी का मजाक उड़ाता है। वह कहता है, "मृदुला, तुम अब भी नौकरी क्यों करती हो? तुम जितना कमाती हो, उससे अधिक मैं अपनी कारों, रसोइया और ड्राइवर पर खर्च कर देता हूँ। अगर तुम घर पर रहो तो हमें सस्ता पड़ेगा।"

"यह असंभव है। तुम मेरे वेतन के कारण ही अस्पताल खोल पाए। मेरे वेतन ने मुश्किल समय में मेरा साथ दिया है। मैं अपनी नौकरी की इज्जत करती हूँ और मुझे वह करना अच्छा लगता है। मैं उसे कभी नहीं छोड़ूँगी। वह मेरे लिए ऑक्सीजन की तरह है, सिर्फ आय का स्रोत नहीं।"

अलादाहल्ली में भी स्थितियाँ काफी बदल गई हैं। अब रुकमा देवी और चंपक्का जीवित नहीं हैं। कृष्णा अपने परिवार के साथ हुबली में रहता है और भीमन्ना बिलकुल अकेले पड़ गए हैं। कृष्णा महीने में दो बार अपने पिता से मिलने जाता है, लेकिन भीमन्ना की सेहत अच्छी नहीं रहती। खेतों में फसल भी अच्छी नहीं हुई, क्योंकि

उसकी देखभाल करनेवाला कोई नहीं है। गाँववाले वहाँ काम नहीं करना चाहते और कम पैसे में भी हुबली के बाहरी इलाके में स्थित गारमेंट फैक्टरी में काम करना पसंद करते हैं। वे खेतों में काम करने को छोटा काम समझते हैं।

चंपक्का अपनी वसीयत में अपनी सारी संपत्ति चंद्रकांत जोग के नाम लिख जाती हैं। उनकी मृत्यु पर चंद्रकांत अलादाहल्ली आता है, लेकिन उसे जमीन में कोई दिलचस्पी नहीं है। वह बंबई में बसा हुआ है। जाते हुए वह भीमन्ना को बोल जाता है, ''इस प्रॉपर्टी को अच्छे लोगों को बेच दीजिए। मुझे कोई फर्क नहीं पड़ता अगर वे लोग इसे बाजार मूल्य से कम कीमत पर खरीदें। मैं उस पैसे से हनुमान मंदिर का नवीनीकरण करवाना चाहता हूँ।''

घर की अच्छी लोकेशन के कारण उसके कई दावेदार हैं। बसवनटप्पा पाटिल घर को खरीदना चाहता है, लेकिन भीमन्ना नैतिक आधार पर वह प्रस्ताव ठुकरा देते हैं। वह सोचते हैं, ''बसवनटप्पा और उसके मित्र इस घर में ताश खेलेंगे और ऐसे ही काम करेंगे। मैं नहीं चाहता कि चंपक्का के घर का इस्तेमाल इस तरह हो। उसकी आत्मा को शांति नहीं मिलेगी।''

एक दिन संजय किसी मंत्री की बेटी की शादी में जाता है। जब वह निकलनेवाला ही होता है तभी वह अपनी पूर्व सहयोगी डॉ. लता से टकरा जाता है। वह उससे मिलकर खुश होता है और उससे बात करना चाहता है। वह कहती है, ''संजय, तुम कैसे हो? मैं तुम्हें याद हूँ? हम लगभग दस साल बाद मिल रहे हैं।''

''मैं ठीक हूँ।'' संजय अतीत के बारे में बात नहीं करना चाहता और चुप रह जाता है।

''संजय, तुम्हारी तरक्की देखकर मुझे विश्वास नहीं होता। अभी हाल में मैं एक सेमिनार में गई थी, जहाँ तुम पेपर प्रेजेंट कर रहे थे। तुम्हारा प्रेजेंटेशन वाकई दिलचस्प था। मैं तुम्हें बधाई देना चाहती थी, लेकिन तुम्हारे पास इतने सारे लोग थे कि मुझे मौका ही नहीं मिला।''

संजय मेडिकल सेमिनारों को प्रायोजित करता है और उनमें शामिल होता है, क्योंकि वे अस्पताल और उसका प्रचार करने में मदद करते हैं। वह आमतौर पर सिर्फ दस मिनट के लिए उनमें शामिल होता है—शुरुआत में या आखिर में। उसके भाषण और चर्चाएँ संक्षिप्त तथा सशक्त होते हैं। इसलिए वह काफी लोकप्रिय है। संजय विषय बदलने की कोशिश करता है, ''तुम तो अब तक प्रोफेसर बन गई होगी?''

''अभी नहीं। सरकारी नौकरी में यह आसान नहीं है। तुम किस्मतवाले हो। बेंगलुरु में तुम्हारा नाम बहुत प्रसिद्ध है। मैंने सुना है कि लोग तुम्हारा समय लेने के लिए दो महीने इंतजार करते हैं।''

संजय जानता है कि वह बढ़ा-चढ़ाकर बोल रही है। वह कहता है, ''हो सकता है। मुझे पता नहीं। मेरे तीन सेक्रेटरी मेरे एप्वाइंटमेंटों का हिसाब रखते हैं।''

संजय को याद आता है कि लता किस तरह अस्पताल में अपने पिता के संपर्कों का इस्तेमाल करती थी, वह पूछता है, ''तुम्हारे पिताजी अब भी नौकरी में हैं?''

वह दुःखी होकर कहती है, ''अरे, वह तो काफी पहले रिटायर हो गए।''

''तब से तुम्हारा ट्रांसफर कहाँ-कहाँ हुआ है?''

''एक बार मैसूर और एक बार हुबली।''

''तुम्हें बेंगलुरु छोड़ना अच्छा नहीं लगा होगा?''

''मेरे पास कोई चारा ही नहीं था। अगर मैं नहीं जाती तो मुझे यह आसान नौकरी छोड़नी होती। लेकिन तुम्हें हमारी तरह ट्रांसफर की कोई समस्या नहीं है।''

''हाँ, क्योंकि मुझे बचाने के लिए मेरे पास कोई गॉडफादर नहीं था। मुझे सिर्फ अपना सहारा था। मैंने इसी तरह जोखिम लेना और कामयाब होना सीखा। अब मुझे जाना होगा। फिर मिलते हैं, लता।''

लता और बातें करना चाहती है, लेकिन संजय मुड़कर चला जाता है। यह वही लता है, जिसने उसके ट्रांसफर और सुषमा की डिलीवरी के दौरान चालें चली थीं। लता उसकी ईमानदारी और निष्ठा का मजाक उड़ाया करती थी। अब वह उससे बात करना चाहती है, लेकिन वह ध्यान नहीं देता। उसने पिछले पंद्रह वर्ष के दौरान कामयाबी के रास्ते में बहुत सी चीजें देखी और सीखी हैं।

बेंगलुरु के एक वरिष्ठ गायनोकॉलोजिस्ट डॉ. राव का एक महँगे इलाके में बड़ा सा नर्सिंग होम है, लेकिन उनका बेटा एक सॉफ्टवेयर कंपनी में काम करना पसंद करता है। इसलिए डॉ. राव अपना नर्सिंग होम बेचने का फैसला करते हैं। संजय और एलेक्स ने नर्सिंग होम खरीदने लायक पर्याप्त पैसा कमा लिया है।

संजय को लोन लेने में कोई हिचकिचाहट नहीं होती। उसने पहले भी बहुत से लोन लिये हैं और अस्पताल को अत्याधुनिक सुविधाओं से लैस किया है। बार-बार की कामयाबी ने उसे आत्मविश्वास से भर दिया है। हालाँकि एलेक्स संजय का पार्टनर है, वह शायद ही नर्सिंग होम में आता है। वह बेंगलुरु के बाहरी इलाके में नए फार्मास्यूटिकल स्थापित करने में व्यस्त है। लेकिन दोनों ने मुनाफा बाँट लिया है और उनके बीच कोई समस्या नहीं है। उनकी दोस्ती वैसी ही है।

शंकर अब मल्लेश्वरम में रहता है। संजय उसे अपने नियंत्रण में रखता है और उसपर परी निगाह रखता है। इसलिए शंकर अच्छी तरह से काम करता है। उसका बेटा अनिल कॉमर्स में अपनी बैचलर्स डिग्री पूरी करने में कई साल लगा देता है और अब वह एलेक्स के फार्मास्यूटिकल्स सेल्स डिपार्टमेंट में काम कर रहा है।

संजय ने बहुत कुछ सीखा है, ऐसी चीजें, जो कोई प्रबंधन की किताबों से नहीं सीख सकता। जब वह बच्चा था तो वह अपने पिता की बातों से प्रभावित होता था, लेकिन अनुभव के साथ उसने बिजनेस चलाने के बारे में अपना सिद्धांत बना लिया है। यह सिद्धांत उस हर बात को काटता है, जो उसने अपने पिता से सीखी है। निजी अस्पतालों में आनेवाले लोग सरकारी अस्पतालों में आनेवाले लोगों से अलग हैं। खर्च करने में समर्थ होना एक बड़ा कारक होता है। हर मरीज की अपनी कमजोरी होती है और संजय जानता है कि उनकी कमजोरी उसकी ताकत है।

जब संजय और एलेक्स ने पहले-पहल अस्पताल खोला था तो उसका परामर्श शुल्क पचास रुपए था। एक दिन उसने दो मरीजों के बीच की बातचीत सुन ली। एक ने कहा, ''एसआरके नर्सिंग होम बहुत अच्छा है। उनका डॉक्टर बहुत बढ़िया है।''

''तुम ऐसा कैसे कह सकते हो?''

''वहाँ का डॉक्टर हर बार का 150 रुपए लेता है और उसका समय लेने के लिए इंतजार करना पड़ता है। डॉक्टर काफी व्यस्त रहता है। वह हर मरीज को सिर्फ पंद्रह मिनट देता है।''

संजय ने अनुमान लगाया कि अगर उसने पैसे बढ़ा दिए और समय लेने के लिए इंतजार की अवधि बढ़ा दी तो लोगों को लगेगा कि वह एक बेहतर डॉक्टर है। अगले ही दिन संजय ने अपनी फीस बढ़ाकर सौ रुपए कर दी और उम्मीद के मुताबिक उसके मरीजों की संख्या भी बढ़ गई। उसने हर वर्ष अपना परामर्श शुल्क बढ़ाने का फैसला किया। लेकिन वह अपने मरीजों के साथ अधिक समय बिताता था, जिसने उसे लोकप्रिय बना दिया।

जब संजय सरकारी मेडिकल कॉलेज में पढ़ाता था तो वह अपने विद्यार्थियों से कहता था, ''नॉर्मल डिलीवरी सबसे बढ़िया होती है। वह प्रकृति के अनुरूप होती है। हमें सी-सेक्शन तभी करना चाहिए यदि कोई समस्या हो। मरीजों की पसंद मत पूछो। अपनी विशेषज्ञता और दक्षता का इस्तेमाल करते हुए फैसला लो।''

प्राइवेट प्रैक्टिस शुरू करने के कई साल बाद संजय ने पाया कि यह सच नहीं है। वी.आई.पी. सी-सेक्शन पसंद करते हैं। अब बेंगलुरु में कई सॉफ्टवेयर उद्योग हैं और युवा इंजीनियर कम-से-कम 50,000 रुपए प्रतिमाह कमाते हैं। इसलिए जब वे मैटरनिटी होम आते हैं तो वे अधिक खर्च की परवाह नहीं करते, बल्कि पंचतारा सुविधा की उम्मीद करते हैं और संजय का अस्पताल उनकी उम्मीदों पर खरा उतरता है।

संजय ने धन-प्रबंधन के बारे में भी बहुत कुछ सीखा। हर मरीज चेक से भुगतान नहीं करता। कई व्यवसायी नकद भुगतान करते हैं। संजय को लगता है कि उसे अपनी सारी आमदनी आयकर विभाग को बताने की जरूरत नहीं है। इसलिए उसके पास कालाधन भी है और सफेद धन भी। शंकर इसे सँभालने में दक्ष है। उसे सख्त निर्देश हैं कि वह पैसे

के बारे में घर या बाहर कहीं बात न करे और उसे चुप रहने के लिए अच्छा भुगतान किया जाता है। शंकर सुनिश्चित करता है कि सिर्फ सफेद धन ही बैंक में जाए। एलेक्स की नई फैक्टरी में संजय का भी शेयर है। कालेधन का इस्तेमाल फैक्टरी को खरीदने और चलाने में किया गया। कालेधन से रिश्वत दी गई। मृदुला इन बातों से अनजान है और संजय उसे इस बारे में बताना नहीं चाहता। वह बैंक में कानूनी पैसों का हिसाब रखती है। संजय जानता है कि अगर मृदुला को कालेधन के बारे में पता चल गया तो वह इसका विरोध करेगी और इसे अनैतिक कहेगी। इसके अलावा वह कोई राज अपने पास नहीं रख सकती और अनीता को सबकुछ बता देती है। संजय नहीं जानता कि अनीता को कालेधन का पता है या नहीं। हालाँकि एलेक्स और वह अच्छे दोस्त हैं, वे व्यक्तिगत मामलों पर बात नहीं करते। संजय हैरान होता है कि महिलाएँ अपने सारे राज दूसरी महिलाओं को क्यों बताती हैं। उसकी माँ और बहन ऐसी नहीं हैं। लेकिन अलादाहल्ली की एक साधारण सी लड़की के लिए प्राइवेसी जैसी कोई चीज नहीं है।

एक दिन संजय एलेक्स से कहता है, ''हम प्रकृति से मिली चीजों की कद्र नहीं करते। हम बारिश के मौसम का रोना रोते रहते हैं, लेकिन मध्य पूर्व में ऐसे लोग हैं, जिन्होंने कभी बारिश नहीं देखी। हम एक मानसून पैकेज क्यों नहीं शुरू करते? हम मध्य पूर्व के अखबारों में उसका प्रचार कर सकते हैं। छोटे-मोटे और हलकी-फुलकी बीमारियोंवाले लोग मानसून में भारत आ सकते हैं, बारिश देख सकते हैं, खरीदारी कर सकते हैं, जंगल घूम सकते हैं और हमारे अस्पताल में उपचार करा सकते हैं। हम खूब पैसे कमा सकते हैं।''

एलेक्स इस बात पर हैरान है कि संजय किस तरह हर विचार को पैसे बनानेवाली योजना में बदल देता है। कभी-कभार वह सोचता है कि क्या यह वही संजय है, जिसे अपना परामर्श-शुल्क लेने में भी संकोच होता था। समय किसी को भी बदल देता है।

कुछ दिन बाद संजय एक मर्सीडीज बेंज खरीदने का फैसला करता है। मृदुला इसका विरोध करती है। वह कहती है, ''अनावश्यक और महँगी आदतें अच्छी नहीं।''

''मृदुला, मैंने बहुत मेहनत से पैसे कमाए हैं। जब मेरे पास पैसे नहीं थे तो मैं स्कूटर से चलता था। अब मुझे मर्सीडीज चाहिए। प्लीज मुझे रोकने की कोशिश मत करो।'' वह ऐसी बातों से उस पर दबाव बनाता है कि वह उसका फैसला मान लेती है।

एक दोपहर अनीता मृदुला के घर आती है। वह तनाव में लग रही है। मृदुला अनीता के कंधे पर हाथ रखकर पूछती है, ''क्या हुआ, अनीता?''

अनीता दौड़कर मृदुला के बेडरूम में चली जाती है। मृदुला उसके पीछे-पीछे जाती है, अनीता दरवाजा बंद कर लेती है। फिर वह रोना शुरू कर देती है। मृदुला परेशान हो जाती है। वह पूछती है, ''जूली ठीक है?''

''हाँ।''

''एलेक्स ने कुछ कहा?''

''नहीं।''

''गोवा और मंगलौर में सब ठीक है?''

''हाँ।''

मृदुला को समझ में नहीं आता कि और क्या पूछे। कुछ समय बाद अनीता का रोना बंद होता है और वह धीरे से कहती है, ''मृदुला, मैं तुम्हें एक व्यक्तिगत बात बताना चाहती हूँ। लेकिन मुझसे वादा करो कि तुम इसे अपने तक रखोगी।''

''बिलकुल अनीता।''

''तुम जानती हो कि मैं मंगलौर में अपनी कजिन की शादी में जूली के साथ गई थी।''

''हाँ, तुमने मुझे भी निमंत्रण दिया था, लेकिन मैं जा नहीं पाई?''

''एलेक्स शादी में नहीं आ पाया, क्योंकि वह नई फैक्टरी में व्यस्त है।''

''लेकिन इसमें गलत क्या है अनीता।''

''हाँ, मैं जानती हूँ। लेकिन जब मैं वहाँ से लौटकर आई तो मैंने स्नान करने की सोची। तुम्हें तो मालूम ही है कि मेरा बेडरूम किधर है।''

मृदुला को अनीता के घर का चप्पा-चप्पा पता है और वह वहाँ पर कई बार रुकी है। अनीता का दिल उसके घर में रहता है। वह पूरा दिन अपने घर की सजावट और सफाई में बिताती है। अनीता का बेडरूम बहुत बड़ा है और उसमें संगमरमर के टब के साथ एक विशाल बाथरूम है। उसके पास एक बड़ा सा ड्रेसिंग-रूम भी है।

अनीता आगे कहती है, ''मुझे गरमी लग रही थी और मैं स्नान करने बाथरूम में गई। उसके बाद जब मैंने हेयरब्रश निकालने के लिए ड्रेसिंग-टेबल का दराज खोला तो गलती से एलेक्स का दराज बाहर खींच लिया। तुम्हें पता है, उसमें मुझे क्या मिला?''

अनीता फिर से रोने लगी। सुबकते हुए वह बोली, ''कंडोम।''

''मैं समझी नहीं। इसमें गलत क्या है?''

''मृदुला बेवकूफों की तरह बातें मत करो। हम उनका इस्तेमाल नहीं करते। इसके अलावा पिछले दो महीने से मुझे लगातार ब्लीडिंग हो रही है और संजय मेरा उपचार कर रहा है। उसने तुम्हें बताया नहीं?''

''नहीं। संजय मुझे अपने मरीजों के बारे में नहीं बताता और मैं इस बात का सम्मान करती हूँ।''

''अब अपने आप को मेरी जगह पर रखकर देखो। मैं और क्या सोचूँ? तुम क्या करतीं?''

"अनीता, थोड़ा धीरज रखो। इतनी जल्दी किसी निष्कर्ष पर मत पहुँचो। क्या एलेक्स उस समय शहर में था?"

"हाँ, मैंने कुछ लोगों से पूछा तो पता चला कि वह बेंगलुरु में ही था। जब भी मैं बाहर जाती हूँ तो हम हमेशा अपने बेडरूम में ताला लगाकर रखते हैं। एक चाबी एलेक्स के पास है और मेरे पास डुप्लीकेट चाबी है। मैगी के पास कोई चाबी नहीं है।"

"क्या मैगी भी यहीं शहर में थी?"

"हाँ।"

"अनीता, क्या तुम्हें मैगी पर शक है या किसी और पर?"

"मृदुला, मुझे सच में नहीं पता। मेरा सिर चकरा रहा है। लेकिन मेरी छठी इंद्रिय कहती है कि कुछ गड़बड़ है।"

"तुमने एलेक्स से पूछा?"

"हाँ, उसने सेंट मारिया की कसम खाकर कहा कि वह इस बारे में कुछ नहीं जानता।"

"वहाँ कितने कंडोम थे?"

"दस की स्ट्रिप थी, लेकिन दो पंक्तियाँ खाली थीं। मृदुला ईमानदारी से बताओ, तुम्हारी राय क्या है?"

मृदुला चुप रह जाती है। वह जानती है कि अब वह जो भी कहेगी, उसका अनीता पर गहरा असर होगा। इसलिए वह सावधानी से कहती है, "जरूरी नहीं है कि हम जैसा सोच रहे हैं, वैसा ही हुआ हो। बिना सुबूत के हमें कुछ नहीं कहना चाहिए। तुम्हारे एक गलत कदम से तुम्हारा भविष्य प्रभावित हो सकता है। अनीता क्या तुमने एलेक्स के व्यवहार में कोई बदलाव महसूस किया?"

"मुझे नहीं पता। वह बहुत यात्राएँ करता है। लेकिन मैंने कभी जानने की कोशिश नहीं की कि वह दूसरी जगहों पर क्या करता है। मेरा दिमाग कहता है कि कुछ गलत हो रहा है, लेकिन मेरा दिल इस पर यकीन नहीं करना चाहता। बताओ, क्या तुम्हें कभी संजय पर इस तरह का संदेह हुआ है?"

"बिलकुल नहीं।"

"मृदुला, मैं अपनी दिमागी शांति खो चुकी हूँ। एक स्त्री सबकुछ सह सकती है, लेकिन यह नहीं। मैं इस डर को किसी के साथ नहीं बाँट सकती। एलेक्स की बहन बारबरा मेरी ही उम्र की है। अगर मैं उसे बताऊँगी तो वह मुझे ही दोष देगी। वह पहले ही कहती है कि मैं सज-धजकर नहीं रहती। मृदुला, बेवफाई, धोखा और झूठ भाइयों की तरह हैं। सभी झूठ बोलनेवाले धोखा नहीं दे सकते। लेकिन सभी धोखा देनेवाले झूठ बोलते हैं। सारे धोखा देनेवाले बेवफाई नहीं करते। लेकिन सभी बेवफा लोग धोखा देते

हैं। मैं एलेक्स को कई बार अपने बिजनेस के लिए झूठ बोलते देखा है। इसलिए मैं नहीं जानती कि उसके बारे में क्या सोचूँ। क्या संजय ने कभी तुमसे झूठ बोला है?''

लंबे समय में पहली बार मृदुला संजय के व्यक्तित्व के बारे में सोचती है। वह मानती है कि वह उससे हमेशा सच बोलता है। जब मृदुला उसके साथ ईमानदार है तो वह उससे झूठ क्यों बोलेगा? संजय के झूठ बोलने के विचार ने ही उसे असहज कर दिया। अनीता आगे कहती है, ''मृदुला, क्या तुम्हें पता है कि जब पुरुषों को उनकी जरूरत से अधिक पैसे मिल जाते हैं तो उन्हें अपनी बीवी बदसूरत नजर आने लगती है। वे सोचते हैं कि वे और बेहतर कर सकते थे। वे भूल जाते हैं कि जब उनकी बीवी ने उनसे शादी की थी तो वे कुछ भी नहीं थे और वह उनके सुख-दुःख में उनके साथ रही है।''

''जूली कहाँ है?''

''किस्मत से वह अब भी मंगलौर में है। मैं नहीं चाहती कि किसी और को इस बारे में पता चले।''

''अनीता, अपने नौकरों से सावधान रहो और पहले की तरह व्यवहार करती रहो। उन्हें कोई संदेह मत होने दो।''

''ठीक है। मैं अब भी विश्वास नहीं कर सकती कि एलेक्स ने मुझे धोखा दिया। कभी-कभी मुझे लगता है कि ये सभी समस्याएँ पैसे की वजह से हैं। अगर हमारी तय आय होती तो मैं सबकुछ जानती। लेकिन अब मुझे नहीं पता कि पैसा कहाँ से आता है और कहाँ जाता है। मृदुला, तुम मुझसे अधिक बुद्धिमान हो। क्या तुम भी ऐसा ही महसूस करती हो? तुम्हें नहीं लगता कि पैसा हमारे बच्चों पर असर डाल रहा है? मैं महसूस कर रही हूँ कि जूली थोड़ी जिद्दी होती जा रही है।''

मृदुला जानती है कि वह सही कह रही है। उसने ध्यान दिया है कि शिशिर काफी जिद्दी होता जा रहा है। वह अनीता से पूछती है, ''क्या तुम्हें लगता है कि एलेक्स पैसे के साथ बदल गया है।''

''मुझे ऐसा लगता है। मैं नहीं जानती कि वह कहाँ जाता है या क्या करता है। जब वह घर पर होता है, तब भी लगातार फोन पर व्यस्त रहता है। जब मैं इस घटना को लेकर रो रही थी और उससे बात कर रही थी, उसने तब भी कोई भावना नहीं दिखाई।''

अनीता फिर से रोना शुरू कर देती है, वह कहती है, ''मैं वाकई अपनी शादी को लेकर चिंतित हूँ।''

''अनीता, चिंता न करो। सबकुछ ठीक हो जाएगा। कृपया रोओ मत। मैं बहुत असहाय महसूस कर रही हूँ।''

''मृदुला, तुम मेरी बहन की तरह हो, इसीलिए मैं तुम्हारे सामने रो सकती हूँ। मैं

अब काफी हलका महसूस कर रही हूँ।''

हालाँकि मृदुला अनीता से दोपहर का भोजन करने का आग्रह करती है, लेकिन अनीता इनकार कर देती है और बिना खाए चली जाती है। मृदुला तनावग्रस्त और चुप-चुप सी हो जाती है। वह महाराजिन सकम्मा को नहीं बताती कि दिन के लिए क्या बनाना है। वह उसे कहती है कि वह अपनी इच्छा से कुछ भी बना ले। फिर वह अपने कमरे में चली जाती है। सकम्मा मृदुला का चिंतित चेहरा देखती है, लेकिन सोचती है कि अपने मालिकों की समस्याओं के बारे में सोचना उसका काम नहीं है।

अपने कमरे में मृदुला अनीता के बारे में सोचती है। उसे यह देखकर धक्का लगता है कि अनीता को किस परिस्थिति से गुजरना पड़ रहा है और वह नहीं जानती कि उसे कैसी प्रतिक्रिया देनी चाहिए। वह अपने जीवन के बारे में सोचती है और उसका विश्लेषण करती है—जो उसने पहले कभी नहीं किया है। क्या पैसा आने के बाद से संजय बदल गया है? क्या यह शिशिर को भी प्रभावित कर रहा है और उसे भी बदल रहा है? वह जानती है कि पैसा उनके जीवन में बहुत सारी सुविधाएँ लाया है, लेकिन उसने कभी उन मुश्किलों और बदलावों के बारे में नहीं सोचा, जो उसके साथ आए। जब उनके पास कम पैसे थे तो वह घरेलू सामानों की खरीदारी में शिशिर को साथ ले जाती थी और वे स्टोर में मजे करते। अब सामान खरीदने नौकर जाते हैं। वैसे भी उनका परिवार साथ में बहुत कम समय बिताता है? अगर मृदुला के स्कूल में छुट्टी होती है तो संजय दोपहर के भोजन के लिए घर आता है। वरना सब की मुलाकात शाम को ही होती है। उनके टेलीविजन, कंप्यूटर और दोस्त अलग-अलग हैं।

19

चाँदी की चम्मच

संजय का अस्पताल सौ बिस्तरोंवाला अस्पताल हो जाता है। उसमें एक कैंटीन और एक दवा की दुकान भी है। मृदुला ने शुरुआत में मांसाहारी भोजन का विरोध किया था, लेकिन संजय ने उसे झिड़ककर कहा था, ''यह कोई मंदिर नहीं है। हमें अपने मरीजों को वह हर चीज देनी पड़ती है, जो वे चाहें। आखिरकार वे हमें पैसे दे रहे हैं। कृपया मुझे नैतिकता का पाठ पढ़ाने की कोशिश मत करो।'' कभी-कभार संजय खुद कैंटीन में खा लेता।

ऐसी अफवाह है कि अस्पताल में सभी ऑपरेशन संजय करता है, लेकिन यह सच नहीं है। उसके पास उच्च वेतनवाले डॉक्टरों की टीम है, जो उतने ही सक्षम और

बेहतर हैं। लेकिन सभी ऑपरेशनों के दौरान संजय निगरानी रखता है। वह मरीजों से बात करने, उन्हें सुरक्षित महसूस कराने और उनका उत्साह बढ़ाने में माहिर है। अस्पताल में भी उसका कार्यालय है। वह जानता है कि सरकारी अस्पतालों में आप अनुभव से और गरीब मरीजों का उपचार करते हुए सीखते हैं, लेकिन निजी अस्पतालों में आपको नवीनतम शोधों और निष्कर्षों के बारे में पता होना चाहिए। शाम को मरीजों को देखने के बाद संजय एकाउंट की जाँच करता है। वह पैसों के मामले में किसी पर भरोसा नहीं करता, भले ही रोजमेरी भरोसेमंद है।

फिर वह घर आता है और अपने परिवार के साथ रात का भोजन करता है। सिर्फ यही समय वह शिशिर के साथ बिताता है। वह उससे हर तरह की बात करता है और शिशिर को उसके भविष्य के बारे में सलाह देता है। संजय के जीवन में मृदुला की कोई अहम भूमिका नहीं है। अस्पताल में रोजमेरी संजय की सहायता करती है। शंकर एकाउंट देखता है। सकम्मा खाना पकाती है और शिशिर उसका मनोरंजन करता है। संजय बहुत कम छुट्टी लेता है और जब भी वह विदेश जाता है तो सिर्फ बिजनेस के लिए जाता है। संजय कभी मृदुला से यह नहीं पूछता कि वह दिन भर क्या करती है या अलादाहल्ली में उसके परिवार का क्या हाल है। उसके लिए बातचीत समय को बरबाद करना है।

घर पर शिशिर के पास पहले तल पर एक आधुनिक शयनकक्ष और ऊपर के माले पर एक छोटा सा जिम है। उसके कमरे में जरूरत का हर सामान है—एयरकंडीशनर, टेलीविजन, वीडियो गेम स्टेशन और एक म्यूजिक सिस्टम। वह सिर्फ खाना खाने नीचे उतरता है।

एक दिन संजय रात के भोजन के समय शिशिर से बात करता है। वह कहता है, ''शिशिर, जब तुम मेडिसिन की प्रैक्टिस शुरू करोगे तो तुम्हारे पास एक इंफर्टिलिटी क्लीनिक और एक टेस्ट ट्यूब बेबी सेंटर होना चाहिए। बहुत से पैसे कमाए जा सकते हैं। निःसंतान दंपती अपने बच्चे के लिए कितना भी पैसा खर्च करने को तैयार रहते हैं। लेकिन यह याद रखना—निःसंतान माँ बहुत से डॉक्टरों से बात करती है और तुम्हें परेशान नहीं होना चाहिए। बच्चे की इच्छा उन्हें कई डॉक्टरों की राय लेने के लिए उकसाती है। तुम्हें उनकी कमजोरी का फायदा उठाकर पैसा कमाना चाहिए।''

मृदुला को पैसे के बारे में बात करना और अपने बेटे को ऐसा सुझाव देना पसंद नहीं। लेकिन वह कुछ कहती नहीं।

शिशिर प्रतिभाशाली है, वह मेडिकल प्रवेश परीक्षा में अच्छे अंकों से पास होता है। लेकिन वह अपनी ही दुनिया में है। कुछ दिन बाद वह अपने माता-पिता से कार की माँग करता है। मृदुला इसके खिलाफ है, क्योंकि शिशिर अब भी एक विद्यार्थी है और

वह चाहती है कि वह सार्वजनिक परिवहन का इस्तेमाल करे और एक सामान्य लड़के का जीवन जीए। लेकिन संजय कहता है, ''मृदुला, हमने इतना मुश्किल समय देखा है, क्योंकि हमारे पास जीवन आसान बनाने के लिए पैसा नहीं था। इस उम्र में बच्चों की ढेर सारी इच्छाएँ होती हैं। जब हम बड़े होते हैं तो वे इच्छाएँ लुप्त हो जाती हैं। इसलिए उसे कार खरीदने दो। तुम उसे रोकना क्यों चाहती हो?''

वे इसी तरह बहस करते हैं और अंत में हमेशा संजय कहता है, ''क्यों नहीं? हम इसका खर्च उठा सकते हैं।''

मृदुला परेशान है कि शिशिर के जीवन में कोई सादगी और अनुशासन नहीं है। वह शिशिर से बात करने की कोशिश करती है, ''मैं भी कभी छोटी थी और मेरे माता-पिता अमीर थे, वे मेरी हर इच्छा पूरी कर सकते थे। लेकिन मैं अपनी माँ की बात सुनती थी और सादगी से रहना सीखा।''

''अरे अम्मा, वह तुम्हारी अलादाहल्लीवाली पुरानी सोच है। यह बेंगलुरु के लिए कारगर नहीं है।'' संजय अपने बेटे की हाँ-में-हाँ मिलाता है, इससे मृदुला को बहुत दुःख होता है।

मृदुला की महाराजिन सकम्मा रोजाना अलग-अलग और स्वादिष्ट व्यंजन बनाती है। मृदुला को इतनी चीजों की जरूरत नहीं, लेकिन शिशिर खाने को लेकर बहुत नखरा करता है और उसके पिता उसका समर्थन करते हैं। संजय सकम्मा से कहता है कि वह शिशिर की पसंद का खाना बनाए। मृदुला शिशिर को सलाह देती है, ''तुम्हें समझौता करना चाहिए और खाने को लेकर शिकायत नहीं करनी चाहिए। जिद्दी होना अच्छी बात नहीं है।''

लेकिन शिशिर उसकी बात नहीं सुनता। सकम्मा अकसर शिशिर के कहने पर कोई मुश्किल सा भोजन बनाती, लेकिन उसके बनने के बाद वह उसे खाने से इनकार करता है और सिर्फ दूध के साथ चावल-रोटी खा लेता है।

सकम्मा सोचती है, ''इस घर में सिर्फ तीन लोग हैं, लेकिन मुझे इतना कुछ पकाना पड़ता है। शिशिर बहुत शैतान है, लेकिन मैडम अच्छी हैं और मेरा पूरा ध्यान रखती हैं। कभी-कभी शिशिर बहुत से दोस्तों को भोजन के लिए घर ले आता है और कभी-कभी अकेले खाता है। जब वह रात के समय देर से दोस्तों के साथ आता है तो मैडम मुझे घर भेजकर खुद खाना परोसती हैं।''

एक दिन मृदुला शिशिर का इंतजार कर रही होती है। सकम्मा ने बहुत सी चीजें बनाई हैं, जो सब शिशिर की पसंदीदा हैं। उसे रात के भोजन पर दोस्तों के साथ घर आना है। संजय भी शिशिर का इंतजार कर रहा है। रात को दस बजे सकम्मा चली जाती है और मृदुला शिशिर को फोन करती है। वह कहता है, ''सॉरी अम्मा, मैं आपको

बताना भूल गया कि आज मेरे दोस्त का जन्मदिन है और हम 'द लीला' में उसकी पार्टी कर रहे हैं। मैंने रात का भोजन कर लिया और अब घर के लिए निकल रहा हूँ।''

मृदुला आपत्ति करती है, ''लेकिन हम तुम्हारा इंतजार कर रहे थे। तुम्हारे पिता भी यहाँ पर हैं और उन्होंने भी कुछ नहीं खाया है।''

उसका बेटा बीच में ही बोल पड़ता है, ''अम्मा, मैं पहले ही सॉरी बोल चुका हूँ। मैं कुछ नहीं कर सकता।''

और फोन काट देता है।

मृदुला बहुत दु:खी है। उसे चिंता हो रही है कि वह इतने भोजन का क्या करेगी। घर पर सिर्फ दो लोग हैं। वह उसे फ्रिज में रख सकती है, लेकिन संजय को रोज ताजा खाना चाहिए और वह यह खाना कल नहीं खाएगा। वह सोचती है, ''शिशिर कोई बच्चा नहीं है। वह बड़ा हो चुका है। उसके लापरवाह रवैए से मुझे बहुत चिढ़ होती है।''

संजय उसकी ओर देख कर कहता है, ''मृदुला, कृपया अब तुम शुरू मत करना। वह अभी बच्चा है और मजे करना चाहता है। उसने तुमसे माफी भी माँगी।''

यह सुनकर मृदुला और नाराज हो जाती है। वह सख्ती से कहती है, ''तुम हमेशा उसका साथ देते हो। अगर उसे अभी अनुशासित नहीं किया गया तो वह कभी अनुशासन नहीं सीखेगा।''

''मृदुला, समय बदल गया है। अगर तुम उसे काबू करना चाहोगी तो वह घर छोड़कर जा सकता है और अलग रह सकता है। वह हमारा इकलौता बच्चा है। तुम्हें उसके साथ तालमेल बिठाने की कोशिश करनी चाहिए।''

''हमारी शादी को चौबीस साल हो गए हैं। क्या मैंने तुम्हारी हर इच्छा के साथ तालमेल नहीं बिठाया? क्या कभी तुमने मेरे साथ तालमेल बिठाने की कोशिश की? तुम्हें लगता है कि तुम जो भी चाहते हो, वह सही है और उसने यह बात तुमसे ही सीखी है।''

''हाँ, मैं सही सोचता हूँ। यही मेरी कामयाबी का राज है। तुम असली जिंदगी के बारे में क्या जानती हो? तुम्हारी दुनिया तुम्हारे स्कूल तक सीमित है। मेरे सहकर्मियों को देखो। वे अब भी सरकारी नौकरी में सड़ रहे हैं। लेकिन मुझे देखो। मैंने सही समय पर सही फैसला किया। मैं किसी की मदद के बिना कामयाब हुआ हूँ।''

मृदुला क्रोधित हो जाती है। उसके जवाब देने से पहले ही शिशिर की कार उनके ड्राइववे में घुसती है। इसलिए वह चुप रहती है। वे शिशिर के सामने नहीं लड़ते। यह एक अलिखित नियम है।

शिशिर सीटी बजाता हुआ अंदर आता है। उसके हाथ में पंद्रह महँगी कमीजें हैं।

वह कहता है, ''डैड, आपको ये कमीजें कैसी लगीं?''

''अच्छी हैं। तुम्हारी पसंद बहुत अच्छी है।''

लेकिन मृदुला अब भी नाराज है। वह गुस्से से कहती है, ''शिशिर, जब तुम्हारे पास घर पर ढेरों कमीजें हैं तो तुम्हें और खरीदने की क्या जरूरत आ पड़ी? मैं देखती हूँ कि मेरे स्कूल के कई गरीब बच्चे एक ही कमीज रोज पहनकर आते हैं। इतने शाहखर्च मत बनो।''

''माँ, आप उन्हें मेरी पुरानी कमीजें दे सकती हैं। मुझे इससे कोई ऐतराज नहीं है।''

''शिशिर, बात इसकी नहीं है। अनावश्यक चीजें खरीदने की आदत मत डालो। एक बार फैशन बदल जाने पर तुम इन कपड़ों को एक ओर रख दोगे। एक समय में कुछ ही चीजें खरीदने और उनका इस्तेमाल करने की कोशिश करो। तुम्हें बचत करना सीखना चाहिए। तुम नहीं जानते कब जीवन में कोई मुश्किल आ जाए।''

शिशिर के जवाब देने से पहले ही संजय की आवाज ऊँची हो जाती है, ''मृदुला, छोटी-छोटी चीजों के बारे में बहस मत किया करो। शिशिर बच्चा है और जीवन का आनंद उठाना चाहता है। मैं मेहनत करता हूँ और सुबह से रात तक पैसे कमाता हूँ। मैं उसके लिए भी पैसे कमा रहा हूँ। उसका मूड मत खराब करो। मैं घर आकर अपने परिवार के साथ समय बिताना चाहता हूँ, लेकिन तुम हमेशा कुछ-न-कुछ शुरू कर देती हो।''

मृदुला को लगता है मानो किसी ने बेटे के सामने उसके चेहरे पर तमाचा मारा हो। वह पलट जाती है ताकि उसके जीवन के दो पुरुष उसके आँसू न देख सकें और अपने बेडरूम में चली जाती है। शिशिर अब भी सीटी बजाते हुए ऊपर अपने कमरे में चला जाता है और संजय टेलीविजन पर न्यूज-चैनल सर्फ करना शुरू कर देता है।

एक बेटे और माँ के बीच का रिश्ता बेटी और माँ के रिश्ते से बहुत अलग होता है। जब बेटी बड़ी होती है तो वह माँ की दोस्त बन जाती है, लेकिन बेटा अजनबी बन जाता है। शिशिर अपनी माँ जैसा दिखता है, लेकिन उसकी आवाज, आदतें और सोच संजय की तरह हैं। वह किसी से भी अधिक जुड़ा हुआ नहीं है और कम उम्र में भी आदर्शवादी नहीं है। अपने बेडरूम में मृदुला सोच रही है, ''यह युवा पीढ़ी इतनी प्रैक्टिकल कैसे है?''

उसे याद आता है, जब उसने शिशिर और उसके दोस्त के बीच की बातचीत सुन ली थी। शिशिर अपने दोस्त को सलाह दे रहा था, ''मेडिकल साइंस में इन दिनों कोई फायदा नहीं है। और उससे भी अधिक हमें खूब मेहनत करनी होगी। लेकिन अगर हम इंजीनियरिंग पढ़कर सॉफ्टवेयर में कोई नौकरी ढूँढ़ लें तो हम पैसे कमा सकते हैं। कुछ

वर्ष बाद हम अपनी कंपनी शुरू कर सकते हैं। किसी सॉफ्टवेयर इंजीनियर से शादी करना हमारे लिए फायदेमंद होगा। मेरी माँ की कजिन सरला का पति प्रसन्ना करीब दो लाख रुपए मासिक कमाता है।''

मृदुला का ध्यान इस बात पर जाए बिना नहीं रहता कि उनका लक्ष्य सिर्फ पैसा और अधिक-से-अधिक पैसा कमाना है। पेशे की श्रेष्ठता पर कोई जोर नहीं है। मृदुला शिशिर के साथ इन चीजों पर बात नहीं करती। जब उसके मित्र घर आते हैं तो वे उसे कहते हैं, ''तुम बहुत किस्मतवाले हो कि तुम्हारे डैड की प्रैक्टिस इतनी बढ़िया चल रही है और तुम उनके इकलौते बेटे हो। तुम्हें हमारी तरह संघर्ष करने की जरूरत नहीं है। तुम तो पैदाइशी राजकुमार हो।''

कभी-कभी संजय भी शिशिर और उसके दोस्तों की बातचीत में शामिल हो जाता। शिशिर को अपने मशहूर पिता पर गर्व है। ये किशोर उसे बिना किसी हिचकिचाहट के उसे अपने मित्र की तरह देखते हैं और संजय को यह बात अच्छी लगती है। वे संजय का अभिवादन करके कहते हैं, ''हाय अंकल, क्या हाल-चाल हैं?''

मृदुला से वे सिर्फ भोजन के बारे में बात करते हैं। वे कहते हैं, ''कृपया मुझे अधिक चावल मत दीजिए'' या ''आपने हमारे लिए मीठा क्यों बनाया? उसमें बहुत कैलोरी होती है।'' मृदुला अलादाहल्ली के दिनों को याद करती है, जब भोजन की मेज पर हर कोई ढेर सारे विषयों पर बात करता था।

मृदुला बहुत पहले पढ़ी हुई बात याद करती है—''अगर बीस की उम्र में आप आदर्शवादी नहीं हैं तो आपके पास दिल नहीं है। और अगर आप चालीस में भी यह जारी रखते हैं तो आपके पास दिमाग नहीं है।'' वह सोचती है कि इन बच्चों के पास दिल नहीं है, जबकि संजय सोचता है कि उसके पास दिमाग नहीं है।

एक दिन संजय अपने बेटे को सलाह देता है, ''लोग कामयाब लोगों की इज्जत करते हैं। तुम्हें अपना ध्यान अपने लक्ष्य पर रखना चाहिए और उसके लिए मेहनत करनी चाहिए। याद रखना—जीवन में कोई दोस्त हमेशा के लिए नहीं होता। बल्कि आप जितने कामयाब होते हैं, आपके उतने ही दुश्मन होते हैं।''

''डैड, क्या सबसे ऊपर बने रहना संभव है?''

''किसी पर सीधे भरोसा मत करो। बहुत कम लोगों का विश्वास करो और नियमित रूप से उन्हें जाँचते रहो। अगर तुम हर किसी से अपना फायदा उठाने की उम्मीद करोगे तो तुम्हें पता चलेगा कि तुम्हारे आस-पास क्या हो रहा है और तुम निराश नहीं होओगे। पैसा सबसे महत्त्वपूर्ण चीज होती है। लगभग हर किसी की एक कीमत होती है।''

''आप ऐसा कैसे कह सकते हैं, डैड।''

"शिशिर, हर किसी की एक कीमत होती है, जिस पर वे अपने सिद्धांतों से समझौता करने को तैयार रहते हैं। कुछ के लिए वह दस हजार रुपए होता है, किसी के लिए दस लाख रुपए हो सकता है। पैसा अधिकतर लोगों की कमजोरी होती है। जब मैं स्कूल में था तो बच्चे मेरे हाथ के कारण मेरा मजाक उड़ाते थे। आज वही लोग मुझे सर कहकर बुलाते हैं।"

यह सुनने पर मृदुला अपने आप को रोक नहीं पाती, "तुम्हें ऐसी बातें नहीं करनी चाहिए। बच्चे छोटे और नादान होते हैं। उनका इरादा तुम्हें चोट पहुँचाने का नहीं था। बस तुम अलग थे और इसलिए वे तुम्हारे बारे में बात करते थे। जब मैं स्कूल में थी तो मेरे बाल लंबे और घने थे, हर कोई नागिन कहकर मेरा मजाक उड़ाता था। उस समय मैं दुःखी हो जाती थी, लेकिन अब मुझे उसके बारे में सोच कर हँसी आती है। अगर पैसा इतना ही महत्त्वपूर्ण है तो सभी अमीरों को सुखी होना चाहिए। लेकिन ऐसा नहीं है। हमारे नादान बेटे को ऐसी गलत चीजें मत सिखाओ।"

संजय शिशिर की ओर देखकर जवाब देता है, "मृदुला, पैसे के अभाव में जीने की असहायता बहुत पीड़ा देती है। तुम्हें ऐसा कभी नहीं महसूस हुआ, क्योंकि तुम हमेशा सुरक्षा में रही। तुम अपने स्कूल की प्रिंसिपल हो और तुम्हारे पास सारी शक्ति है। इसी लिए स्कूल में हर कोई तुम्हारी बात सुनता है। असल में तुम्हारे विचार अव्यावहारिक हैं।"

मृदुला अपमानित महसूस करती है और अपने कमरे में चली जाती है। उसे महसूस होता है कि वे एक साल से कम समय में विवाह के पच्चीस साल पूरे कर लेंगे, लेकिन वह नाखुश है। उसे ठीक-ठीक पता नहीं चलता कि वह बेचैनी क्यों महसूस कर रही है। उसे याद आता है कि संजय ने उससे कहा था कि वह अपनी आय का एक हिस्सा गरीबों के लिए दान कर देगा। लेकिन उसने ऐसा कुछ नहीं किया। वह जब भी पैसे दान में देता है तो अपना नाम उसके साथ जोड़ना चाहता है। केवल अमीर लोग ही उसकी फीस दे पाते हैं। वह एक नॉर्मल डिलीवरी के लिए भी 25,000 रुपए लेता है। उसने गरीबों की मदद के लिए क्या किया है?

❑

शिशिर का दिन, रात को आठ बजे शुरू होता है। वह अपनी माँ की सलाह पर कोई ध्यान नहीं देता कि उसे जल्दी सोना और जल्दी उठना चाहिए। बल्कि वह इस बात पर चिढ़ जाता है और कहता है, "बंद करो अम्मा। हम दोनों के विचार अलग हैं।"

शिशिर अपने पिता और दोस्तों से कहता है, "मेरी माँ ग्रामोफोन है। वह एक ही बात बार-बार दोहराती रहती है।"

कभी-कभी संजय इस बात पर मजाक उड़ाता है, "फिर सोचो मैं उसके साथ

कैसे रह रहा हूँ।''

कभी-कभी बाप-बेटे दोनों उसके बारे में इस तरह की बातें करते हैं, मृदुला को लगता है कि वे उसके बारे में वाकई ऐसा ही सोचते हैं। वह उनकी बातों को दिल से लगा लेती है और उनकी बातें उसे बहुत कष्ट पहुँचाती हैं। कभी-कभी शिशिर को महसूस होता है कि उसकी माँ बुरा मान गई है तो वह कहता है, ''अम्मा, डैड की तरह हँसी-मजाक सहन करना सीखो।''

संजय शिशिर की बात पर हँसता है। संजय जानता है कि वह दूसरों के साथ रूखेपन से पेश आ सकता है, लेकिन अपने बेटे के साथ नहीं। बेटा बड़ी उम्र में एक छायादार पेड़ होता है और माता-पिता को उस समय उसकी अच्छी देखभाल करनी चाहिए, जब वह पौधा ही होता है।

एक दिन शिशिर आलस में अपने बिस्तर पर पड़ा हुआ था। कोयल की आवाजवाली अलार्म घड़ी बताती है कि आधी रात हो चुकी है। संजय यह घड़ी जेनेवा से लेकर आया था। शिशिर को याद आता है, जब वह स्कूल के आखिरी वर्ष में अपनी पहली विदेश यात्रा पर गया था। हमेशा की तरह मृदुला ने इस यात्रा पर ऐतराज किया था। वह बोली, ''तुम्हें एक बच्चे को अकेले विदेश में छुट्टी मनाने नहीं भेजना चाहिए, जबकि वह खुद अभी निर्भर है।''

लेकिन शिशिर को कोई परवाह नहीं थी। उसने सोचा कि उसे इसी वजह से अकेले जाना चाहिए। वह अलग-अलग देशों को देखेगा और कम उम्र में ही काफी जगहों की संस्कृति को समझ सकता है। उसने सोचा, ''यात्रा भी एक तरह की शिक्षा होती है और हम इसका खर्च वहन कर सकते हैं। डैड ने खूब यात्राएँ की हैं और वह माँ से बेहतर दुनिया को जानते हैं।''

उसका फोन बजता है। यह नीता का फोन है। वह उसकी कक्षा में है और बहुत आधुनिक विचारोंवाले परिवार से संबंधित है। माँ को नीता की आधुनिकता पसंद नहीं है, लेकिन डैड को फर्क नहीं पड़ता। नीता पूछती है, ''हाय शीश, कल का क्या प्लान है?''

शिशिर जानता है कि नीता के दिमाग में कुछ चल रहा है। इसलिए वह जवाब देता है, ''क्यों?''

''लीला पैलेस में डिस्को के लिए चलोगे?''

वह थोड़ी देर चुप रहता है, फिर कहता है, ''काश मैं जा सकता, लेकिन मुझे कुछ काम है।''

''तुम ऐसा क्या कर रहे हो कि इतने व्यस्त हो? चलो भी शीश, तुम मेरे लिए एक शाम तक नहीं निकाल सकते? मैं तुम्हारी मदद के लिए आऊँ?''

''हाँ, तुम कर सकती हो। मैं माँ के साथ एक मंदिर जा रहा हूँ। तुम आओगी?''

शिशिर जानता है कि नीता को मंदिर जाना पसंद नहीं है और वह बच सकता है। वह सोचता है, ''मैं शायद ही कभी अम्मा के साथ बाहर जाता है। जब मैं बच्चा था तो उनके साथ अकसर मंदिर जाता था। लेकिन डैड हमेशा व्यस्त होते थे और कभी हमारे साथ नहीं आते थे।''

उसके म्यूजिक सिस्टम से मैटेलिका की धुन बिखरने लगती है और शिशिर नाचना शुरू कर देता है। उसे याद आ रहा है कि उसने अपने बचपन में अपने पिता के साथ बहुत कम समय बिताया है। उस समय उसकी माँ उसकी असली साथी थी। वह सोचता है, ''जब माँ नौकरी पर स्कूल जाती थी तो कांताम्मा अज्जी का परिवार मेरी देखभाल करता था।''

वह प्यार से कांताम्मा को याद करता है, जिसे वह प्यार से 'अज्जी' बुलाता था। वह बहुत अच्छी महिला हैं और उनके बाल सफेद हैं। उनके माथे पर एक बड़ा सा कुमकुम का टीका है, बालों में फूल और कलाइयों में काँच की चूड़ियाँ। उनकी रंगत साँवली है और वह हमेशा मुसकराती रहती हैं। वह कभी उनकी लाल चूड़ियाँ नहीं भूल सकता, क्योंकि वह उसे अपनी गोद में बिठाकर उन्हीं हाथों से रागी के कोफ्ते बनाती थीं। वह बहुत सालों तक उस तरह उनकी गोद में बैठा था। वह बहुत कम आभूषण पहनती हैं, लेकिन आकर्षक दिखती हैं। अब भी जब वह उनसे मिलने जाता है तो वह उसी प्यार से उसे गले लगाती हैं, जैसे कि वह अभी तक बच्चा हो। उसे कभी किसी दोस्त या रिश्तेदार से वैसा प्यार नहीं मिला।

ठंडी सर्दियों में भी वह गरमाहट से भर जाता है। वह लंबे समय से उनसे नहीं मिला। वह हर उगुडी और दीपावली पर मुनियप्पा और कांताम्मा से मिलने जाता रहा है, बस पिछली दीवाली पर नहीं जा पाया। वह अपने दोस्तों के साथ सिंगापुर गया था। वह सोचता है, ''अगले सप्ताह मुझे जाकर उनसे मिलना चाहिए और कांताम्मा के लिए एक उपहार ले जाना चाहिए। मैं माँ से कहूँगा कि उनके लिए एक अच्छी सी साड़ी खरीदें। पिछली बार मैंने डैड से कहा था कि मैं उन्हें सोने की दो चूड़ियाँ देना चाहता हूँ। लेकिन डैड ने कहा था, ''शिशिर, जब तुम अपने से कम अमीर लोगों को महँगे उपहार देते हो तो उनकी उम्मीदें बढ़ जाती हैं और तुम हर बार उनकी उम्मीदों को पूरा नहीं कर सकते। मैं मानता हूँ कि उन्होंने तुम्हारी बहुत अच्छी तरह देखभाल की है। लेकिन तुम्हें उन्हें ऐसा उपहार देना चाहिए, जो उन्हें अच्छा लगे, फिर भी उसे बोझ की तरह न लें। वैसे अगर तुम कहोगे तो मैं आज रोजमेरी से कहूँगा कि वह सोने की चूड़ियाँ खरीद लाए।'' डैड सही ही बोल रहे होंगे, क्योंकि उन्होंने दुनिया देखी है। मुझे समझ में नहीं आता कि अम्मा उनकी तरह क्यों नहीं सोच सकतीं।''

मेटेलिका के बाद यन्नी बजने लगता है और शिशिर को भूख लगने लगती है।

हालाँकि उसे घर का खाना पसंद है, लेकिन उसे हर कुछ दिनों पर अलग-अलग स्वाद का खाना पसंद है। मृदुला कहती है, ''घर का खाना सबसे अच्छा और सबसे स्वास्थ्यकारी होता है। जब तुम नहीं खाते तो मुझे दुःख होता है।''

इसलिए शिशिर को समझ में नहीं आता कि वह क्या करे। उसके पिता कहते हैं, ''अपनी माँ के सामने थोड़ा सा खाकर उसे खुश कर दो। फिर बाहर जाकर जो चाहो, वह खा लो।''

उसके जन्मदिन पर उसके पिता ने उसे एक नया क्रेडिट कार्ड दिया। अब उसके पास पूरी दुनिया की आजादी है।

जब किशोरावस्था में उसने सबसे पहले अपनी आजादी की माँग करनी शुरू की थी तो उसकी माँ डरकर रोने लगती थीं। उसे उनके लिए बुरा लगता था, लेकिन वह सोचता, ''किसी की खुशी के लिए मैं जिम्मेदार नहीं हूँ। मुझे अपनी पसंद का जीवन जीने का हक है।''

वह अपनी माँ के खिलाफ विद्रोह कर देता, लेकिन अपने पिता के खिलाफ नहीं। उसके पिता उसके दोस्त हैं, जिनसे वह लड़कियों समेत हर एक विषय पर बात कर सकता है। लेकिन उसकी माँ अलग हैं। वह सोचता है, शायद इसलिए क्योंकि वह बेकार से अलादाहल्ली में पली-बढ़ीं, जहाँ सबकी बात मानना एक गुण माना जाता है। शायद उन्होंने अपना पूरा बचपन हर किसी की बात मानते हुए बिताया है।

अगले दिन शिशिर को पेट्रोल के लिए कुछ पैसे चाहिए थे। जब उसने अपनी माँ से माँगे तो उन्होंने उसे दराज में रखे अपने पर्स से निकालने के लिए कह दिया। जब उसने उनका बटुआ खोला तो उसमें ढेर सारे रुपए थे, लेकिन उसने उतने ही निकाले, जितने की उसे जरूरत थी। वह अपनी माँ को बता देता है कि उसने कितने पैसे लिये। उसके कई दोस्त इस बात पर बहस करते हैं कि उसे अपनी माँ को इन सबके बारे में बताने की जरूरत क्या है, लेकिन शिशिर को यह बात पसंद नहीं। उसकी माँ ने उसे ईमानदारी और मेहनत के बारे में सिखाया है और ये गुण उसमें भी हैं।

जब वह दराज बंद करनेवाला होता है तो उसे एक फोटो अलबम नजर आता है। हालाँकि उसने कई बार वह देखा है, लेकिन अब उसे खोलने पर कुछ अलग सा लगता है। वह मन में कहता है, ''अम्मा पहले कितनी खूबसूरत थीं। अगर वह थोड़ी और लंबी होतीं तो वह मिस इंडिया प्रतियोगिता में हिस्सा ले सकती थीं। उन्होंने शिक्षिका और हाउसवाइफ बनकर अपनी खूबसूरती को व्यर्थ कर दिया। अगर मैं उनकी जगह होता तो मैं मॉडलिंग में जाता और डैड से कम समय में उनसे अधिक पैसे कमाता। वह लेडी डॉक्टर भी बन सकती थीं और डैड के साथ मिलकर कई और नर्सिंग होम खोल लेते। अम्मा भी मशहूर होतीं। उन्होंने सरकारी स्कूलों में बच्चों को पढ़ाने पर कितनी ऊर्जा खर्च की है।''

शिशिर दराज बंद कर देता है और पेट्रोल भरवाने के लिए अपनी कार गैस स्टेशन ले जाता है। उसके सहपाठी नीता और नरेन एक बार में पार्टी कर रहे हैं। चूँकि उन्होंने शराब पी थी, वे उसे घर छोड़ने के लिए बुलाते हैं। जब वह अंदर जाता है तो सरला आंटी, प्रसन्ना अंकल और उनकी बेटी डॉली को बीयर पीते देखकर हैरान हो जाता है। जब वह पिछली बार सरला आंटी से एक मंदिर में मिला था तो उन्होंने एक पारंपरिक नौ गज की साड़ी पहनी हुई थी और सोने के गहने पहने हुए थे। हालाँकि उसे महिलाओं के शराब पीने से कोई फर्क नहीं पड़ता, लेकिन सरला आंटी की दो अलग-अलग छवियाँ उसे धक्का पहुँचाती हैं।

उसे देखकर सरला आंटी पीली पड़ जाती हैं। लेकिन मुसकराते हुए कहती हैं, ''आओ बेटे, हमारे साथ बैठो।''

''नहीं आंटी, मैं पीता नहीं।''

''फिर तुम्हारा पहला पेग व्हिस्की का होगा,'' प्रसन्ना अंकल मजाक करते हैं।

''फिर मैं उस समय आपको साथ देने के लिए बुला लूँगा,'' शिशिर तुरंत उनसे विदा लेकर चल पड़ता है।

जब वह घर आकर अपने माता-पिता को इस बारे में बताता है तो संजय खुशी-खुशी कहता है, ''तुमने उन्हें ठीक जवाब दिया।''

हालाँकि उसकी माँ चिंतित हैं। वह जोर से कहती हैं, ''सरला क्यों पी रही थी? वह एक रूढ़िवादी परिवार की है। अगर उसकी माँ को पता चल गया तो वह बेहोश हो जाएँगी।''

मृदुला की बातों से शिशिर चिढ़ जाता है। वह बहस करता है, ''अम्मा, इसमें गलत क्या है? बार जाना गलत है या अपनी बेटी के साथ पीना गलत है?''

''वह एक औरत है और उसे नहीं पीना चाहिए।''

''किसने कहा कि पीने के लिए मर्द होना चाहिए।''

संजय बेटे का समर्थन करना चाहता है और कहता है, ''सरला ने मेहनत से बहुत पैसे कमाए हैं। उसे उसका आनंद उठाने का पूरा हक है।''

मृदुला चिढ़ जाती है, ''तुम्हारा क्या मतलब है? क्या मैंने मेहनत से पैसे नहीं कमाए हैं?''

संजय और शिशिर समझ जाते हैं कि अब तगड़ी बहस हो सकती है, इसलिए वे अपने-अपने कमरों में चले जाते हैं। शिशिर सोचता है, 'माँ और डैड इतने सालों तक साथ रहे, लेकिन कितने अलग हैं। शायद उनके पालन-पोषण और पेशे ने उनकी सोच को प्रभावित किया। खुदा का शुक्र है कि वे एक जैसे नहीं हैं। नहीं तो मेरे लिए मुश्किल हो जाती। इस तरह से मैं स्थिति के अनुसार माँ और डैड दोनों का फायदा उठा सकता हूँ।'

20
दुनिया के तौर-तरीके

अगले दिन अस्पताल जाते समय संजय मृदुला के बारे में सोचता है। वह जानता है कि वह कल रात की बात को लेकर नाराज़ है। हाल में उसने ध्यान दिया है कि वह अव्यावहारिक मुद्दों पर बात करती है। वह उसे कहती है कि वह अपने वादे के मुताबिक गरीब लोगों की मदद नहीं कर रहा है। वह अपने आप से कहता है, "हाँ, मुझे अपने वादे याद हैं, लेकिन उस समय मैं नासमझ था और उस समय किए गए वादे निभाने की मुझे जरूरत नहीं है। मृदुला यह बात नहीं समझती। असल में वह स्पष्टवादी है और उसके मन में जो आता है, वह खुलकर बोल देती है। आज की आधुनिक दुनिया में लोगों को यह बताने की जरूरत नहीं होती कि आपके मन में क्या चल रहा है। जब कोई हमें किसी शादी के लिए निमंत्रण देने आता है तो कभी-कभार वह तत्काल उसे बोल देती है कि हम शहर से बाहर होने के कारण उसमें नहीं आ पाएँगे। यह कितना अशिष्ट लगता है। वह कहती है कि वह स्पष्ट और ईमानदारी से बोलती है। लेकिन हर कहीं ईमानदारी की जरूरत नहीं होती। उसे यह बात समझ में नहीं आती।"

जब वह अस्पताल पहुँचता है तो रोजमेरी मुसकराहट के साथ उसका अभिवादन करती है और उसे एक सूची पकड़ाती है। जब संजय मरीजों और दिन के लिए उनके तय ऑपरेशनों की सूची देखता है तो उसे अपने पिता की बात याद आती है, "अपने मरीजों में ईश्वर को देखो।" हाँ, वह ईश्वर को देखता है—सिर्फ लक्ष्मी देवी को। उसके लिए हर मरीज आय का जरिया है। सरकारी अस्पतालों में मरीज डॉक्टरों पर निर्भर होते हैं। लेकिन निजी प्रैक्टिस में अगर वह और उसके डॉक्टर मरीजों की अच्छी देखभाल नहीं करेंगे तो वे दूसरे डॉक्टर के पास चले जाएँगे और अस्पताल के बारे में अफवाहें फैलाएँगे। यह नर्सिंग होम की प्रतिष्ठा धूमिल करने के लिए पर्याप्त है। कोई ब्रांड बनाने में कई वर्ष लग जाते हैं, लेकिन आप एक झटके में उसे खो सकते हैं। वह अपने व्यक्तिगत रिश्ते और पैसे को अलग रखता है। यही वजह है कि वह शंकर से एक दूरी बनाकर रखता है और शंकर यह बात समझता है।

उसका फोन घनघनाता है। रिसेप्शनिस्ट उससे कहती है कि डॉ. वसुधा लाइन पर हैं और उससे बात करना चाहती हैं। वह पहचान जाता है कि वह कौन है। इसलिए वह अपनी रिसेप्शनिस्ट से कहता है, "मैं व्यस्त हूँ। उसे दोपहर में फिर फोन करने के लिए कहो।"

बहुत से मरीज उसका इंतजार कर रहे हैं। वह मशीनी तरीके से उठता है और

अपने हाथ धोता है। चूँकि वह मशहूर हो गया है, दूसरे राज्यों के मरीज भी उससे इलाज करवाने आते हैं। कुछ लोग कहते हैं कि उसका स्पर्श जादुई होता है, लेकिन एलेक्स कहता है कि यह विक्रय कला में उसकी कुशलता है।

संजय के विचार उसे परेशान करते रहते हैं। काफी पहले भीमन्ना ने कहा था कि मृदुला की कुंडली ऐसी है कि उसका पति अमीर हो जाएगा। आज रत्नम्मा पूरे दिल से इस बात से सहमत है और गर्व से हर किसी से कहती है, ''मेरी पुत्रवधू हमारे परिवार के लिए सौभाग्य लेकर आई है।''

किसी सास के मुँह से ऐसी प्रशंसा सुनना बहुत दुर्लभ है।

हालाँकि लक्ष्मी की राय अलग है। उसका कहना है, ''मेरा भाई संजय मेहनती और प्रतिभाशाली डॉक्टर है। इसलिए वह कामयाब है।''

हैरानी की बात यह है कि मृदुला लक्ष्मी की बात से सहमत है, बावजूद इसके कि उन दोनों में नहीं पटती।

जल्दी ही मरीज अंदर आने लगते हैं और संजय मृदुला के बारे में भूल जाता है। जब तक वह अपने राउंड और ओ.पी.डी. निपटाता है, दो बज जाते हैं। उसे लगता है कि कैंटीन में खाकर वहाँ के खाने की गुणवत्ता जाँचनी चाहिए। रोजमेरी उसके डाइट आहार की व्यवस्था करती है। संजय अपने आहार को लेकर बहुत सजग है। हालाँकि उसकी उम्र पचास की हो चुकी है और सिर के एकाध बाल सफेद हो चुके हैं, लेकिन कोई उसके उम्र का सही-सही अंदाजा नहीं लगा सकता। उसके अधिकतर दोस्त उसके युवा दिखने से जलते हैं और उसे अपना राज बताने का आग्रह करते रहते हैं। संजय ''तुम्हारी दोस्ती'' कहकर टाल देता है, लेकिन वह जानता है कि नियमित व्यायाम और सही आहार एक बड़ा कारक है।

रोजमेरी रोजाना कैंटीन में ही खाती है। वह संजय और अपने पद का अंतर जानती है और अलग मेज पर खाती है। संजय इस व्यवहार से खुश होता है।

वह हेड नर्स है और जब मरीज उसे बेवकूफ बनाने की कोशिश करते हैं तो उसे तुरंत पता चल जाता है।

अपने पहले साल उसने एक बार एक मरीज से पैसे माँगे तो उसने कहा, ''मैंने दूसरी नर्स को पैसे दे दिए।'' रोजमेरी ने उसकी बात का विश्वास कर लिया, लेकिन एकाउंट्स जाँचने के बाद उसे पता चला कि उसने भुगतान नहीं किया है। कुछ मरीज उससे कहते, ''अरे, हम डॉक्टर को अच्छी तरह जानते हैं। उन्होंने हमसे कहा कि हमें पैसे देने की जरूरत नहीं है।''

इसलिए उसने एक हल ढूँढ़ निकाला। उसने फैसला किया कि वह संजय को गुलाबी और हरे पेपर स्लिप देगी। अगर उसने गुलाबी स्लिप पर हस्ताक्षर किए तो सिर्फ

परामर्श शुल्क मुफ्त था और अगर उसने हरे पर हस्ताक्षर किए तो मरीज को कुल शुल्क का आधा चुकाना होगा। चाहे मरीज उससे कुछ भी कहें, वह पेपर स्लिप के रंग के आधार पर उनसे पैसे लेती।

कुछ वर्ष बाद मरीजों ने नई चालें चलनी शुरू कीं। वे कहीं और ऑपरेशन करवाकर यहाँ ड्रेसिंग कराने आ जाते और कहते, ''आपका अस्पताल जख्म से खराब फाहा निकालना भूल गया था। इसीलिए मेरा जख्म ठीक नहीं हो रहा। मैं आप पर मुकदमा कर दूँगा।'' रोजमेरी ने संजय के साथ इन चीजों की चर्चा की और एक नया कंप्यूटर सॉफ्टवेयर डलवाया, जिसमें मरीज, ऑपरेशन और हर चीज का ब्योरा रखा जाता और मरीज का हस्ताक्षर ले लिया जाता।

दोपहर में डॉ. वसुधा फिर फोन करती है और संजय रिसेप्शनिस्ट को फोन देने के लिए कहता है। वसुधा कहती है, ''डॉ. संजय, मुझे पहचाना? मैं तीस साल पहले बी.एम.सी. में तुम्हारी सहपाठी थी।''

संजय उसे नहीं भूला है। यह वही वसुधा है, जिसने कहा था कि उसे संजय से सहानुभूति है, प्रेम नहीं। वह कहता है, ''माफ कीजिए, मैं अपनी तीन वसुधा नाम की सहपाठियों को जानता था। आप कौन हैं?''

''मैं तुम्हारे बैच में थी और संतोष की रिश्तेदार भी थी। मैं तुम्हारे घर भी आया करती थी।''

''हाँ, मुझे याद आया।''

''तुम बेंगलुरु में इतने लोकप्रिय हो। मुझे गर्व है कि हम अच्छे दोस्त हैं।''

स्वाभाविक है कि उसे वह इसलिए याद है, क्योंकि वह कामयाब है। वह जानबूझकर उसे नाम से नहीं बुलाता। वह कहता है, ''हाँ डॉक्टर, मैं आपके लिए क्या कर सकता हूँ?''

''मेरे पति रोटरी क्लब के सदस्य हैं। वे एक स्वास्थ्य शिविर शुरू कर रहे हैं और तुम उसका उद्घाटन करने के लिए सही व्यक्ति हो।''

संजय जानता है कि वह झूठ बोल रही है—वह या तो डोनेशन चाहती है या कोई काम संबंधी संपर्क। उसे विश्वास नहीं होता। हालाँकि वह फैसला करता है कि वह उद्घाटन में नहीं जाएगा। वह पूछता है, ''कब है उद्घाटन?''

वसुधा जानती है कि अगर वह उसे कोई तिथि बता देगी तो वह इनकार कर देगा। वह चतुराई से कहती है, ''तुम अपनी सुविधा से कोई भी दिन चुन सकते हो।''

अपनी डायरी खोले बिना संजय थोड़ा सा रुककर जवाब देता है, ''माफ करना, मेरी सेक्रेटरी कह रही है कि अगले दो महीनों तक मेरा कोई दिन खाली नहीं है। कृपया बाद में फिर फोन कर लेना।''

वह अशिष्ट नहीं दिखना चाहता। वह उससे पूछता है, ''तुम्हारे कितने बच्चे हैं?''

''मेरी दो बेटियाँ हैं। एक अपने आखिरी वर्ष में है और आर वी कॉलेज में कंप्यूटर साइंस इंजीनियरिंग की पढ़ाई कर रही है और दूसरी क्राइस्ट कॉलेज में कॉमर्स की पहले वर्ष की छात्रा है।''

वह उसकी आवाज में गर्व की झलक देख सकता है। वह कॉलेजों के नाम स्टेटस सिंबल के रूप में बता रही है। बदले में वह पूछती है, ''तुम्हारे कितने बच्चे हैं डॉक्टर?''

वह ध्यान देता है कि वह भी उसका नाम नहीं लेती।

''मेरा एक बेटा है—शिशिर। तुमने मेडिकल परीक्षा में टॉपर का नाम नहीं देखा? वह मेरा बेटा ही है, एस. शिशिर।''

वसुधा ने देखा था, लेकिन वह कहती है, ''सॉरी। मेरे दोनों बच्चे मेडिकल लाइन में नहीं हैं, इसलिए मुझे उस फील्ड में हाल में होनेवाली चीजों की जानकारी नहीं होती। तुम्हारी पत्नी क्या करती है?''

''वह बहुत प्रतिभाशाली है। शिशिर उसी पर गया है। वह मेरी तरह नहीं है।''

संजय यह नहीं बताता कि मृदुला क्या करती है और वसुधा के कोई और सवाल पूछने से पहले ही कहता है, ''ठीक है, डॉक्टर, फोन करती रहना। टेक केयर।''

वह फोन काट देता है। संजय को बुरा लग रहा है। हालाँकि शादी के समय मृदुला बहुत खूबसूरत थी, लेकिन वह डॉक्टर नहीं थी। अगर वह डॉक्टर होती तो उनके मतभेद कम होते। अब वह इस बात को पूरी तरह मानता है कि दंपती का एक ही पेशे में काम करना बेहतर होता है। वह शिशिर को भी किसी लेडी डॉक्टर से ही शादी करने का सुझाव दे रहा है। पति-पत्नी की टीम साथ मिलकर एक बड़ा बिजनेस एंपायर खड़ा कर सकते हैं। लेकिन शिशिर को कोई परवाह नहीं लगती।

घर पर शिशिर पिज्जा आने का इंतजार कर रहा है। समय काटने के लिए, वह शीशे के सामने खड़ा होकर खुद को निहारता है। वह जानता है कि वह खूबसूरत है और बहुत सी लड़कियाँ उसे पसंद करती हैं। उसके पास सबकुछ है—पैसा, शिक्षा और एक शानदार भविष्य। स्वाभाविक रूप से कोई भी लड़की उससे शादी करना चाहेगी। नीता भी उनमें से एक है। वह उसे कई-कई बार फोन करती है और उसकी माँ चिंता में पड़ जाती है। एक दिन मृदुला सलाह देती है, ''शिशिर किसी लड़की के साथ अधिक दोस्ती मत करो। तुम लड़के हो और कुछ उलटा-सीधा हो जाने पर कोई तुम्हें दोष नहीं देगा। लेकिन लड़की का नाम और भविष्य खराब हो जाएगा। हम पश्चिमी समाज में नहीं रह रहे हैं।''

इससे वह नाराज हो जाता है। वह उससे कुछ नहीं कहता लेकिन सोचता है, 'अगर लड़की को खुद परवाह नहीं है और उसके माँ-बाप खुद उसे मेरे साथ भेजते हैं

तो माँ क्यों परवाह करती हैं? समय बदल गया है, लेकिन वह अब भी पिछड़ी हुई हैं। सरला आंटी भी डॉली को मेरी ओर ठेलती रहती हैं और प्रसन्ना अंकल भी कम नहीं हैं। कभी-कभार वह मुझे दोपहर के खाने पर बुलाकर मुझे डॉली के साथ छोड़ देते हैं और कोई-न-कोई बहाना करके गायब हो जाते हैं। लेकिन मुझे उनके इरादे पता हैं। डॉली से अधिक बुद्धिमान और खूबसूरत बहुत सी लड़कियाँ हैं तो मैं उसकी चिंता क्यों करूँ?'

दरवाजे की घंटी बजती है। उसका पिज्जा आ गया है। शिशिर अपनी टी-शर्ट और शॉर्ट्स में ही नीचे चला जाता है। मृदुला पहले ही बिल का भुगतान कर रही है और नाराजगी से शिशिर की ओर देखती है।

21

दुःख की परछाईं

स्कूल में मृदुला की सहकर्मी अंबुजा सभी सहकर्मियों को अपने भतीजे की शादी में आमंत्रित करती है और आग्रह करती है कि हर किसी को आना है। उसके कमरे से बाहर जाते ही एक दूसरी सहकर्मी लीला कहती है, ''तुम्हें पता है अंबुजा कितनी चालाक है?''

मृदुला जवाब देती है, ''मैं समझी नहीं।''

''वह हमें अपने भतीजे की शादी के लिए बुलाती है, लेकिन अपनी भतीजी की शादी में नहीं, क्योंकि लड़के की शादी में भोज का खर्च दुलहन के घरवाले उठाते हैं, जबकि लड़की की शादी में उन्हें खुद खर्च उठाना पड़ता है।''

मृदुला ने कभी इस तरह से नहीं सोचा था और कभी-कभार उसे हैरत होती है कि वह दूसरे लोगों की तरह क्यों नहीं सोच पाती। वह लीला से पूछती है, ''तुम जाओगी?''

''जाना तो नहीं चाहती। लेकिन जाऊँगी।''

''अगर तुम जाना नहीं चाहती हो तो शादी में क्यों शामिल होने जा रही हो?''

''यह शिष्टाचार है।''

फिर मृदुला को 'शिष्टाचार' का अर्थ नहीं समझ में आता।

अंबुजा के भतीजे की शादी रविवार को है। लड़की और लड़का दोनों अमीर व्यवसायी परिवारों के हैं और उन्हें बधाई देने के लिए लोगों की लंबी लाइन लगी है। मृदुला भीड़ छँटने तक एक कोने में बैठने का फैसला करती है। अचानक वह लक्ष्मी को देखती है, वह उसे यहाँ देखकर हैरान है। वह उठकर लक्ष्मी तक पहुँचे, इससे पहले ही

लक्ष्मी भीड़ में गायब हो जाती है। उसने अच्छे कपड़े पहने हुए हैं और हीरे का सेट पहना हुआ है, जो तेज रोशनियों में चमक रहा है। अभी उसकी नजर मृदुला पर नहीं पड़ी है।

आमतौर पर जब भी लक्ष्मी मृदुला से मिलने जाती है, वह एक सादी सोने की चूड़ी पहने होती है। मृदुला के बगल में बैठी महिला उसे लक्ष्मी को देखते हुए देखती है तो कहती है, "क्या आप उस महिला को जानती हैं?"

मृदुला चुप रहती है। वह महिला आगे कहती है, "उसके गहने देखिए। बहुत खूबसूरत हैं। मैंने उसे हाल ही में आभूषणों की एक दुकान में कुछ खरीदते देखा था।"

"आप उसे कैसे जानती हैं?"

"हम एक ही चिट ग्रुप के सदस्य हैं। लक्ष्मी सबसे ऊँची चिट का भुगतान करती है। वह हर माह 20,000 रुपए डालती है।"

"अच्छा। क्या वह इतनी अमीर हैं?"

"आपने सुश्रुत नर्सिंग होम के डॉ. संजय का नाम नहीं सुना? यह उनकी बहन हैं। 20,000 रुपए उनके लिए कुछ भी नहीं हैं।"

चिट समूहों से मृदुला अनजान नहीं है, क्योंकि रत्नम्मा भी एक की सदस्य है। आखिरकार लक्ष्मी उसकी बेटी है। मृदुला सोचती है, "शंकर और लक्ष्मी इतनी बड़ी चिट का खर्च कैसे उठाते हैं? वे मल्लेश्वरम में एक किराए के मकान में रहते हैं। लक्ष्मी नौकरी भी नहीं करती है। हालाँकि मैं उससे छोटी हूँ, मेरी भारी सिल्क ब्रोकेड साड़ी और हलके गहने भी मेरे लिए बहुत हैं। लेकिन लक्ष्मी तो दुलहन की तरह सजी हुई है।"

अब तक भीड़ छँट चुकी है और मृदुला युवा जोड़े को बधाई देने के लिए उठ खड़ी हुई। वह नए जोड़े की ओर जाते हुए लक्ष्मी से टकरा जाती है। लक्ष्मी वहाँ मृदुला को देखकर स्तब्ध रह जाती है। वह किसी तरह शांत होकर कहती है, "अरे मृदुला, मुझे नहीं पता था कि तुम यहाँ आनेवाली हो। तुम दुलहन की तरफ से हो या दूल्हे की ओर से?"

"दूल्हे के।"

"अच्छा। मैं दुल्हन की ओर से हूँ। मैं आना नहीं चाहती थी, लेकिन उन्होंने आग्रह किया। तुम तो जानती ही हो कि यह सब कैसे होता है।" फिर लक्ष्मी अपनी आवाज धीमी करके कहती है, "मृदुला, तुम्हें तो पता है कि मेरे पास ज्यादा सोना नहीं है। इसलिए जब भी मुझे शादियों और समारोहों में जाना होता है तो मुझे बहुत शर्मिंदगी होती है। इन दिनों काफी सारे नकली गहने मिल जाते हैं, जो असली गहनों से अधिक चमकते हैं। मैं शादियों के समय पहनने के लिए एक नकली सोने का सेट लाई हूँ। हर किसी को लगता

है कि यह असली है। इसे देखो। ऐसा नहीं लगता है कि यह असली है?''

मृदुला को समझ में नहीं आता कि वह क्या कहे, वह चुप रहती है। वह सोचती है, ''मुझे उसे संदेह का लाभ देना चाहिए। चूँकि मुझे निश्चित तौर पर नहीं पता है, मुझे कुछ नहीं कहना चाहिए।''

जब मृदुला घर पहुँचती है तो फोन बज रहा होता है। दूसरी ओर रत्नम्मा है। संजय फोन उठाता है और स्पीकर फोन पर उससे बात करता है। रत्नम्मा कहती है, ''विधायक अधिकेशवैय्या हमारे गाँव में एक महिला कोऑपरेटिव बैंक शुरू करना चाहते हैं। सरकार भी ऐसी परियोजनाओं में मदद करती है। मेरे अनुभव के कारण वे मुझे अध्यक्ष चुनना चाहते हैं। मुझे इसके लिए दस लाख रुपए जमा करने हैं। मेरे नाम से इतनी राशि का एक डीडी भेज देना।''

संजय कहता है, ''मुझे थोड़ा समय दीजिए। मैं आपको फोन करूँगा।''

मृदुला को अजीब लगता है। वह हमेशा सोचती थी कि रत्नम्मा को पद या स्टेटस की परवाह नहीं होती। फोन आने के बाद से संजय चुप-चुप है। मृदुला उससे पूछती है, ''तुम्हें क्या लगता है? हमें क्या करना चाहिए?''

संजय जवाब देता है, ''मुझे नहीं लगता कि अम्मा को यह पद स्वीकार करना चाहिए। मैं बाद में उनसे बात करूँगा।''

मृदुला को अच्छा लगता है कि संजय भी उसकी तरह ही सोच रहा है।

हर साल मृदुला की ममेरी बहन सरला अपने घर पर बड़े पैमाने पर सत्यनारायण की पूजा करवाती है। उसके बाद वह तिरुपति के लिए एक लक्जरी बस की व्यवस्था करती है और अपने सभी नजदीकी रिश्तेदारों को इस ट्रिप के लिए न्यौता देती है। यह भीमन्ना के घर में 'पूर्णिमा' के उत्सव की तरह है। आमतौर पर भीमन्ना भी इस उत्सव में शामिल होते हैं। लेकिन अब वह अपना घर छोड़कर कहीं नहीं जाना चाहते। रुकमा बाई की मृत्यु के बाद वह जीवन में दिलचस्पी खो चुके हैं। हाल के सालों में, मृदुला का भाई कृष्णा और उसकी पत्नी वत्सला इस समारोह के लिए बेंगलुरु आने लगे हैं। वे घूमने-फिरने और खरीदारी करने के लिए एक सप्ताह पहले ही आ जाते हैं। हर वर्ष वे सरला के साथ उसके घर पर रहते हैं, इससे मृदुला को दुःख होता है। वे मृदुला से सिर्फ एक बार कुछ घंटों के लिए मिलने आते हैं, मानो वह कोई परिचित हो।

इस वर्ष मृदुला अपने दुःख पर काबू नहीं कर पाती। वह संजय से अपने विचार बाँटने की कोशिश करती है, ''वत्सला और कृष्णा को हमारे साथ रहना चाहिए। मैं कृष्णा की बहन हूँ। क्या उनसे मेरा रिश्ता सरला की तुलना में करीबी नहीं है?''

अखबार से सिर उठाए बिना संजय जवाब देता है, ''रिश्ते सिर्फ इसलिए नहीं चलते कि आपका खून का रिश्ता है, संपर्क में रहना भी होता है।''

''लेकिन मैं उसकी बहन हूँ?''

''लक्ष्मी भी मेरी बहन है। मैंने उसका कोई बुरा नहीं किया है। फिर भी वह कभी आकर हमारे साथ छुट्टियाँ नहीं मनाती।''

संजय चालाकी में अपनी माँ का नाम नहीं लेता, जो जानबूझकर बेंगलुरु आने से इनकार कर देती है।

मृदुला नहीं जानती कि संजय इस तरह उसे दोषी ठहरा रहा है या नहीं। वह दूसरों के सामने बहुत शिष्टता से व्यवहार करता है, लेकिन अपनी पत्नी के सामने उसके शब्द बहुत निर्दयी हो सकते हैं। मृदुला जवाब देती है, ''मैंने कभी लक्ष्मी को न आने के लिए नहीं कहा। वह लेडीज क्लब और चिट बैठकों जैसी चीजों में व्यस्त रहती है। दुर्भाग्य से हमारे शौक भी नहीं मिलते। हम दुश्मन नहीं हैं, लेकिन दोस्त भी नहीं हैं।''

''सरला और तुम कभी पक्की सहेलियाँ थीं। लेकिन वह भी हमारे घर नहीं आती। क्या हुआ?''

''सरला नौकरी में या घूमने में व्यस्त होती है। मैं कैसे उससे उम्मीद कर सकती हूँ कि वह आकर यहाँ घंटों बिताए।''

''सरला तुम्हारी तरह नहीं है। वह व्यावहारिक है। वह मेहनत करके पैसे कमाती है और दुनिया के तौर-तरीके समझती है।''

इस बात पर मृदुला को और दुःख होता है। संजय हर किसी की सराहना करता है, लेकिन उसकी नहीं। वह गुस्से में कहती है, ''मुझे लगता है कि मुझे तुम्हारी बहन की तरह होना चाहिए था और अपने पति के सारे पैसे खर्च करके उसे सड़क पर ले आना चाहिए था।''

संजय जवाब नहीं देता। वह मृदुला को उकसाना चाहता था और उसने वह कर दिया। वह सीटी बजाने लगता है। मृदुला आगे कहती है, ''लक्ष्मी अपने सारे पैसे चिटों में लगाती है। उसकी सहेली ने मुझे बताया। मैंने पिछले सप्ताह उसे एक शादी में देखा। उसने कम-से-कम दस लाख रुपए के गहने पहने हुए थे और मुझे बताया कि वह नकली गहने हैं।''

संजय आराम से कहता है, ''मृदुला, तुम्हें डॉ. रमैय्या से मिलना चाहिए।''

मृदुला विषय परिवर्तन से हैरान हो जाती है। वह भोलेपन से पूछती है, ''क्या तुम उस मशहूर ई.एन.टी. विशेषज्ञ की बात कर रहे हो? मैं उनसे क्यों मिलूँ? मुझे कोई समस्या नहीं है।''

''तुम्हें समस्या है। इसीलिए तुम्हें अपनी जाँच करानी चाहिए। सिर्फ इसलिए कि किसी ने तुमसे कहा कि वह चिटों में व्यस्त है, तुमने उसपर भरोसा कर लिया। मैं अपनी बहन को तुमसे अधिक समय से जानता हूँ। वह पैसों की परवाह नहीं करती। असल में

वह लोगों की मदद करना चाहती है और इस चक्कर में पैसे गँवा देती है। वह तुमसे झूठ क्यों कहेगी? अगर उसमें तुम्हारी तरह पैसे बचाने का शौक होता तो वह आज अमीर होती।''

मृदुला को बुरा लगता है कि उसके पति को अपनी पत्नी से अधिक अपनी बहन पर भरोसा है। वह एक सेकेंड के लिए भी यह सोचने के लिए तैयार नहीं है कि उसकी बहन भी कुछ गलत कर सकती है। इन सबके ऊपर वह पैसों की बचत के लिए मृदुला को ताना मारता है। लक्ष्मी अपने परिवार के बारे में कुछ भी सोचे बिना अपने ऊपर सारा पैसा खर्च कर देती है। मृदुला रोने लगती है, ''हमारे भविष्य के लिए बचत करके मुझे क्या इनाम मिला! मुझे खूब खर्च करना चाहिए था।''

संजय रोती हुई पत्नी के साथ बात नहीं करना चाहता और कमरे से चला जाता है। अचानक से मृदुला को अपने जीवन में एक खालीपन महसूस होता है। विशाल अस्पताल, यह बड़ा सा घर और उसके नौकर उसके लिए कोई मायने नहीं रखते। पैसे ने उसकी खुशी छीन ली है। वह अपने तरीके से अपने बेटे को पाल तक नहीं सकती। उसका पति उसे नहीं समझता। इस जीवन का क्या लाभ है?

उस रात संजय ठंडे कमरे के बावजूद सोने में असमर्थ रहता है। वह मन में सोचता है, 'मृदुला किसी भी बात पर मुझसे सहमत नहीं होती। उसके पास एक बढ़िया घर, नौकर, ढेर सारे पैसे, एक अच्छा बेटा और एक मशहूर पति है। उसके जीवन के दोनों पुरुष बुद्धिमान हैं और हमें कोई बुरी आदत भी नहीं है। लोगों को उससे ईर्ष्या होनी चाहिए।'

संजय उसके किसी भी मामले में खर्च करने पर हस्तक्षेप नहीं करता। फिर वह लक्ष्मी के बारे में सोचता है और उसे अपनी बहन के लिए बुरा लगता है। उसका पति अच्छे पद पर नहीं है और उनका बेटा अनिल भी पढ़ाई में बहुत अच्छा नहीं है। शिशिर ने गुप्त रूप से उसे बताया है कि अनिल एक चेन स्मोकर है और अकसर बार जाता है। लेकिन फिर भी लक्ष्मी खुश रहती है। वह छोटा-मोटा सोना या सिल्क साड़ी खरीदने पर भी उत्साहित हो जाती है।

उसे याद आता है, जब वह काम से चेन्नई गया था। वह वहाँ से दो सिल्क की साड़ी लाया था और उसने एक मृदुला को दिया था। वह उससे बोली, ''मुझे इन दिनों सिल्क साड़ियाँ पहनने का मन नहीं करता। जब मैं सोचती हूँ कि सिल्क कैसे बनता है तो मुझे रेशम के कीड़ों पर दया आती है। कितनी बरबादी है।''

इसलिए संजय ने दूसरी साड़ी छिपा दी और उसे लक्ष्मी को दिया, जिसकी खुशी का कोई पारावार नहीं था। उसने कई बार उसे शुक्रिया कहा और उसके बढ़िया रंग और कॉम्बिनेशन की बात की। उसने अगले समारोह में उसे पहनने का वादा किया।

संजय सोचता है, ''मृदुला को लक्ष्मी से जीवन जीना सीखना चाहिए।''

22

मीठा बदला

संजय का फोन घनघनाता है। उसे लगता है कि यह कोई इमरजेंसी कॉल होगी और वह अपने फोन की ओर तेजी से लपकता है। लेकिन यह फोन अस्पताल से नहीं है। यह एक फार्मास्यूटिकल कंपनी का निदेशक प्रकाश कामत है। इस विक्रय निदेशक को संजय जानता है। जब संजय सरकारी अस्पताल में नौकरी करता था, उस समय प्रकाश एक मेडिकल रिप्रजेंटेटिव था और डॉ. सरोजा को किताबें और सैंपल देने अकसर अस्पताल आया करता था। प्रकाश ने तब कभी संजय की ओर ध्यान नहीं दिया था। समय के साथ प्रकाश एक उच्च पद पर पहुँच गया और वह अगले कांट्रेक्ट पर बात करने के लिए संजय को फोन कर रहा था।

संजय जानता है कि बड़े सौदे और कांट्रेक्ट दोनों पक्षों के लिए फायदेमंद होते हैं। वह सोचता है, 'प्रकाश के उत्पादों की सिफारिश करने पर मुझे भी कुछ-न-कुछ लाभ होगा। अगर दो अलग-अलग कंपनियों के दो एक जैसे उत्पाद समान रूप से अच्छे हैं तो मुझे उसका पक्ष लेना चाहिए, जो मेरे लिए फायदेमंद हो। किसी भी व्यवसाय में लाभ-हानि की स्थिति शोषण के समान है। और अगर वह हानि लाभ है तो निरी मूर्खता होगी। मृदुला को ये पेचीदा बातें समझ नहीं आएँगी।'

प्रकाश कहता है, ''सर, आज आखिरी दिन है। कृपया अपना आखिरी निर्णय बता दें।''

''मुझे थोड़ा सोचने दो।''

''सर हमारा उत्पाद अच्छा है और उसके नतीजे भी अनुकूल रहे हैं। आपको चिंता करने की जरूरत नहीं है।''

''आपके लिए यह कहना आसान है। अगर कल कुछ गड़बड़ हो जाती है तो मरीज मुझे पकड़ेंगे, आपको नहीं।''

''सर, हमने उसका अच्छी तरह परीक्षण किया है।''

''फिर मैं फील्ड-ट्रायल के नतीजे देखना चाहता हूँ।''

प्रकाश कामत को लगता है कि संजय से सौदेबाजी करना आसान नहीं होगा। वह अपनी सेल्स की भाषा में बोलना शुरू करता है, ''सर, आप हर वर्ष हमारी कंपनी की कितनी दवाएँ इस्तेमाल करते हैं? हम आपको सबसे अच्छा डिस्काउंट देंगे। हम सीधे-सीधे डिस्काउंट नहीं दे सकते, लेकिन आपके लिए चार अंतरराष्ट्रीय ट्रिप या इसी तरह की कोई व्यवस्था कर सकते हैं।''

''केवल आपकी कंपनी ही नहीं है, जो मुझे विदेश भेज सकती है। दूसरी कंपनियाँ मुझे सीधा डिस्काउंट देना चाहती हैं। मैं डिस्काउंट के बाद अंतिम रकम जानना चाहता हूँ। कृपया अस्पताल को विवरण भेज दें।

जवाब का इंतजार किए बिना संजय फोन रख देता है। वह अपना अतीत याद करने लगता है—''एक समय ऐसा था, जब मैं स्पांसरशिप चाहता था और मेरा मामला उचित था। उस समय मैंने कितने सारे लोगों से संपर्क किया था—चिकनंजप्पा, स्वास्थ्य मंत्री का पी.ए. और भी कई लोग। मुझे याद है कि मैं असहाय होकर सरकारी कार्यालय के गलियारे में इंतजार कर रहा था। लेकिन आखिरकार अपने पिता के संपर्कों के कारण वह मौका डॉ. सुरेश को मिला। मैं उसी समय इस्तीफा देकर प्राइवेट प्रैक्टिस शुरू कर सकता था। पहले मेरे अंदर ऐसा करने की हिम्मत क्यों नहीं थी? क्या मुझे अपनी ही क्षमता के बारे में पता नहीं था?''

संजय अपने आप पर शर्मिंदा होता है। उसे एहसास होता है कि व्यक्ति का असली साहस उसके भीतर ही होता है, ''मैं ही अपना सबसे अच्छा दोस्त और सबसे बुरा दुश्मन हूँ। मैं जानता हूँ कि आज मेरे पास जो हिम्मत है, वह रातोंरात नहीं आई। जब मैं कामयाब होने लगा तो मुझमें अधिक-से-अधिक आत्मविश्वास आने लगा। एलेक्स ने मुझे पहला ब्रेक दिया, लेकिन आखिरकार कामयाबी मेरी है। फिर भी मेरी पत्नी मेरी इज्जत नहीं करती। अगर वह डॉक्टर होती तो उसे मेरे जैसे पति पर गर्व होता।''

संजय ठंडी साँस लेकर वापस अपनी दिनचर्या पर लौट जाता है।

अगली सुबह जब वह शेविंग कर रहा था तो उसकी नौकरानी उससे कहती है, ''आपकी पुरानी बॉस डॉ. सरोजा नीचे आपका इंतजार कर रही हैं।''

उसे याद आता है। यह वही डॉ. सरोजा हैं, जिन्होंने हर किसी के सामने उसे अपमानित किया था। केमपुनंजम्मा के केस में उन्होंने उसका नाम डाल दिया था, जबकि वह उसके लिए जवाबदेह नहीं था। उसके स्थानांतरण में भी उन्होंने बहुत कठोर व्यवहार किया था। वे घटनाएँ उसकी आँखों के सामने आ जाती हैं। वह सोचता है, 'मेरी स्थिति में कोई कमजोर इनसान उस समय आत्महत्या कर लेता। वह कैसे बेशर्मी से मेरे घर आने की हिम्मत कर सकती है?'

वह जानता है कि उन्हें कोई मदद चाहिए होगी। वह शांति से अपनी नौकरानी से कहता है, ''उन्हें बरामदे में इंतजार करने के लिए कहो। मैं स्नान करके उनसे मिलता हूँ।''

वह शेविंग करने में समय लगाता है, खूब देर में स्नान करता है और स्नानघर से बाहर निकलता है। मृदुला अंदर आकर कहती है, ''आज तुम तैयार होने में इतना समय

क्यों लगा रहे हो? एक बुजुर्ग महिला काफी देर से तुम्हारा इंतजार कर रही हैं।''

संजय उसे जवाब नहीं देता। वह जानता है कि वह नहीं समझेगी। मृदुला की दुनिया सिर्फ किताबों में है। पाठ्य-पुस्तकों में आदर्शवाद एक पंक्ति में आ जाता है और उसे पढ़ाने में एक मिनट लगता है। लेकिन असली जीवन में बहुत तरह के स्वार्थी लोग होते हैं। चतुर व्यक्ति वह होता है, जो उन सभी से निपटकर कम-से-कम टकराव में अपना काम करवा लेता है।

वह कमरे में अपना नाश्ता करता है और बाहर निकलकर देखता है कि डॉ. सरोजा उनकी खाने की मेज पर बैठकर खा रही हैं। उसे देखने के बाद वह उठ खड़ी होती हैं। मृदुला बताती है, ''वह बरामदे में तुम्हारा इंतजार कर रही थीं। मैंने उन्हें अंदर बुलाया और नाश्ता करने को कहा, हालाँकि वह इनकार कर रही थीं।''

संजय को मृदुला के मूर्खतापूर्ण आतिथ्य पर गुस्सा आता है। वह सोचता है, 'अगर डॉ. सरोजा अस्पताल आतीं तो मैं उन्हें एक बूँद पानी के लिए भी नहीं पूछता। उनका आतिथ्य करने का सवाल ही नहीं उठता। लेकिन अगर डॉ. कमला मुझसे मिलने आईं तो मैं कभी उन्हें इंतजार नहीं करवा सकता।'

वह अपनी भावनाएँ छिपा लेता है। मुसकराकर कहता है, ''तुमने ठीक किया, मृदुला।''

फिर वह डॉ. सरोजा की ओर देखकर धीरे से कहता है, ''कृपया संकोच न करें। मैं कभी आपका सहायक था।''

मृदुला माफी माँगकर रसोईघर में चली जाती है। डॉ. सरोजा संजय से बात करने लगती हैं। वह कहती हैं, ''संजय, मुझे तुम पर गर्व है। तुम कभी मेरे यूनिट में थे और मेरी टीम में तुम्हारा होना मेरे लिए गौरव की बात थी।''

दोनों जानते हैं कि यह बात दिल से नहीं कही गई है। संजय समय बरबाद नहीं करता। वह पूछता है, ''डॉक्टर, अब मेरा खयाल कैसे आया?''

संजय उसे 'मैडम' नहीं कहता, डॉ. सरोजा इस बात पर ध्यान देती हैं। वह कहती हैं, ''मेरी भतीजी की डिलीवरी तुम्हारे अस्पताल में हुई है।''

''आपकी भतीजी का नाम क्या है?''

''कमलाक्षी।''

''फिर मैं जाकर उनसे मिलता हूँ। अब जब मैं जानता हूँ कि वह आपकी रिश्तेदार हैं तो मुझे उन पर अधिक ध्यान देना होगा। डॉक्टर, नाम और इनसान जीवन में बहुत महत्त्वपूर्ण भूमिका निभाते हैं। मैं केमपुनंजम्मा का नाम नहीं भूला हूँ।''

डॉ. सरोजा भूल गई हैं या भूलने का दिखावा करती हैं। वह पूछती हैं, ''केमपुनंजम्मा कौन है?''

"आपको वह केस याद है, जब दो शिशुओं की अदला-बदली हो गई थी और अचानक बेवजह मेरा नाम उसमें जोड़ दिया गया था।"

"अरे, सरकारी अस्पतालों में कभी-कभार ऐसी चीजें हो जाती हैं।"

"लेकिन मैंने उससे एक अच्छा सबक सीखा—डिलीवरी से पहले, उसके दौरान और बाद में मरीज की देखरेख करनेवाले डॉक्टर का नाम जरूर लिखा जाना चाहिए।"

"यह बढ़िया तरीका है।"

"ठीक है डॉक्टर, फिर मिलते हैं।"

वह बातचीत बीच में ही काट देता है, क्योंकि वह उनसे और बात नहीं करना चाहता। उनके सामने वह अपनी बेंज कार में निकल जाता है। कार के जाने की आवाज सुनकर, मृदुला बाहर निकलती है। वह डॉ. सरोजा को एक उपहार और नारियल देकर विदा करती है और उन्हें ऑटोरिक्शा लेने में मदद करती है। उसे लगता है कि संजय ने डॉ. सरोजा को ऑटो स्टैंड पर छोड़ने का प्रस्ताव न देकर रूखा व्यवहार किया है।

जब संजय अस्पताल पहुँचता है तो रोजमेरी पैसे को लेकर किसी मरीज से बहस कर रही होती है। वह उसे अपने कमरे में बुलाता है। वह मरीजों के सामने पैसों की बात नहीं करता। रोजमेरी बताती है, "कमलाक्षी नाम की यह मरीज कहती है कि उसकी आंटी आपसे मिलती थीं और आपने फीस में छूट देने की सहमति दी है। मैंने उन्हें कहा कि स्लिप देखे बिना मैं कोई छूट नहीं दे सकती। इसलिए वह मेरे साथ बहस कर रही है।"

"यह बढ़िया है, रोजमेरी। वह केस जटिल था। उनसे सामान्य से अधिक पैसे लो।" वह इस तरीके से अपना गुस्सा निकाल सकता है और डॉ. सरोजा से सुबह के नाश्ते का हिसाब ले सकता है।

रोजमेरी सिर हिलाती है और कमरे से चली जाती है।

जब वह उस शाम को घर लौटता है तो मृदुला कहती है, "प्रकाश कामत तीन बार तुम्हें पूछ चुके हैं। वह कह रहे थे कि बहुत जरूरी बात है और तुम उन्हें फोन कर लो।"

संजय न सुनने का दिखावा करता है। फिर मृदुला ऊँची आवाज में कहती है, "तुम जवाब क्यों नहीं देते? उसे लगेगा कि मैंने तुम्हें फोन के बारे में बताया नहीं। तुम्हें हुआ क्या है?"

नाराज हुए बिना संजय जवाब देता है, "मुझे कुछ नहीं हुआ है। तुम्हें कोई समझ नहीं है। पता नहीं, तुम्हें पढ़ाई में अच्छे नंबर कैसे आए।"

"मैंने क्या किया?"

"कृपया यह जान लो कि प्रकाश कामत या डॉ. सरोजा मेरे रिश्तेदार नहीं हैं। उन्हें

मुझसे काम था। प्रकाश को मुझसे फायदा चाहिए और उसके लिए वह तीस बार मुझे फोन करेगा और दूसरी ओर तुम उन्हें नाश्ता और भोजन कराओगी, जैसे वे तुम्हारे रिश्तेदार हों।''

मृदुला चुपचाप रसोईघर में चली जाती है और संजय के लिए कॉफी लेकर आती है। वह कहती है, ''वे भले ही इस घर से बाहर तुम्हारे परिचित हों, लेकिन जब वे यहाँ आते हैं तो वे हमारे मेहमान होते हैं और मुझे अपना कर्तव्य निभाना होता है। मैंने कल प्रकाश के साथ तुम्हारी बातचीत सुन ली थी। क्या किसी दवा कंपनी से उनकी दवाओं की सिफारिश करने के लिए आर्थिक फायदा लेना गलत नहीं है?''

संजय धीरे-धीरे गरम कॉफी पीता रहता है। वह कहता है, ''इस दुनिया में कुछ भी काला या सफेद नहीं है। गाय अपने बछड़े के लिए दूध देती है। लेकिन हम वही दूध पीते हैं। यह गलत नहीं है? पेड़ों में जीवन होता है। लेकिन हम उन्हें काटकर उनकी लकड़ी का इस्तेमाल कर लेते हैं। क्या यह भी गलत नहीं है? मच्छरों और खटमलों के भी अपने जीवन-चक्र होते हैं। क्या उनके परेशान करने पर हम उन्हें मार नहीं डालते? बड़ी मछली हमेशा छोटी मछली को खाती है। सच है न?''

''मैं तुमसे बहस नहीं कर सकती। मैं बस यह जानती हूँ कि इस तरह दवाओं की सिफारिश करना गलत है।''

''प्रकाश कामत मेरी मदद इसलिए नहीं कर रहा, क्योंकि उसका दिल बहुत अच्छा है। अगर वह मुझे एक रुपए की छूट देगा तो खुद तीस रुपए कमाएगा। यह काम खत्म हो जाने के बाद प्रकाश मेरी ओर देखेगा तक नहीं, जब तक कि अगले सौदे की बात नहीं आती। अगर तुम आदर्शवादी, भावुक और संवेदनशील हो तो तुम बस स्कूल के शिक्षक बन सकते हो और कुछ नहीं। कामयाब होने के लिए कठोर होना पड़ता है।''

शिशिर सीढ़ियों से नीचे आता है। वह पिता से पूछता है, ''डैड, मैंने और मेरे दोस्तों ने हमारी कार में कोडाईकनाल जाने का फैसला किया है। आपको कोई आपत्ति तो नहीं है?''

''तुम जरूर मजे करने जाओ। लेकिन हमारी कार लेकर मत जाओ।''

मृदुला आगे कहती है, ''मुझे ठीक नहीं लगता कि तुम लड़के इतनी दूर कोडाईकनाल तक कार चलाकर जाओ।''

शिशिर उसे जवाब भी नहीं देता। वह स्वीकृति के लिए अपने पिता की ओर देखता है। संजय कहता है, ''शिशिर, मैं तुम्हें इस ट्रिप के लिए पैसे देने से मना नहीं कर रहा। मैं तुम्हें कार चलाने से भी मना नहीं कर रहा। लेकिन तुम्हारे दोस्तों को यह नहीं लगना चाहिए कि उन्हें तुमसे सबकुछ मिल जाएगा। उन्हें अपना फायदा मत उठाने दो।

तुम पैसे जमा करो, कोडाई रोड तक ट्रेन लो, वहाँ से टैक्सी करो और खर्च बाँट लो। यही व्यावहारिक है। वैसे फैसला तुम्हारा है।''

संजय जानता है कि जब भी वह शिशिर पर कोई फैसला छोड़ता है, वह अपने पिता की बात मान लेता है। लेकिन अगर संजय उसके साथ जबरदस्ती करता है तो शिशिर उसका उलटा करता है।

तो शिशिर एक सेकेंड के लिए रुकता है और कहता है, ''डैड, आप हमेशा की तरह सही हैं!''

संजय थोड़ा रुककर आगे कहता है, ''शिशिर, मैं जानता हूँ कि कुछ महीनों में तुम उच्च शिक्षा के लिए लंदन जा रहे हो। वहाँ पर तुम्हें अपने जीवन में पहली बार खुद ही सबकुछ सँभालना होगा। तुम्हें सीधा होना चाहिए, लेकिन बुद्धू नहीं। बलि के लिए हमेशा बकरे को ही चुना जाता है, बाघ को नहीं। क्योंकि बकरा एक छोटा सा और कमजोर जानवर है। कोई बाघ को छूने का साहस नहीं करता, क्योंकि वह ताकतवर है। इस दुनिया में हर रिश्ता उसकी उपयोगिता पर निर्भर करता है। अगर कोई व्यक्ति दूसरों के लिए उपयोगी है तो लोग उसकी मृत्यु पर शोक मनाएँगे। पढ़ाई में अच्छा करना अच्छी बात है, लेकिन उससे कामयाबी सुनिश्चित नहीं होती। अगर तुम्हारे पास व्यावहारिक बुद्धि नहीं है और तुम चालाक नहीं हो तो लोग तुम्हें रौंदते हुए आगे चले जाएँगे।''

मृदुला को संजय की सलाह अच्छी नहीं लगती। जब कोई बच्चा पहली बार घर से बाहर जाता है तो उसे प्यार देना, संवेदना और अच्छी आदतों का महत्त्व सिखाना जरूरी होता है। वह अपने आप को रोक नहीं पाती, ''शिशिर, जब परिवार की बात आती है तो तुम्हें अपने जीवन में शांति लाने के लिए प्यार देना और लेना पड़ता है। किसी भी रिश्ते में संवेदना लोगों को साथ बाँधकर रखती है। एक कामयाब व्यक्ति दूसरों पर हावी होता है और लोग सिर्फ शांति बनाए रखने के लिए उसकी बात मानते हैं। यही वजह है कि महान् सम्राट् शक्तिशाली थे। उनके पास ताकत थी और लोग उनसे डरते थे। लेकिन अपने निस्स्वार्थ और करुणामय स्वभाव के कारण बुद्ध बाकियों से अलग थे।''

शिशिर चकरा जाता है और चिढ़ जाता है। वह कहता है, ''अम्मा, मुझे आपके भाषण समझ नहीं आते। मुझे इतिहास का पाठ नहीं पढ़ना और कृपया मुझे उपदेश मत दीजिए। डैड, क्या आप मुझे नीता के घर छोड़ देंगे? वह बाद में मुझे वापस छोड़ देगी।''

संजय और शिशिर दो दोस्तों की तरह निकल जाते हैं और मृदुला पोर्च में अकेली खड़ी रह जाती है।

23

ताश के पत्तों का घर

छह महीने गुजर जाते हैं। अनीता मृदुला के घर आना छोड़ देती है। वह निराश, चुपचाप और मूडी हो जाती है। मृदुला चिंतित हो जाती है और उसे खुश करने की हर संभव कोशिश करती है। लेकिन वह अनीता को समझने या उसे सामान्य करने में सफल नहीं होती। अनीता अपना अधिकांश समय बाइबिल पढ़ने या चर्च जाने में बिताती है। वह शाकाहारी हो जाती है और अपने घर में सारी दिलचस्पी खो देती है। जूली बारहवीं पास कर लेती है और उसे दिल्ली के एल.एस.आर. कॉलेज में दाखिला मिल जाता है। इसलिए अनीता जूली के कमरे में अपना सामान ले जाती है और वहीं अपनी प्रार्थना करती है। एलेक्स और अनीता कभी-कभार ही बातचीत करते हैं। एलेक्स अपना अधिक समय अपनी नई कंपनी पर बिताता है और खूब यात्राएँ करता है। जब वह संजय से मिलता है, तब भी वे अपनी-अपनी व्यक्तिगत जिंदगी के बारे में कोई बात नहीं करते।

इस बीच लक्ष्मी और उसका परिवार बेंगलुरु में ही रहता है। लेकिन लक्ष्मी शायद ही कभी मृदुला से मिलती है। मृदुला को पता नहीं कि ऐसा जानबूझकर किया जाता है या नहीं, लेकिन वे लोग जब भी मिलते हैं, लक्ष्मी कोई गहने नहीं पहने हुए होती है। अकसर मृदुला संजय से कहती, ''लक्ष्मी और शंकर की उम्र बढ़ रही है। उनमें कमियाँ हैं लेकिन उन्हें बेंगलुरु में एक घर बनवा लेना चाहिए या अपार्टमेंट ले लेना चाहिए। संजय, तुम भले ही उन्हें घर खरीदने के लिए पूरे पैसे न दो। लेकिन कम-से-कम पिचहत्तर प्रतिशत रकम हम उन्हें दे सकते हैं। बाकी के लिए अनिल और शंकर लोन ले सकते हैं, ताकि उन पर पैसे बचाने और वापस देने की बाध्यता हो। उन्हें अपना पूरा वेतन छुट्टियों और गहनों पर खर्च नहीं करना चाहिए। भगवान् ही जानता है कि कितना असली है, कितना नकली।''

लेकिन संजय कभी कोई दिलचस्पी नहीं दिखाता। वह कहता, ''अनिल के पास एक अच्छी नौकरी है और उन्हें आत्मनिर्भर बनना सीखना चाहिए। हमें उन्हें अधिक निर्भर नहीं बनाना चाहिए।''

एक दिन शंकर अस्पताल के आधिकारिक कागजात पर संजय के हस्ताक्षर लेने के लिए स्कूटर पर आता है। मृदुला को बुरा लगता है, वह कहती है, ''संजय, मुझे नहीं पता कि वे अपना घर कब खरीद पाएँगे। तुम शंकर को एक कार क्यों नहीं खरीद देते? अस्पताल उसके घर से काफी दूर है।''

''तुम्हीं क्यों नहीं उसके लिए कार खरीद देती और उन्हें उपहार में दे देती? वे

बहुत खुश होंगे।''

मृदुला ऐसा ही करती है, लक्ष्मी बहुत खुश हो जाती है। वह कहती है, ''मृदुला, तुम मेरे लिए माँ से बढ़कर हो। मेरी माँ भी मेरा इतना खयाल नहीं रखती। मुझे नहीं पता कि मैं तुम्हें कैसे धन्यवाद दूँ। अब पुराने स्कूटर को अनिल इस्तेमाल कर सकता है।''

यह मानव स्वभाव है कि जब कोई आपकी मदद करता है तो बदले में कुछ अच्छे शब्द देनेवाले को बहुत खुशी देते हैं। मृदुला को खुश करना बहुत आसान है और वह लक्ष्मी की प्रतिक्रिया से बहुत खुश हो जाती है।

एक दिन मृदुला जयनगर फोर्थ ब्लॉक शॉपिंग कॉम्प्लेक्स में अपने ड्राइवर का इंतजार कर रही है। अचानक वह अनिल को एक कार चलाते देखती है, उसने वह कार कभी नहीं देखी। अनिल उसे नहीं देख पाता। वापस आकर वह संजय से कहती है, ''मैंने आज अनिल को एक दूसरी कार में देखा। मुझे नहीं पता था कि उसके पास कार है। लक्ष्मी ने मुझे बताया नहीं।''

''वह कंपनी की कार रही होगी। यह उसके और एलेक्स के बीच की बात है। मैंने एलेक्स से कहा था कि वह अनिल को नौकरी दे दे और अच्छा काम करे तो आगे रखे। मैं एलेक्स पर सिर्फ इसलिए कोई दबाव नहीं डालना चाहता कि अनिल मेरा भाँजा है। तुम्हें तो पता है कि मैं बिजनेस में कैसा हूँ। लेकिन हो सकता है कि लक्ष्मी को यह बात पता न हो।''

मृदुला को लगता है कि ऐसा ही होगा और वह इस विषय को भूल जाती है।

जीवन चलता रहता है। संजय चार दिनों के लिए एक अंतरराष्ट्रीय सम्मेलन में शामिल होने के लिए मलेशिया गया हुआ है। मृदुला को नई फार्मास्यूटिकल कंपनी के लिए कुछ दस्तावेजों के बारे में अस्पताल से एक जरूरी फोन आता है। वह क्लर्क से कहती है, ''मैं उन दस्तावेजों के बारे में कुछ नहीं जानती।''

''मैडम, यह फाइल आमतौर पर शंकर या अनिल के पास होती है। जब दोनों नहीं होते तो डॉक्टर ही इस फाइल को अस्पताल में रखते हैं। क्या आज मुझे वह मिल सकती है? यह बहुत जरूरी है।''

''ऐसा है तो आप रोजमेरी से कहकर उसे ले सकते हैं।''

''मैडम, रोजमेरी को डॉक्टर की अलमारी खोलने की इजाजत नहीं है। उसके पास चाबी है, लेकिन वह खुद उसे नहीं खोलती।''

आमतौर पर मृदुला 'आयुध पूजा दिवस' के अलावा कभी अस्पताल नहीं जाती। लेकिन उसे क्लर्क के लिए बुरा लगता है और वह कहती है, ''चिंता मत करो। मैं अस्पताल जाकर वह फाइल खोजती हूँ।''

कुछ साल पहले उनके अस्पताल में अनुराधा ने बच्चे को जन्म दिया था। बहुत

समय तक गर्भवती होने की प्रतीक्षा करने के बाद वह आखिरकार गर्भवती हुई थी और उसकी नॉर्मल डिलीवरी हुई। हर कोई खुश था। संजय ने इस केस में मदद की थी। मृदुला ने संजय से कहा, "कृपया अनुराधा से पैसे मत लेना। जब हमारे पास पैसे नहीं थे तो उन्होंने बिना किसी उम्मीद के शिशिर की देखभाल की थी। मुझे उनके पास बच्चे को छोड़ने में कभी हिचकिचाहट नहीं हुई।"

"ठीक है, मृदुला। जैसा तुम कहो। मैं उनसे एक रुपया भी नहीं लूँगा, जबकि यहाँ नार्मल डिलीवरी का शुल्क 50,000 रुपए है। मैं तुम्हारी भावनाओं का सम्मान करता हूँ।"

मृदुला खुश हुई कि कम-से-कम इस बार संजय ने उसकी बात सुनी।

शिशु के नामकरण समारोह में उसने अनुराधा के बच्चे को एक सोने की चेन दी। कांताम्मा ने उसका स्वागत किया और खासकर शिशिर के लिए रागी के लड्डू बनाए। जब मृदुला जा रही थी तो कांताम्मा ने उसे धन्यवाद दिया और कहा, "तुम्हारे पति एक अच्छे इनसान हैं। एक वरिष्ठ डॉक्टर होने के बावजूद वह आधी रात को डिलीवरी के लिए आए और हमें 10,000 रुपए की छूट भी दी।"

मृदुला भौंचक्की रह गई। उसने पुष्टि के लिए पूछा, "आपने कितने पैसे दिए?"

मुनियप्पा बोले, "बिल पचास हजार रुपए का था, लेकिन संजय ने दस हजार की लिखी हुई एक हरी परची हमें दी। इसलिए मुझे चालीस हजार रुपए देने पड़े।"

कार में बैठने के बाद मृदुला वितृष्णा महसूस करने लगी। उसने सोचा, "संजय उनसे पैसे कैसे ले सकता है? जीवन के इस चरण में चालीस हजार रुपए उनके लिए बहुत मायने नहीं रखते। यह तो बस उन्हें हमारा प्यार दिखाने के लिए था। क्या संजय को यह बात समझ में नहीं आती?"

जब वह घर लौटी तो संजय स्पीकर फोन पर रोजमेरी से बात कर रहा था। रोजमेरी ने पूछा, "डॉक्टर, मैं परिवहन सचिव की बेटी को कितनी छूट दूँ? उसे कल डिस्चार्ज करना है।"

"रोजमेरी, उनसे बिलकुल पैसे मत लो। एक कांप्लीमेंटरी परची लिखकर उन्हें एक अच्छा सा बुके भेज दो। वह बाद में हमारे बहुत काम आ सकता है।"

मृदुला के गुस्से का कोई पारावार नहीं था। उसके बात खत्म करने के बाद उसने पूछा, "तुमने अनुराधा से डिलीवरी के लिए पैसे क्यों लिये?"

अपनी आँखें झपकाए बिना संजय बोला, "क्योंकि अनुराधा बिल माँग रही थी।"

"हाँ, वह तो माँगेगी ही, लेकिन तुम्हें इनकार कर देना चाहिए था। तुमने गलत किया है।"

"उनसे पैसे लेने में क्या बुराई है? अनुराधा और अरुण बहुत अच्छी नौकरियों में हैं और दोनों की तनख्वाह कम-से-कम एक-एक लाख रुपए होगी। उनकी कंपनी इस पैसे का भुगतान करेगी। फिर भी मैंने दस हजार रुपए छोड़ दिए।"

"तो तुमने मुझसे झूठ क्यों बोला?"

"क्योंकि तुम नाराज हो जाती।"

"अब मैं और ज्यादा नाराज हूँ।"

"यह तुम्हारी समस्या है।"

संजय दूसरे कमरे में चला गया और फिर अपने ऑफिस में फोन करने लगा। उस दिन के बाद मृदुला ने आयुध-पूजा के दिन को छोड़कर अस्पताल जाना बंद कर दिया उसे लगा कि अस्पताल उसकी मदद के बिना चल सकता है। न उनकी बात का, न उसकी मौजूदगी का कोई महत्त्व था।

आज वह बहुत दिनों बाद अस्पताल आई है। हालाँकि रोजमेरी सिर्फ हेड नर्स है, वह संजय का दाहिना हाथ है। वह जानती है कि इनवॉयस कैसे बनाना है, किसे बिल देना है और अलग-अलग लोगों से कितना पैसा लेना है। वह जानती है कि संजय की गैरमौजूदगी में किन डॉक्टरों को बुलाना है। लेकिन रोजमेरी को अपनी हदें पता है संजय उसे अलमारी में रखे अपने व्यक्तिगत कागजात नहीं छूने देता।

मृदुला अस्पताल पहुँचकर रोजमेरी से चाबी माँगती है। रोजमेरी कहती है, "यह रही मैडम। लेकिन मुझे नहीं पता कि अलमारी में क्या है। मैंने कभी उसे नहीं खोला।"

मृदुला अलमारी खोलकर फाइल ढूँढ़ती है। उसे पहले बैंक की एक पासबुक मिलती है। वह हैरान हो जाती है, क्योंकि सभी पासबुक घर पर होनी चाहिए। जब वह उसे खोलती है तो उसे पता चलता है कि यह पासबुक मल्लेश्वरम में एक बैंक में संजय और लक्ष्मी के संयुक्त खाते की है। वह इस खाते के बारे में कुछ नहीं जानती। उसे तो लगता था कि वह संजय के सभी खातों की देखरेख कर रही है, जैसा उसे खुद संजय ने ही कहा था। खाते में पचास लाख रुपए हैं। राशि देखकर उसे हैरत नहीं होती, बल्कि इस बात पर होती है कि उसे अब तक यही लगता था कि उसके घर में उसकी जानकारी के बिना कुछ नहीं होता, खासकर क्योंकि यह एक अलिखित नियम है कि पैसोंवाले मामले मृदुला देखती है।

उस पल उसके भीतर कुछ टूटकर बिखर जाता है। जब भरोसे की नींव में दरार आती है तो शादी की इमारत कैसे बची रह सकती है? मृदुला को लगता है, मानो वह डूब रही है। उसके विचार उसे परेशान करने लगते हैं, "संजय मुझे बताए बिना कोई खाता कैसे खोल सकता है? पहले लेन-देन की तिथि पाँच साल पहले की है। मुझे पिछले पाँच साल से धोखा दिया जा रहा है और मुझे पता तक नहीं है। क्या यह भ

बेवफाई नहीं है? एलेक्स ने अनीता को एक तरीके से धोखा दिया और संजय ने मुझे दूसरे तरीके से। उसी ने कहा था कि मैं पैसे नहीं सँभालना चाहता। पैसों के मामले तुम देखो और मैं अस्पताल चलाऊँगा। यह सच है कि सेब पेड़ से ज्यादा दूर नहीं गिरता। जब मेरी सासू माँ इस उम्र में पैसों की लालसा रखती हैं तो उनके बच्चों से मैं क्या उम्मीद करूँ?''

मृदुला उस खाते के बारे में और जानकारी जुटाना चाहती है। रत्नम्मा को भेजे गए दस लाख रुपए के डीडी का दूसरा पन्ना और उसके साथ एक पत्र पर मृदुला की नजर पड़ती है। संजय ने अपनी माँ को पैसे भेजे थे, लेकिन उसने मृदुला को कहा कि वह पैसे नहीं भेजेगा। मृदुला को एहसास होता है कि वह आदतन धोखेबाज है। उसे अनिल को उपहार में दिए गए कार के कागजात मिलते हैं। उसे याद आता है कि संजय ने कितनी आसानी से कह दिया था कि वह कंपनी की कार थी। इसके अलावा संजय और लक्ष्मी के नाम पर पचास लाख रुपए का एक संयुक्त फिक्स्ड डिपोजिट भी है।

लेकिन सबसे जरूरी कागज सबसे नीचे पड़ा होता है। चार साल पहले संजय ने लक्ष्मी के लिए एक घर खरीदा और उसे किराए पर दिया गया। शायद लक्ष्मी हर महीने किराया इकट्ठा करती है और उससे कम किराए के मकान में रह रही है। इसके बाद मृदुला को चिकपेट में प्रतिभा ज्वेलर्स को दिए ढेर सारे चेक मिलते हैं, जो कुल मिलाकर पाँच लाख रुपए सालाना के हैं। अब मृदुला को पता चलता है कि लक्ष्मी ने जितने गहने पहने हुए थे, वह असली थे। वह हर साल लक्ष्मी को गौरी उत्सव पर दस हजार रुपए दे रही थी, लेकिन उसे पता नहीं था कि वह उसके पति से पाँच लाख रुपए ले रही थी।

एक पल के लिए वह लक्ष्मी पर नाराज होती है, मगर फिर उसे लगता है कि जब उसका पति ही उसे धोखा दे रहा है तो वह किसी और को दोष क्यों दे? ऐसी चीजों को किस बात ने बढ़ावा दिया? उसके भोलेपन, मूर्खता ने या संजय के चालाक स्वभाव ने? वह अलमारी को बंद तक नहीं करती और रोजमेरी से बात किए बिना वहाँ से चली आती है। वह जल्दी-जल्दी अपनी कार की ओर भागती है।

एक पल में मृदुला अपना आत्मविश्वास खो देती है। वह सूखी आँखों के साथ घर पहुँचती है और अपने ड्राइवर को पता नहीं लगने देती कि कुछ हुआ है। वह अपने बेडरूम में जाकर दरवाजा बंद कर लेती है। वह इतनी दु:खी है कि उसे रोना भी नहीं आता। वह हैरानी और गुस्से से भरी हुई है, ''मुझे यकीन नहीं हो रहा कि संजय ने मुझे धोखा दिया है। शादी के बाद से मैंने उसपर पूरा भरोसा और विश्वास किया है। मैं बाकी की जिंदगी उसके साथ कैसे बिताऊँगी? मुझे समझ में नहीं आ रहा कि मैं क्या करूँ।''

संजय मलेशिया से वापस आता है। जब वह घर पहुँचता है, उस समय देर रात हो चुकी होती है। उसे कोई कमी महसूस होती है, क्योंकि जब वह मृदुला के बगल में

लेटता है तो मृदुला उससे बात करने के लिए उठती नहीं। शिशिर भी घर पर नहीं है, क्योंकि वह अपने दोस्तों के साथ दिल्ली में है। अगली सुबह-सुबह ड्राइवर नंजा उसे बताता है कि मृदुला दो दिन से स्कूल नहीं गई है। कोई गड़बड़ जरूर है।

संजय सोचता है, ''मृदुला बातूनी है और विपरीत परिस्थितियों में भी चुप नहीं रहती। उसके साथ प्यार से बात करने पर वह फिर से सहज हो जाएगी। मैं अभी जाकर उससे बात करता हूँ। घर पर नौकर-चाकर होने के बावजूद वह हर सुबह मेरे लिए कॉफी और नाश्ता बनाती है। मेरी माँ और लक्ष्मी कभी अपने पतियों के लिए ऐसा नहीं करेंगी। शंकर को पता नहीं है कि अपनी पत्नी से सम्मान पाना क्या होता है।''

जब वह बेडरूम में जाता है तो मृदुला एकटक छत की ओर देख रही होती है और उसकी आँखों में आँसू हैं। संजय को देखते ही वह गेस्ट-बेडरूम में चली जाती है और दरवाजा अंदर से बंद कर लेती है। उसे कुछ भी कहने का मौका नहीं मिलता।

जब संजय नाश्ते के लिए खाने की मेज पर जाता है तो खाने के लिए कुछ नहीं होता। महाराजिन सकम्मा के आने पर वह उससे एक कप कॉफी बनाने को कहता है। वह उससे पूछती है, ''सर, आप नाश्ते में क्या लेंगे?''

''मुझसे क्यों पूछ रही हो? मैडम से पूछो।''

''नहीं सर, उन्होंने पिछले दो दिन से कुछ नहीं खाया है। मुझे तो चिंता हो रही है। मुझे लगता है कि उनकी तबीयत ठीक नहीं है। आपको देखकर मुझे राहत मिली।''

अब संजय चिंता में पड़ जाता है। पहली बार ऐसा कुछ हुआ है। वह उठकर मृदुला का दरवाजा खटखटाता है, लेकिन वह नहीं खोलती। वह नौकरों के सामने कोई तमाशा नहीं करना चाहता। इसलिए वह चुपचाप अस्पताल के लिए निकल जाता है और वहाँ रोजमेरी से मिलता है। वह कहती है, ''सर, मैडम को क्या हुआ है? मैं आपके घर फोन कर रही थी, लेकिन हर बार आंसरिंग मशीन चालू हो जाती है। वह कुछ दिन पहले कुछ कागजात लेने आई थीं और मैंने उन्हें आपकी अलमारी की चाबी दी थी। उसके बाद वह उसे बंद किए या मुझे बताए बिना सीधे यहाँ से चली गईं।''

वह संजय को चाबियाँ सौंप देती है। अब संजय को सबकुछ समझ में आ जाता है। मृदुला ने फाइलें देख ली हैं और उसे लक्ष्मी की संपत्ति के बारे में पता चल गया है। लेकिन उसे कोई चिंता नहीं है। वह सोचता है, 'मैंने क्या गलत किया है? लक्ष्मी मेरी बहन है और जब मेरे पास कुछ नहीं था तो मैं दो साल तक उसके घर में रहा था। उसका पति बेकार है, जो उसके लिए एक घर तक नहीं खरीद सकता। अनिल भी अच्छा बेटा नहीं है। इसके अलावा मैंने उसे सिर्फ कालाधन ही दिया है। मृदुला शिकायत करेगी कि मैंने उसे नहीं बताया। लेकिन मैं उसे सारी बातें क्यों बताऊँ? वह कहेगी कि हर किसी को अपने लिए पैसा खुद कमाना चाहिए। लेकिन यह उसका सोचना है, मेरा

नहीं। मैं संजय हूँ, बेंगलुरु का सबसे कामयाब डॉक्टर और मैंने पैसा अपने दम पर कमाया है। मुझे किसी को सफाई देने की कोई जरूरत नहीं है। मृदुला की नाराजगी के लिए मैं जिम्मेदार नहीं हूँ। उसे पैसों की कमी भी नहीं है। मुझे यह तय करने का हक है कि मैं अपने पैसों का क्या करूँ।'

शाम को अपनी कार में घर वापस जाते हुए संजय मृदुला के संभावित प्रश्नों का जवाब देने के लिए मानसिक रूप से तैयारी करता है। लेकिन जब तक वह घर पहुँचता है, मृदुला अपना सारा सामान गेस्ट-बेडरूम में ले जा चुकी है और दरवाजा अंदर से बंद है। कोई सवाल और आरोप नहीं—बस एक अजीब सी चुप्पी।

अगले कुछ दिनों तक जब तक संजय घर पर रहता है, मृदुला गेस्ट-बेडरूम में रहती है। उसे बिस्तर से उठने या बाल सँवारने या स्कूल जाने की इच्छा नहीं होती। उसे हर समय रोने का मन करता है और वह किसी से भी मिलना नहीं चाहती। उसे भूख भी नहीं लगती। वह बात करना चाहती है, लेकिन कोई ऐसा नहीं होता, जिससे वह बात कर सके। उसके पिता की उम्र हो चुकी है और वह उन्हें इन बातों से परेशान नहीं कर सकती। वह सिर्फ अनीता से अपना दुःख बाँट सकती है, जो खुद व्यक्तिगत समस्याओं से जूझ रही है। फिर भी मृदुला उसके पास जाने का फैसला करती है।

जब वह अनीता के घर पहुँचती है तो हर कहीं एक अजीब सी शांति है। अनीता उसे गले लगाती है और स्नेह से अपना हाथ मृदुला के कंधे पर रखती है। फिर वह कहती है, ''कोई-न-कोई बात जरूर है, जो तुम मुझसे मिलने आई हो। तुम परेशान लग रही हो। क्या बात है?''

अनीता की सच्ची परवाह महसूस करके मृदुला अब अपने आप पर काबू नहीं कर पाती और ऊँची आवाज में रोने लगती है। सुबकते हुए मृदुला उसे सारी घटनाएँ बताती है। अनीता मुसकराकर हलके से कहती है, ''मृदुला, रोओ मत। जो है, वह नष्ट जरूर होगा। संजय ने तुम्हें धोखा दिया है। मगर मैं मानती हूँ कि यह गलत पैसा लक्ष्मी के कोई काम नहीं आएगा।''

''अनीता, यह पैसों की बात नहीं है। पैसा कमाया और गँवाया जा सकता है। यह एक पत्नी का उसके पति पर विश्वास है। यह पैसे और सोने से अधिक कीमती है। भरोसे पर ही शादी चलती है और परिवार में खुशी लाती है। उसके बिना हमारे पास कुछ नहीं है। संजय कैसे उस भरोसे और विश्वास को तोड़ सकता है, जो मैंने उसपर किया था?''

''मृदुला, संजय पर तुम्हारा अधिकार नहीं है। उसका दूसरे लोगों से भी भावनात्मक जुड़ाव है। उसे हर किसी को खुश रखना है।''

''अनीता, मैं यह बात जानती हूँ। इसी कारण मैंने उसके परिवार के ठंडे व्यवहार

और उपेक्षा के बावजूद उनसे रिश्ता बनाए रखा। उसे मुझे अपने इरादों के बारे में बताना चाहिए था। वह जानता है कि अंत में मैं हमेशा मान जाती हूँ। उसने मुझे इस तरह धोखा क्यों दिया?''

''पैसा, औरत और जमीन, ये तीन चीजें किसी परिवार की खुशी पर ग्रहण लगा सकती हैं। हम दोनों को अलग-अलग तरीके से धोखा दिया गया है। भगवान् पर भरोसा रखने से ही तुम्हें शांति मिलेगी।''

''लेकिन कैसे? मुझे समझ में नहीं आ रहा कि मैं क्या करूँ? मुझे अपने घर में रहने का मन नहीं कर रहा। मैं संजय से बात भी नहीं करना चाहती। मुझे कहाँ जाना चाहिए? और शिशिर इन सबके बारे में क्या सोचेगा? कभी-कभी मेरा मरने का मन करता है, लेकिन मैं जानती हूँ कि यह हल नहीं है।''

''मेरी बात सुनो। भगवान् की शरण में जाओ। उससे प्रार्थना करो कि वह तुम्हें सही राह दिखाए।''

मृदुला को एहसास होता है कि अनीता से और कुछ कहने का कोई फायदा नहीं है, वह वहाँ से चली आती है।

उसका दुःख कम नहीं होता। वह जानती है कि उसे किसी अनुभवी व्यक्ति से बात करनी चाहिए, जो उसे बेटी की तरह प्यार करता हो। वह रोना और उस व्यक्ति को यह बताना चाहती है कि उसे छला गया है और वह कितनी दुःखी है। वह कांताम्मा से बात करने का फैसला करती है।

कुछ दिन बाद मृदुला कांताम्मा से मिलने जाती है। कांताम्मा उसका स्वागत करती हैं, ''आओ मृदुला, आओ। बहुत दिनों के बाद तुम्हें देख रही हूँ!''

मृदुला अंदर जाकर काउच पर बैठ जाती है। कांताम्मा मुसकराते हुए कहती हैं, ''शिशिर कैसा है?''

''अच्छा है।''

''मृदुला, तुम कमजोर लग रही हो। क्या कोई समस्या है बेटी?''

इन प्यार भरे शब्दों को सुनते ही मृदुला रोने लगती है। वह सबकुछ बताना चाहती है, लेकिन कोई चीज उसे रोक रही है। कांताम्मा पूछती हैं, ''मृदुला, तुम रो क्यों रही हो? क्या पति से लड़ाई हुई है? तुम्हारा पति तो बहुत अच्छा आदमी है। उसने तुमसे कुछ नहीं कहा होगा। वह तो बहुत कम बात करता है। क्या शिशिर ने कुछ कहा? अरे, इस उम्र में बच्चे ज्यादा बोलते हैं और उन्हें पता नहीं होता कि वे क्या बोल रहे हैं। उसे माफ कर दो।''

लेकिन मृदुला कुछ नहीं कहती। कांताम्मा उसके बोलने का इंतजार करती हैं। जब वह कुछ नहीं बोलती तो कांताम्मा उसके लिए कॉफी बनाती हैं और आगे कहती हैं,

"सुख-दुःख जीवन का एक हिस्सा है। लेकिन स्त्रियों में अधिक धीरज होना चाहिए। तभी घर पर शांति हो सकती है। सीता को देख लो। उसने कितना कुछ सहा, लेकिन कोई शिकायत नहीं की। द्रौपदी को देखो। जब खुद देवियों को इतना कुछ सहना पड़ता है तो हम क्या हैं? तुम जानती हो कि मेरे पति कैसे हैं। वह लंबे समय तक प्रिंसिपल रहे थे और घर पर भी सख्ती करते थे। मेरे बच्चों ने कभी परवाह नहीं की। लेकिन मुझे किसी भी हालत में उनकी बात माननी पड़ती थी।"

कांताम्मा की मान्यताओं से मृदुला को निराशा होती है। अब उसे पता है कि उसे समझौता करने के लिए कहा जाएगा। कांताम्मा उसका दुःख नहीं समझेंगी। लेकिन मृदुला की रुलाई रुक नहीं रही। कांताम्मा हलके से और दृढ़ता से कहती हैं, "रोना किसी समस्या का हल नहीं है। बहादुर बनो। ईश्वर तुम्हारे प्रति दयालु रहा है और डॉक्टर तुम्हारा सम्मान करता है। तुम्हारी सास भी तुम्हारे साथ नहीं रहतीं। दूसरे लोगों को देखो। अधिकतर लोगों की स्थिति तुमसे खराब है। तुम्हारे पास जो है, उसमें खुश रहो।"

मृदुला विषय बदलना चाहती है, वह पूछती है, "मुनियप्पा सर कहाँ हैं?"

"वह कोलार गए हैं। हमारे पास सौ भेड़ें थीं और उनका भाई उनकी देखभाल किया करता था। एक दिन जब हमने हिसाब-किताब के बारे में पूछा तो उनका भाई बोला कि भेड़ें मर गईं। हमें नहीं पता कि उसने उन्हें बेच दिया है या नहीं। मेरे पति देखने गए हैं। मैंने तुम्हारे सर से कहा कि भेड़ों के बारे में भूल जाएँ और किसी मुसीबत में न पड़ें, लेकिन वह मेरी बात नहीं सुनते। लेकिन मैंने ईश्वर से प्रार्थना की है कि वह उनका ध्यान रखे। अब तक हम पर उसकी कृपा रही है।"

मृदुला वहाँ अधिक देर नहीं रुक सकती। जब वह चलने को होती है तो कांताम्मा उसे फूल, एक ब्लाउज पीस और कुमकुम देती हैं। मृदुला उन्हें लेने में हिचकिचाती है। इसलिए कांताम्मा स्नेहपूर्वक कहती हैं, "आज शुक्रवार है और तुम महालक्ष्मी की तरह हो। जब तुम बेंगलुरु आई थी तो तुम्हारे पति के पास कुछ नहीं था। तुम उसके लिए सौभाग्य लेकर आई। यह कुमकुम तुम्हें देना अच्छा शगुन है। कृपया इनकार मत करो।"

कांताम्मा के स्नेह से मृदुला की आँखें भर आती हैं और वह उपहार स्वीकार कर लेती है।

वह उसी टूटे हुए दिल के साथ घर लौटती है। घर में घुसते ही उसे फोन की घंटी सुनाई देती है। फोन पर सरला है। उसके बुजुर्ग माता-पिता हुबली से आए हुए हैं और मृदुला से मिलना चाहते हैं। सरला आग्रह करती है कि वह जरूर आए, और कहती है कि वह उसे लाने के लिए सतीश को भेज रही है। मृदुला की कहीं जाने की इच्छा नहीं है, लेकिन सरला के जोर देने पर वह तैयार हो जाती है।

कुछ घंटे बाद सतीश मृदुला को लेने आता है। जब दरवाजे की घंटी बजती है तो वह रो रही होती है। वह जल्दी-जल्दी अपना चेहरा धोकर दरवाजा खोलती है। संवेदनशील सतीश भाँप जाता है कि वह रो रही थी, लेकिन वह वजह नहीं पूछता। वह पूछ भी नहीं सकता। अब उनके बीच एक दूरी है। उसे याद आता है कि मृदुला जब युवती थी तो हम एक-दूसरे को सारी बातें बताते थे, सिर्फ उसे यह नहीं बताया कि मैं उसे प्यार करता था। लेकिन आज वह किसी की पत्नी है।

सतीश कहता है, ''मृदुला, तुम्हें आज लंच के लिए चलना पड़ेगा।''

मृदुला जाने के मूड में नहीं है। वह पूछती है, ''सतीश, तिरुपति की तैयारियाँ कैसी चल रही हैं?''

''अच्छी। प्रसन्ना ने भगवान् के दर्शन सहित सारे काम लोगों को सौंप दिए हैं। इसलिए हमारे करने के लिए कुछ खास नहीं है।''

''तुम लोग तिरुपति कब पहुँच रहे हो?''

''सुबह-सुबह, लेकिन शैला और मैं सीढ़ियाँ चढ़कर जाएँगे।''

''क्यों?''

हिचकिचाते हुए सतीश कहता है, ''पिछले साल शैला बीमार थी और मैंने मन्नत माँगी थी कि उसके ठीक होने के बाद मैं सीढ़ियाँ चढ़कर तिरुपति जाऊँगा।''

''तब तो तुम्हें ऐसा करना चाहिए, लेकिन शैला क्यों सीढ़ियाँ चढ़ेगी?''

सतीश शरमाते हुए कहता है, ''अरे मृदुला। वह मेरी पत्नी और अर्द्धांगिनी है। मैं अकेले कैसे जा सकता हूँ? वह जानती है कि मैं उसके बिना ऊब जाता हूँ।''

मृदुला सोचती है, ''इनकी शादी में बीस साल के बाद भी एक-दूसरे के लिए आकर्षण है।'' पहली बार मृदुला को ईर्ष्या होती है। वह उनकी जिंदगी के बारे में जानना चाहती है। वह पूछती है, ''क्या तुम लोग सभी काम साथ मिलकर करते हो?''

''हाँ, शैला भी काम पर जाती है। इसलिए हम घर के काम आपस में बाँट लेते हैं।''

''तुम लोग अपने खर्चों का हिसाब-किताब कैसे करते हो?''

सतीश इस सवाल से हैरान होता है। वह धीरे से कहता है, ''हम तुम्हारी तरह अमीर नहीं हैं, मृदुला। हमारा गुजारा हमारी मासिक तनख्वाह से चलता है। हम एक साथ अपने खर्चों का हिसाब लगाते हैं, कुछ बचत करते हैं और बाकी खर्च करते हैं। हमारी दो बेटियाँ हैं। उन्हें घर के काम सीखने हैं। आत्मनिर्भर होना सीखना जरूरी है। मेरी दोनों बेटियों को कुछ काम सौंपे गए हैं और उसके लिए उन्हें पैसे मिलते हैं।''

मृदुला चुप हो जाती है। ऐसी चीजें उनके घर में नहीं चलेगी, क्योंकि संजय सबकुछ खरीद सकता है। सतीश आगे कहता है, ''हम हर सुबह पैंतालीस मिनट तक

टहलने जाते हैं और घरेलू मसलों पर बात करते हैं। फिर हम घर पर योग करते हैं। शाम को डिनर के बाद हम अपने दिन के बारे में एक-दूसरे को बताते हैं। इतने सालों में शैला मेरी सबसे अच्छी दोस्त रही है।''

''वाकई?''

''हाँ, यह सच है। मेरे माता-पिता बुजुर्ग हैं और अपनी ही दुनिया में रहते हैं। बेटियाँ भी समय के साथ चली जाएँगी। मैं और शैला एक-दूसरे के दोस्त हैं। यह सबसे बड़ा सच है। तुम्हें याद है, जब हम छोटे थे तो साथ मिलकर यक्षप्रश्न पढ़ा करते थे?''

मृदुला को याद है, लेकिन वह ना कर देती है। वह सतीश से और सुनना चाहती है। सतीश आगे कहता है, ''उसमें एक प्रश्न है—किसी पुरुष और स्त्री का सबसे अच्छा दोस्त कौन है? उसका उत्तर है—पत्नी का उसका पति और पति का उसकी पत्नी। अब मैं इस बात से सहमत हूँ। पति और पत्नी को एक-दूसरे के साथ सारी बातें करनी चाहिए और आपसी विवादों को बैठकर सुलझाना चाहिए। वरना रिश्ता आगे कैसे बढ़ पाएगा? परिवार में खुशी कैसे आएगी?''

मृदुला इस मन:स्थिति में सरला के घर लंच पर न जाने का फैसला करती है। पहली बार वह किसी दूसरे पुरुष के बारे में सोच रही है। सतीश के जाने के बाद वह सोचती है, ''अगर मैंने सतीश से शादी की होती तो मैं आज जितनी अमीर नहीं होती, लेकिन मेरा जीवन संतुष्ट होता। अगर मेरे संजय से मिलने से पहले सतीश ने अपना प्रेम जता दिया होता तो शायद स्थितियाँ अलग होतीं। पैसे और खुशी में कोई संबंध नहीं होता। सच यह है कि सतीश बाँटने में विश्वास करता है और संजय नहीं—चाहे वह भावनाएँ हों या दु:ख। लेकिन सतीश संतुष्ट है। इसीलिए वह आज भी एक प्रोफेसर है। एक संतुष्ट आदमी खुशी बाँटता है। संजय जैसा असंतुष्ट आदमी अशांति बाँटता है।''

मृदुला अलादाहल्ली की किसी कोयल सा महसूस करती है। कोयल के आस-पास आम पकते रहते हैं, लेकिन वह उसे खा नहीं पाती। शायद कोयल वाकई असंतुष्ट है।

मृदुला धीरे से एक गहरी साँस लेती है।

24

मौन रुदन

मृदुला अपने काम करने के लिए या घर की देखभाल के लिए सुबह जल्दी उठना छोड़ देती है। वह छोटी-छोटी बातों पर रो देती और हमेशा निराशा में रहती। वह संजय के काम पर जाने के बाद उठती, स्नान करके बरामदे में बैठ जाती और आकाश की ओर

देखती। वह हर किसी से क्रोधित हो जाती और याद करती कि जब उनके पास पैसे नहीं थे, तब वह कैसे घर चलाती थी। उस समय मृदुला आय-व्यय के बारे में सबकुछ जानती थी। अब वह नहीं जानती कि वह क्या सोचे। अब तक संजय ने उसकी जानकारी के बिना उनके संयुक्त खातों से कोई पैसा नहीं निकाला। उसे यह भ्रम था कि सारे वित्तीय लेन-देन वह सँभालती है। लेकिन हकीकत में संजय ने कोई और समानांतर वित्तीय व्यवस्था रखी हुई थी। वह एक ईमानदार पति होने का नाटक करता है, लेकिन उसने मृदुला की पीठ में छुरा भोंका है। वह अपनी शादी में कैद महसूस करती है।

फिर वह रोजमेरी के बारे में सोचती है और उसे उसपर भी गुस्सा आता है। अलमारी में रखी फाइलों और कागजातों पर उसने कुछ बिलों पर रोजमेरी के हस्ताक्षर देखे थे। वह सोचती है, 'इसका मतलब यह है कि रोजमेरी को सबकुछ पता था, लेकिन उसने मुझे नहीं बताया। मैंने उसके लिए इतना कुछ किया है, फिर भी वह चुप रही और मुझे कोई संकेत नहीं दिया। लेकिन मैं किसी और को दोष क्यों दूँ, जब मेरा पति ही दोषी है? वह मेरे बारे में जरा भी नहीं सोचता! संजय के चारों ओर दीवारें हैं। मैं बिलकुल अकेली हूँ।'

उसी समय अस्पताल में रोजमेरी की शिफ्ट खत्म हो गई है, लेकिन वह अब तक घर नहीं गई है। वह जाना ही नहीं चाहती। उसका बेकार पति घोड़ों पर दाँव लगाने में या बार में व्यस्त रहता है और उसकी बेटी मेरी शशिकला ऊटी में एक बोर्डिंग स्कूल में पढ़ती है। शादी से पहले वह एक प्यारे से परिवार का सपना देखा करती थी, लेकिन उसका सपना बस सपना ही रहा।

जब वह अपने घर के कपड़े पहन रही है तो उसे मृदुला का खयाल आता है और वह असहाय महसूस करती है, ''जब से मैडम ने अलमारी खोली है, मैं बेचैनी और उदासी महसूस कर रही हूँ। क्या उन्हें वे फाइलें और कागजात अलमारी में मिल गईं? मुझसे बात किए बिना चले जाना मैडम का स्वभाव नहीं है। वह हमेशा जोसेफ और शशि के बारे में पूछती हैं। मैडम और डॉ. संजय एक-दूसरे से बिलकुल अलग हैं। मैडम का दिल बहुत साफ है और उनकी मुसकराहट दूसरों को प्रभावित करती है। वह लोगों को समझती हैं और उनकी गलतियों को माफ करती हैं। जब शशि उनकी कक्षा में फेल हो जाती थी तो मृदुला मैडम ने घर पर मुफ्त में उसे ट्यूशन पढ़ाया। फिर शशि के अच्छे अंक आए, जिससे उसे बोर्डिंग स्कूल में दाखिला मिल पाया। मैडम जोसेफ की पीने की आदत के बारे में भी जानती थीं और उन्होंने ही उसे शशि के बेहतर भविष्य के लिए हॉस्टल में रखने के लिए मनाया। वह सही थीं। अब शशि खुश है और पढ़ाई में बहुत अच्छा कर रही है। जब मेरी बहन सायरा को उसके पति ने छोड़ दिया था तो मृदुला मैडम ने ही उसे सिलाई मशीन लाकर दी थी और उसे लेडीज टेलरिंग की दुकान

खोलने में मदद की थी। सायरा के कामयाब होने के बाद उसका पति दुकान के मैनेजर के रूप में वापस आ गया। लेकिन अब दोनों मैडम की मदद को याद नहीं करते। केवल यीशु ही सत्य जानते हैं।''

रोजमेरी चेंजिंग रूम से बाहर निकलती है और अपने डेस्क की ओर वापस जाती है। उसका दिमाग संजय की ओर जाता है, ''डॉ. संजय ही अपने अधीनस्थों को काबू में रख सकते हैं। उन्हें खुश करना बहुत मुश्किल है। वह अच्छा वेतन और वेतनवृद्धि देते हैं, लेकिन किसी कर्मचारी की व्यक्तिगत मदद नहीं करते। उनके जैसा बॉस होना अच्छी बात है, लेकिन ऐसे पति के साथ रहना मुश्किल है। मैडम उनके साथ कैसे रहती हैं? वह किसी की गलती सालों तक नहीं भूलते। वह चाहते हैं कि हर काम उनकी इच्छा के अनुसार और उनके समय में हो। हो सकता कि सभी कामयाब लोग स्वार्थी होते हों। लेकिन दूसरे लोगों की जिंदगी में क्या हो रहा है, वह मैं क्यों देखूँ? मुझे बस अपनी जिंदगी देखनी चाहिए। जोसेफ बहुत जिद्दी है। जब हमारी शादी हुई थी तो वह ठीक था। जब मैं ज्यादा कमाने लगी तो जोसेफ ने बुरी आदतें पकड़ लीं—लॉटरी के टिकट खरीदना और शराब पीना। इसलिए जब संजय सर ने लक्ष्मी के साथ नया खाता खोला तो मेरे मन में आया कि उन्हें अपनी पत्नी से कुछ न छिपाने के लिए कहूँ। अगर वह पत्नी को सच बता देते तो वह उनकी और इज्जत करती। लेकिन मैं अपने मन की बात नहीं बोल सकती। वह हमारे रिश्ते को पूरी तरह प्रोफेशनल रखते हैं।''

अचानक रोजमेरी महसूस करती है कि एक मरीज का रिश्तेदार एक चेक के साथ उसके सामने खड़ा है। यह चेक नए रोगी के दाखिले के लिए है। नियम यह है कि शुल्क का कम-से-कम पचास फीसदी अग्रिम नकद या डीडी द्वारा दिया जाएगा। जब रोजमेरी उस व्यक्ति को कैश या डीडी द्वारा भुगतान के लिए कहती है तो वह बोलता है, ''आप चेक क्यों नहीं ले सकतीं? आपको लगता है कि हम पैसा नहीं चुकाएँगे?''

''ऐसा नहीं है। यह अस्पताल का नियम है।''

''हम डॉक्टर के करीबी हैं। क्या हम उनसे बात कर सकते हैं?''

''बिलकुल।''

रोजमेरी फोन को अपनी ओर खींचती है। वह जानती है कि संजय क्या कहेगा। लेकिन वह व्यक्ति बुदबुदाते हुए अपना बटुआ खोलता है और नकद भुगतान करने लगता है। पैसे लेने के बाद रोजमेरी अस्पताल से निकल जाती है।

कुछ दिन बाद शिशिर अपनी छुट्टियों से लौट आता है और मृदुला उससे कुछ नहीं कहती। वह शिशिर या संजय से बहस नहीं करती, लेकिन हर रात बिस्तर पर रोती है। शिशिर लंदन के लिए पैकिंग करने में व्यस्त हो जाता है, क्योंकि उसकी उड़ान कुछ ही दिनों में है। किसी भी युवक की तरह वह आजाद होने के मौके को देखकर उत्साहित

है। संजय उसे सलाह देता है, ''शिशिर तुम्हें अलग-अलग लोगों से अलग-अलग तरीके से व्यवहार करना याद रखना होगा। तुम जितने कम भावुक होगे, तुम्हारी कामयाबी की संभावना उतनी ही बेहतर होगी। तुम्हें अपने अधीनस्थों के साथ व्यक्तिगत रिश्ते नहीं रखने चाहिए। तभी तुम जरूरत पड़ने पर उन्हें नौकरी से हटा सकते हो। तुम्हें अपने बॉस की कमजोरियों को भी जानना चाहिए। नजदीकी दोस्तों को सारी बातें मत बताओ। मैं सिर्फ यही कहना चाहता हूँ कि तुम्हें सिर्फ अपने बारे में सोचना चाहिए।''

जल्दी ही शिशिर के जाने का समय आ जाता है। पहली बार मृदुला और संजय अपने बेटे को विदा करने हवाई अड्डे जाते हैं। हालाँकि विदा करने के लिए हवाई अड्डे जाने की परंपरा भुलाई जा चुकी है। शिशिर बहुत बार अंतरराष्ट्रीय सम्मेलनों में अपने पिता के साथ गया है। इस बार वह अपना कोर्स खत्म करने तक इंग्लैंड में अकेला होगा। लेकिन उसने छुट्टियों के समय वापस आने का सोच रखा है, इसलिए माता-पिता से उसकी मुलाकात होती रहेगी। शिशिर को जाते हुए देखती मृदुला असामान्य रूप से चुपचाप है।

25
संपर्क

हवाई अड्डे पर जाँच-प्रक्रिया पूरी होने के बाद शिशिर को पता चलता है कि खराब मौसम के कारण विमान दो घंटे देर से उड़ेगा। उसके पास बिजनेस क्लास का टिकट है, वह बिजनेस लाउंज की ओर चला जाता है। वह भरा हुआ है, कहीं बैठने की जगह नहीं है। वह बाहर आकर इकोनॉमी लाउंज में नेहा को एक किताब पढ़ते देखता है। वह उसे देखकर हैरान है। वह कहता है, ''हैलो नेहा।''

वह किताब से सिर उठाकर उसकी ओर देखती है। उसके चेहरे पर कोई आश्चर्य नहीं है। शिशिर पूछता है, ''तुम कहाँ जा रही हो?''

वह मुसकरा कर कहती है, ''इंग्लैंड।''

''मैं भी। इंग्लैंड में कहाँ?''

''ऑक्सफोर्ड। तुम कहाँ जा रहे हो? छुट्टी मनाने?''

''नहीं, मैं भी ऑक्सफोर्ड जा रहा हूँ,'' शिशिर बैठकर उससे बात करने लगता है। ''क्या तुम एक और शतरंज चैंपियनशिप के लिए जा रही हो?'' वह मजाक करता है।

''नहीं, मैं उच्च शिक्षा के लिए वहाँ जा रही हूँ।''

वह मुसकराता है और यादों में चला जाता है।

कुछ साल पहले, एक ऑल इंडिया यूथ कंपीटिशन के लिए कॉलेज विद्यार्थियों के दो दलों को चुना गया था। उसमें नृत्य, नाटक, भाषण और शतरंज जैसे विभिन्न क्षेत्रों की प्रतियोगिताएँ थीं। कर्नाटक से दो दल थे—एक बेंगलुरु का और एक चित्रदुर्गा का एक ग्रामीण दल। पाँच-पाँच सदस्योंवाले दोनों दल सरकारी युवा विभाग के एक बेरंग और बेजान कार्यालय में मिले। हर विद्यार्थी कम-से-कम एक विषय में उत्कृष्टता हासिल कर चुका था और शिशिर अपने मेडिकल कॉलेज से चुना गया एक अच्छा वक्ता था। चित्रदुर्गा के दल को देखकर उसने सोचा, 'क्या ये लोग वाकई राष्ट्रीय चैंपियनशिप के लिए आए हैं? उन्हें इसलिए चुना गया होगा, क्योंकि शायद ग्रामीण इलाके से एक दल को चुनना अनिवार्य होगा।'

जैसा कि सरकारी कर्मचारियों की आदत होती है, विभाग का सचिव देर से आया और फॉर्म वितरित करना शुरू किया। बिना माफी माँगे वह बोला, ''आपको पाँच दिन दिल्ली में रहना होगा। सरकार आपके ठहरने और जाने-आने का खर्च उठाएगी। आप रेलगाड़ी में सेकेंड क्लास एसी में विद्यार्थी रियायत के साथ जाएँगे और आपको 500 रुपए प्रतिदिन के हिसाब से दैनिक भत्ता मिलेगा। आपका खाना और ठहरना सरकारी क्वार्टर में होगा। चूँकि आप सभी वयस्क हैं, किसी अतिरिक्त कार्यकलाप के लिए हम जिम्मेदार नहीं होंगे। याद रखिए कि आप कर्नाटक का प्रतिनिधित्व कर रहे हैं और आपको राज्य का गौरव बढ़ाना चाहिए। अगर आपको ये शर्तें मंजूर हैं तो कृपया फॉर्म पर हस्ताक्षर करें।''

शिशिर ने कभी इतना नीरस और प्रेरणारहित भाषण नहीं सुना था। हर किसी ने अपने फॉर्म पर हस्ताक्षर करना शुरू कर दिया, लेकिन शिशिर बोला, ''नियमों से मुझे कोई ऐतराज नहीं है, लेकिन मैं रेलगाड़ी से सफर नहीं करूँगा। उससे हमें दिल्ली पहुँचने में दो दिन लगेंगे। जाने-आने में चार दिन। मैं उतना समय बरबाद नहीं कर सकता। मैं अपने ठहरने और जाने-आने का इंतजाम खुद करूँगा। क्या इसमें कोई समस्या है?''

सचिव उसे जानता था, उसने अवहेलना से उसे देखा। उसने मन में सोचा, 'यह लड़का बहुत घमंडी है।'

लेकिन वह शिशिर से बोला, ''जैसा तुम चाहो। वैसे, तुम क्या संजय राव के बेटे हो?''

''हाँ, तुम कैसे जानते हो?''

''मैंने तुम्हारे आवेदन और पते के फॉर्म पर देखा।''

शिशिर ने समय बरबाद नहीं किया और कमरे से बाहर चला गया, लेकिन कमरे

से बाहर जाने से पहले उसने ध्यान दिया कि दस भागीदारों में सिर्फ दो लड़कियाँ थीं। एक बेंगलुरु की माउंट कैमल कॉलेज की लड़की थी। वह उसे जानता था, क्योंकि वे अकसर अलग-अलग प्रतियोगिताओं में मिले थे। दूसरी लड़की साधारण शक्ल-सूरत की थी और उसने एक साधारण सलवार-कमीज पहन रखी थी। उसने दो चोटियाँ बना रखी थीं। जब वह विभाग सचिव से बात कर रहा था तो वह मुसकरा रही थी।

कार में घर लौटते समय उसने भागीदारों की सूची खँगाली। उसे पता चला कि उस साधारण कपड़ोंवाली लड़की का नाम नेहा है। वह सोचने लगा, 'सरकार ऐसी लड़कियों को क्यों चुनती है, जिन्होंने शायद पहले कभी बेंगलुरु जैसा शहर नहीं देखा है। वे राष्ट्रीय स्तर की प्रतियोगिताओं में क्या करेंगी? ऐसा नहीं लगता कि वह अपने संपर्कों के कारण प्रतियोगिता में आई है।'

फिर वह रात को अपने दोस्तों के साथ होनेवाली पार्टी के विचारों में खो गया। उसके लिए एक बड़ी विदाई पार्टी रखी गई थी।

संजय और मृदुला उसके साथ कार्यक्रम में शामिल हुए। हर कोई इस तरह खुश हो रहा था, मानो वह कॉलेज में ट्रॉफी ला चुका हो। मृदुला बोली, ''अभी तुम प्रतियोगिता में गए भी नहीं हो, फिर तुम्हारे दोस्त जश्न क्यों मना रहे हैं? दबाव बढ़ाने पर भागीदारों का प्रदर्शन प्रभावित होता है। क्या तुम जानते हो कि पहले ग्रीस में ओलंपिक खेलों में विजेताओं को सिर्फ जैतून के पेड़ की टहनी का ताज पहनाया जाता था। इससे स्वस्थ और स्वाभाविक खेल की भावना को बढ़ावा मिलता था। तब कोई विज्ञापन, कोई स्वर्ण पदक और कोई टेलीविजन नहीं थे। तब डोपिंग भी नहीं होती थी।''

''बस करो अम्मा, यह इतिहास की क्लास नहीं है।'' शिशिर ने जवाब दिया।

''मृदुला, कृपया बंद करो। तुम नहीं जानती कि आज युवाओं को प्रोत्साहित कैसे किया जाता है और उन्हें आत्मविश्वास कैसे दिलाया जाता है। पता नहीं, तुम अपने स्कूल में क्या पढ़ाती हो।''

''मैं अपने विद्यार्थियों को जीत और हार दोनों की स्थिति में संतुलन रखना सिखाती हूँ।''

''अम्मा और डैड, मुझे सिखाना बंद कीजिए। आप दोनों गलत हैं। मुझे नहीं पता कि मैं मेडल जीत पाऊँगा या नहीं। मैं बस उस कीर्ति का सुख जाने से पहले लेना चाहता हूँ। मेरा मानना यही है।''

हर कोई हँसने लगा।

इस तरह वह पहली बार नेहा से मिला था। वे अपने-अपने खेलों के लिए दिल्ली गए। दिल्ली शिशिर के लिए नई जगह नहीं थी। जब पहली बार मृदुला उसे यहाँ लेकर आई थी, तब वह बच्चा ही था। वह किसी शिक्षक की तरह उसे स्मारक और संग्रहालय

दिखाना चाहती थी। हालाँकि उसे बहुत मजा नहीं आया था, लेकिन उसे कुलफी, सड़क किनारे की खरीदारी और वातानुकूलित पालिका बाजार पसंद आया था।

प्रतियोगिता के दौरान शिशिर को एहसास हुआ कि चित्रदुर्गा के दल का प्रदर्शन उनके दल से काफी अच्छा था। उनका संगीत देहाती और लोकगीत था, लेकिन धुनें शुद्ध, मौलिक और मंत्रमुग्ध कर देनेवाली थीं। उनके नर्तकों ने मैचिंग और रंग-बिरंगे परिधान पहने थे। शिशिर हैरान था और अपने पूर्वग्रह पर थोड़ा शर्मिंदा भी। नेहा ने नृत्य या संगीत में भाग नहीं लिया। उसे बाद में पता चला कि वह शतरंज प्रतियोगिता में हिस्सा ले रही है। इस बार उसने सोचा कि उसे नेहा को कम करके नहीं आँकना चाहिए। शिशिर ने खूब मेहनत की, लेकिन वह जानता था कि वह दिल्ली के युवाओं को नहीं हरा पाएगा। वे इस खेल में उस्ताद थे। वह एक मुश्किल मैच था और वह सांत्वना पुरस्कार से संतुष्ट था। नेहा तीसरे नंबर पर आई, वह काफी प्रभावित हुई।

जिन पाँच दिन वे लोग दिल्ली में थे, सभी को एक दिन की छुट्टी मिली, जिसमें वे फैशन स्टूडियो, बार और चाँदनी चौक देखने गए। हर किसी को पता था कि शाहजहाँ के समय से एक पराँठे की दुकान है और वे लोग उसका स्वाद चखना चाहते थे। लेकिन नेहा दल के भ्रमण में साथ नहीं थी। शिशिर यह जानने को उत्सुक था कि वह कहाँ गई है। बाद में उसे देखने पर उसने पूछा, ''मैंने तुम्हें बार या फैशन स्टूडियो में नहीं देखा। तुम कहाँ थीं?''

''मैं राष्ट्रीय संग्रहालय गई थी।''

''संग्रहालयों में ऐसा क्या होता है? क्या तुम सिर्फ वही देखने दिल्ली आई थीं?''

''नहीं, मैं प्रतियोगिता के लिए आई थी, लेकिन यहाँ रहने के दौरान सभी संग्रहालय देखना चाहती थी।''

नेहा और कुछ नहीं कहती। शिशिर मुसकराते हुए कहता है, ''तुम मेरी माँ की तरह हो। उन्हें भी संग्रहालय बहुत पसंद हैं।''

''अच्छा? वह क्या करती हैं?''

''वह एक स्कूल में शिक्षिका हैं, लेकिन मेरे डैड डॉ. संजय राव बेंगलुरु के एक बड़े गायनोकॉलोजिस्ट हैं। क्या तुमने 'समाधान' नामक इन्फर्टिलिटी क्लीनिक के बारे में सुना है? मेरे डैड ने उसे शुरू किया था।''

''नहीं, मैंने उसके बारे में नहीं सुना। माफ करना, अब मुझे जाना है।'' उसके तीखे शब्द उसके उत्साह के गुब्बारे में किसी सूई की तरह चुभ गए।

उसके बाद शिशिर बेंगलुरु में दूसरी बार नेहा से मिला। एक शाम मृदुला बाहर जाने के लिए तैयार हो रही थी, जब फोन घनघनाया। शिशिर ने उसे उठाया तो पाया कि

वह उनका ड्राइवर था। वह मृदुला को यह बताने के लिए फोन कर रहा था कि वह बीमार है और काम पर नहीं आ सकता। शिशिर अपने दोस्तों के साथ बाहर जानेवाला था, लेकिन जब उसे लगा कि उसकी माँ गैराज से स्कूटर निकाल रही है तो उसने माँ को आवाज देकर कहा, ''अम्मा, बारिश होनेवाली है। आप चिंता मत कीजिए। आप जहाँ भी जा रही हैं, मैं आपको छोड़ दूँगा।''

मृदुला खुशी-खुशी तैयार हो गई। कार में वह बोली, ''शिशिर मैं वापस कैसे आऊँगी?''

''अम्मा, अगर आप अपनी सहेली के घर अधिक समय नहीं बितानेवाली हैं तो मैं आधे घंटे में वापस आकर आपको ले जाऊँगा। वैसे आप कहाँ जा रही हैं?''

''त्यागराज नगर में अपनी सहकर्मी चंद्रिका के घर। उसके घर पर आज वरलक्ष्मी पूजा है।''

जब वे त्यागराज नगर पहुँचे तो शिशिर को लगा कि वहाँ की गलियाँ सँकरी हैं। वह बेंगलुरु के इस हिस्से में कभी नहीं आया था। हालाँकि मृदुला उसे रास्ता बता रही थी, उसके लिए अपनी कार सँभालना मुश्किल हो रहा था। वह असहज महसूस करने लगा, जब मृदुला ने कहा, ''मेरे ज्यादातर सहकर्मी यहीं रहते हैं। यह स्कूल के पास है और शिक्षक के वेतन में यहाँ खर्च चल सकता है।''

जब वे चंद्रिका के घर पहुँचे तो वहाँ आगे रास्ता बंद था। शिशिर चिढ़ गया, ''अम्मा, मैं कार वापस कैसे ले जाऊँगा? इन छोटी गलियों में बिलकुल भी जगह नहीं है। तुम किसी से घर का गेट खोलने के लिए कह सकती हो? इससे मदद मिलेगी।''

मृदुला नीचे उतरकर अंदर गई और मिलनेवाले पहले व्यक्ति से ही गेट खोलने को कहा। शिशिर को हैरत हुई, जब नेहा बाहर आई। उसने गेट खोला और शिशिर ने कार घुमा ली। वह उसे देखकर मुसकराते हुए बोला, ''हैलो नेहा। तुम यहाँ कैसे?''

''यह मेरी कजिन का घर है। मैं पूजा के लिए आई हूँ।''

कार में बैठे-बैठे, शिशिर ने पूछा, ''सिर्फ एक पूजा के लिए चित्रदुर्गा से आईं?''

''मेरी बहन नीरजा भी बेंगलुरु में रहती है। इसलिए मैंने सोचा कि उससे मिल लूँगी। तुम अंदर क्यों नहीं आते?''

''नहीं, मुझे एक दोस्त से मिलना है।''

नेहा को यह अजीब लगा कि वह अंदर आकर प्रसाद नहीं लेना चाहता। इसलिए उसने कहा, ''कम-से-कम आकर आशीर्वाद ले लो।''

वह मना कर देता, लेकिन अब तक दूसरे लोग भी घर से बाहर आकर उसकी बड़ी कार को देखने लगे थे। इसलिए उसे अजीब लगा और वह बाहर आ गया। जब वह घर के अंदर गया तो उसने देखा कि वह तंग कमरोंवाला एक साधारण निम्न

मध्यवर्गीय घर था। उसमें लोग खचाखच भरे हुए थे। लेकिन मृदुला शिशिर को घर के अंदर देखकर खुश हुई और उसका अपनी सहेलियों से परिचय कराया।

नेहा मिठाई और नमकीन से भरी प्लेट लेकर आई। शिशिर बाला, ''नहीं, मैं कुछ भी खाना नहीं चाहता। मैंने देर से लंच किया था। प्लीज, माफ करना।''

हालाँकि वह नेहा से कुछ और देर बात करना चाहता था, लेकिन उसे मौका नहीं मिला और माँ-बेटे जल्दी ही घर से निकल आए।

रास्ते में मृदुला ने पूछा, ''शिशिर, तुम नेहा को कैसे जानते हो? वह चंद्रिका की भाँजी है। मुझे उससे मिलकर वाकई अच्छा लगा। उसके माता-पिता दोनों एल.आई.सी. में काम करते हैं और उनकी दो बेटियाँ हैं। बड़ी की शादी एक सॉफ्टवेयर इंजीनियर से हुई है।''

''माँ, मैं उसके परिवार के बारे में नहीं जानना चाहता। वह दिल्ली में हमारी प्रतियोगिता के दौरान एक प्रतिभागी थी, इसलिए मैं उसे जानता हूँ।''

तेज स्वर में ब्रिटिश एयरवेज की घोषणा शिशिर को झटके से वर्तमान में ले आती है। उसे एहसास होता है कि वह तीसरी बार नेहा से मिल रहा है। वह अपना हैंडबैग पैक कर रही है और विमान में चढ़ने की तैयारी कर रही है। शिशिर कहता है, ''ठीक है, अब ऑक्सफोर्ड में मिलते हैं। अपना इ-मेल आईडी मुझे दो।''

वह सिर हिलाती है और दोनों एक-दूसरे को अपना इ-मेल आईडी देते हैं।

कुछ मिनट बाद वह विमान पर चढ़ता है और आराम से बिजनेस क्लास में जाकर बैठ जाता है। वह सोचता है, ''नेहा को एक अलग देश में जाते हुए कैसा लग रहा होगा, खासकर वह जैसे परिवार से है? मेरी बात और है, नेहा के लिए चित्रदुर्गा से ऑक्सफोर्ड जाना आसान नहीं होगा। मेरी जिंदगी स्वच्छ आसमान के नीचे एक नाव की तरह तैर रही है। मैं प्रतिभाशाली हूँ, मेरे अच्छे संपर्क हैं और अच्छा मार्गदर्शन मिला हुआ है। नेहा की मेहनत की तारीफ करनी चाहिए। उसे जरूर स्कॉलरशिप मिली होगी और बाकी उसने लोन लिया होगा।''

अचानक हुई इन घटनाओं को लेकर शिशिर खुशी महसूस करता है। आठ घंटे बाद विमान लंदन पहुँचता है। नेहा और शिशिर अपने सामान का इंतजार करते हुए एक बार फिर मिलते हैं। शिशिर अपने बैग ले लेता है और उसके लिए इंतजार करता है। दुर्भाग्यवश नेहा के बैग नहीं आते और वह चिंतित हो जाती है। शिशिर खोए सामानोंवाले सेक्शन में जाता है और शिकायत दर्ज कराता है। उसे आधे घंटे इंतजार करने के लिए कहा जाता है। जब नेहा यह बात सुनती है तो वह कहती है, ''तुम्हारी मदद के लिए शुक्रिया, लेकिन मैं तुम्हें रोककर नहीं रखना चाहती।''

शिशिर मुसकराता है और कोई जवाब नहीं देता। इसकी बजाय वह उससे पूछता

है, ''क्या तुम पहली बार लंदन आई हो?''

''हाँ, बल्कि मैं पहली बार विमान में चढ़ी हूँ।''

''फिर तुम अपनी छुट्टियाँ कैसे बिताती हो? तुम कहाँ जाती हो?''

''जहाँ मेरे माता-पिता होते हैं। वे दोनों स्थानांतरित होनेवाली नौकरियों में हैं। वे चित्रदुर्ग के नजदीक रहने की कोशिश करते हैं—कभी-कभी वे कामयाब होते हैं और कभी-कभी नहीं। परिस्थितियों को देखते हुए मैं उनके पास चली जाती हूँ। वरना मैं अकेले चित्रदुर्ग में रहती हूँ।''

''एक छोटे से गाँव में अकेले रहना मुश्किल नहीं है? यह बेंगलुरु जैसे बड़े शहर में अकेले रहने से अलग है।''

शिशिर के पास अकेले रहने की आजादी है, लेकिन पहली बार उसे समझ में आता है कि उसे अपने माता-पिता के साथ रहना अच्छा लगता है। उसे हमेशा उनकी सलाह या सुझाव पसंद नहीं आते, लेकिन वह जानता है कि वे उसे बिना शर्त प्यार करते हैं और उसे उनके द्वारा अपना ध्यान रखा जाना अच्छा लगता है।

नेहा की आवाज उसके विचारों को बीच में ही भंग कर देती है, ''शिशिर, यह मुश्किल नहीं है। वहाँ मेरे दूसरे रिश्तेदार हैं और मेरे पिताजी ने भी एक घर बना रखा है। वह छोटा है, लेकिन अपना घर है। मुझे वहाँ रहना अच्छा लगता है। मुझे अपने रिश्तेदारों के साथ रहना अच्छा लगता है, मैं उनके साथ त्योहारों में शरीक होती हूँ।''

''तुम ऑक्सफोर्ड में क्या करने जा रही हो?''

''मैं समाज विज्ञान और मानव व्यवहार में अपनी आगे की पढ़ाई करने जा रही हूँ। मुझे दो साल के लिए फेलोशिप मिली है।''

''क्या तुम आगे भी शतरंज खेलना चाहती हो?''

''बिलकुल, वह मेरा शौक है।''

''यूके में तुम्हारा कोई दोस्त या रिश्तेदार है?''

''नहीं। मेरे सभी संबंधी चित्रदुर्ग में हैं और बेंगलुरु में कुछ रिश्तेदार हैं।''

''तुम पहली बार इतने लंबे समय तक अपने परिवार से दूर रह रही होगी।''

''हाँ।''

शिशिर को नेहा के लिए बुरा लगता है—अपने देश से कभी बाहर नहीं गई एक लड़की इंग्लैंड जैसी जगह में बिना किसी रिश्तेदार के और सीमित आय के साथ अकेले रहने जा रही है। उसे अचानक अपनी माँ का खयाल आया। वह कहा करती थीं, ''शिशिर, जब मैं बेंगलुरु आई तो महीनों तक रोती रही। मेरी कन्नड़ और मेरी पृष्ठभूमि बेंगलुरु के लोगों से बिलकुल अलग थी। यह विदेश जाने जैसा था। कई बार मैंने घर वापस जाना चाहा, लेकिन मुझे लगा कि बेंगलुरु में तुम्हारे डैड का अच्छा भविष्य है।

इसलिए मैंने नए दोस्त बनाने शुरू किए, उनकी आदतें और संस्कृति सीखी। लेकिन मेरा दिल गाँव में ही है। मेरे लिए हमेशा अलादाहल्ली ही घर रहेगा।''

शिशिर सोचता है, ''नेहा को भी वैसा ही लग रहा होगा, जैसा मेरी माँ को उतने साल पहले लगा होगा।''

वह कहता है, ''मैं ऑक्सफोर्ड के नजदीक जॉन रेडक्लिफ अस्पताल में रहूँगा। जब भी किसी मदद की जरूरत हो, मुझे बताना।''

आखिरकार नेहा का बैग आ जाता है। एयरपोर्ट से बाहर निकलते हुए शिशिर पूछता है, ''तुम ऑक्सफोर्ड कैसे जाओगी?''

''मेरी कॉलेज की वेबसाइट ने बताया कि मुझे हीथ्रो एयरपोर्ट पर उतरना है, फिर ट्यूब और फिर बस लेनी है। मैं उनके निर्देशों पर चलूँगी।''

''तुम ऐसा क्यों करना चाहती हो? मैं टैक्सी ले रहा हूँ। तुम भी मेरे साथ चल सकती हो।''

''नहीं, मुझे ऐसा नहीं लगता। मैंने तुम्हें काफी परेशान कर दिया है। मैं अब अकेले सँभाल सकती हूँ।''

शिशिर थोड़ा चिढ़ जाता है और जोर से कहता है, ''नेहा, समझने की कोशिश करो। यह एक नया देश है। यह दिल्ली जाने जैसा नहीं है। मैं भी तुम्हारी तरह एक भारतीय छात्र हूँ, जो यहाँ चार साल रहनेवाला है। कभी-कभार एहसान ले लेने में कोई बुराई नहीं होती। मुझे अपनी मदद करने दो।''

नेहा एक पल चुप रहती है, फिर कहती है, ''ठीक है।''

वे हीथ्रो एयरपोर्ट से बाहर जाते हैं और वहाँ से टैक्सी ले लेते हैं। शिशिर लंदन के सभी रास्ते जानता है और आसानी से हर चीज की व्यवस्था कर लेता है।

टैक्सी के चलने पर शिशिर ध्यान देता है कि नेहा पहली बार किसी खूबसूरत खिलौने की ओर देख रहे एक बच्चे की तरह सड़क के दोनों ओर देख रही है। उसका चेहरा वैसे शांत है, लेकिन वह देख सकता है कि वह रोमांचित है। उसे नेहा का लंदन को देखकर खुश होते देखना अच्छा लगता है। जब उसकी मंजिल आ जाती है तो वह अपना बैग लेकर उतर जाती है और कहती है, ''मुझे यहाँ तक लाने का शुक्रिया। अब मुझे अपने कमरे में जाना चाहिए।''

शिशिर हँसता है, ''तुम्हारे पास चाबी है?''

''अरे, वहाँ कोई चौकीदार होगा, जो मुझे कमरा दिखा देगा और चाबी दे देगा।''

शिशिर हैरान रह जाता है, ''नेहा, यह भारत नहीं है। यहाँ पर अलग व्यवस्था है। तुम्हें अपने अपार्टमेंट में जाने के लिए अलग तरह की चाबी की जरूरत होती है।''

शिशिर उतरता है, अपार्टमेंट के ऑफिस में बात करता है, चाबी लेता है और नेहा चुपचाप उसके पीछे चलती है। वह उसे उसके कमरे तक छोड़कर आता है। विदा लेते समय नेहा अकेला महसूस करती है, जो शिशिर को उसकी नम आँखों से पता चलता है।

एक सप्ताह गुजर जाता है, नेहा एक इ-मेल भेजकर अपने अपार्टमेंट के बारे में और फोन नंबर बताती है। वह बताती है कि उसने अपनी कक्षाएँ शुरू कर दी हैं। हालाँकि वह बुद्धिमान है, लेकिन उसे ब्रिटिश उच्चारण समझने में मुश्किल हो रही है। लेकिन शिशिर के लिए वहाँ के माहौल में ढलना आसान है। उसी अस्पताल में उसके दो सीनियर भी काम कर रहे हैं, लेकिन उनकी शिफ्ट अलग समय पर है। इसके अलावा एक साल में उसके सीनियरों को भी महिला मित्र मिल गई हैं।

शिशिर उस शाम उसे फोन करता है और विनम्रता से पूछता है कि क्या वे शनिवार को मिल सकते हैं। वह चाहता है कि नेहा के पास बात करने के लिए कोई हो। एक महीने के भीतर नेहा वहाँ घुल-मिल जाती है। वह माहौल में ढल जाती है और नए दोस्त बना लेती है। लेकिन शिशिर के साथ वह हमेशा सहज महसूस करती है और उससे मिलना उसे अच्छा लगता है। शिशिर भी ऐसा ही महसूस करता है। वह इकलौते बच्चे के रूप में बड़ा हुआ और बातें करने, लड़ने-झगड़ने, सुलह करने, उसके राज छिपाने में मदद करने या मुकाबला करने के लिए उसके पास कोई नहीं होता था। हालाँकि उसकी दोस्ती लड़कियों और लड़कों दोनों से है, लेकिन उसे अकेले रहना अच्छा लगता है। पहली बार वह किसी से जबरदस्त जुड़ाव महसूस करता है, जिसकी वह वाकई इज्जत करता है।

26

जीने की राह

मृदुला के स्कूल से शिक्षकों का एक दल उससे मिलने आता है। उसने कभी इतनी लंबी छुट्टी नहीं ली है और अब उसने चिकित्सा अवकाश के लिए आवेदन किया है। जब वे उससे मिलने आते हैं तो हर कोई अलग-अलग सलाह देता है। कुछ कहते हैं, ''मैडम, आप बीमार हैं तो आपको किसी पहाड़ पर जाकर आराम करना चाहिए। वह बदलाव आपके लिए अच्छा होगा।'' दूसरे कहते हैं, ''आपको दुनिया की सैर करने जाना चाहिए, क्योंकि आपको पैसे की कोई समस्या नहीं है।'' मगर लीला कहती है, ''मैं जयनगर में एक स्वामीजी के प्रवचन में गई थी। वह विश्राम की तकनीकें सिखाते हैं और मुझे वह उपयोगी लगा। तुम इसे आजमा सकती हो।''

"तुम्हें लगता है कि इसके बाद मेरा मन खुश होगा?"

"मुझे ऐसा लगता है। तुम चाहो तो मैं तुम्हें उनका पता दे सकती हूँ।"

मृदुला उनके कोर्स में दाखिला लेने का फैसला करती है और अगले दिन वहाँ जाती है। वहाँ अलग-अलग आयु समूहों के लोग हैं और हर किसी को कोई-न-कोई समस्या है। स्वामीजी आते हैं। वह युवा, दुबले-पतले और क्लीन शेव किए हुए हैं। उनके चेहरे पर शांति है और उन्होंने सफेद लबादा पहना हुआ है। वह कहते हैं, "दुःख की मुख्य वजह निराशा है। अनासक्ति के साथ निराशा गायब हो जाती है। अनासक्ति ज्ञान से आती है और ज्ञान ध्यान से प्राप्त होता है। इसलिए आपको ध्यान करना सीखना चाहिए।"

मृदुला को कुछ भी समझ में नहीं आता। वह बस फिर से खुश होना चाहती है। एक श्रद्धालु पूछता है, "स्वामीजी, मैं जल्दी गुस्से में आ जाता हूँ। मुझे अपने गुस्से को कैसे काबू में करना चाहिए?"

"मैं आपको कोई विशेष विधि नहीं सिखा सकता, क्योंकि हर व्यक्ति भिन्न होता है और आपको पता करना होगा कि आपके लिए क्या कारगर है।"

मृदुला सोचती है, "अगर मुझे अपने मन को काबू में करना आता तो मैं यहाँ पर नहीं होती। मैं पहले की तरह होना चाहती हूँ और जीवन तथा उसकी सुंदरता का आनंद उठाना चाहती हूँ। लेकिन अब मैं एक और दिन जीने के खयाल से ही डरती हूँ।"

निराश मृदुला वापस घर आ जाती है। अगली सुबह दस बजे दरवाजे की घंटी बजती है। वह घंटी की आवाज सुनती है, मगर सोफे पर बैठी रहती है। महाराजिन सकम्मा दरवाजा खोलती है। बाहर वाणी है। वह खुश लग रही है और शादी के कार्ड का एक बंडल हाथ में पकड़े हुए है। मृदुला को देखकर उसकी मुसकराहट गायब हो जाती है। वह जानती है कि कुछ गड़बड़ है। वह कहती है, "क्या बात है, मैडम?"

वह हैरान होकर मृदुला की बगल में बैठ जाती है।

वाणी मृदुला के स्कूल की एक गरीब लड़की है। उसके पिता एक रिक्शा चालक हैं और उसकी माँ नहीं है। वह प्रतिभाशाली है और शुरू में उसे हमेशा अच्छे अंक आते थे। जब मृदुला उसे पढ़ाने लगी तो उसने वाणी के पिता को बुलाकर उनसे कहा, "उसकी पढ़ाई बंद मत कराइए। उसका भविष्य उज्ज्वल है। वह डॉक्टर भी बन सकती है।"

"हो सकता है, लेकिन मैं उसकी पढ़ाई का खर्च नहीं उठा सकता।"

मृदुला ने एक दिन तक इस बारे में सोचा। फिर उसने वाणी के पिता को बुलाकर कहा, "मैं एम.बी.बी.एस. करने तक आपकी बेटी की पढ़ाई का खर्च उठाऊँगी, लेकिन इसके लिए आपको मुझे यह आश्वासन देना होगा कि उसकी पढ़ाई खत्म होने से पहले

आप उसकी शादी नहीं करेंगे।''

वाणी के पिता खुशी-खुशी तैयार हो गए।

अब वाणी डॉक्टर बन गई है और मृदुला को माँ जैसी और गुरु मानती है। फिर भी मृदुला वाणी को कुछ नहीं बता पाती। वह उसे कैसे बता सकती थी कि बेंगलुरु का सबसे मशहूर और प्रतिष्ठित सर्जन उसे धोखा दे रहा है।

वाणी फिर पूछती है, ''मैडम, क्या बात है?''

''कुछ नहीं।''

''आपकी आँखें बता रही हैं कि आप दुःखी और उदास हैं।''

''कोई बात नहीं है वाणी।''

वाणी अपना हाथ मृदुला की गोद में रखती है और हलके से कहती है, ''मैडम, मेरी माँ को गुजरे जमाना हो गया। मैं आपको अपनी माँ मानती हूँ। अगर आप मुझे अपनी बेटी मानती हैं तो आपको मुझे सच्चाई बतानी होगी।''

ऐसे प्यार के शब्द सुनकर मृदुला अपनी रुलाई नहीं रोक पाती। वाणी मृदुला का हाथ पकड़ कर फिर से पूछती है, ''मैडम, आप रो क्यों रही हैं?''

''मैं वाकई थक गई हूँ।''

''ठीक है, फिर मुझे एक प्रोफेशनल डॉक्टर समझकर सबकुछ बताइए।''

''मेरी हथेलियों से पसीना आता है। और मेरी उँगलियाँ काँपती हैं। ऐसा अकसर होता है।''

''और?''

''मुझे हमेशा रोने का मन करता है और कोई काम करने का दिल नहीं करता।''

''और?''

''मेरा दिल बहुत तेजी से धड़कता है। मुझमें किसी चीज के लिए उत्साह नहीं बचा है। मैं डर जाती हूँ और रात को सो नहीं पाती।''

''और कोई बात?''

''मुझे तैयार होने या लोगों से मिलने-जुलने का मन नहीं करता। लेकिन मैं अकेली भी नहीं रहना चाहती। मेरे दिल में लगभग हर समय नकारात्मक विचार आते रहते हैं।''

''मैडम, मैं कोई विशेषज्ञ नहीं हूँ। लेकिन मुझे लगता है कि आपको किसी मनोचिकित्सक से बात करनी चाहिए।''

पिछले साल से वाणी एक मनोरोग संबंधी अस्पताल में काम कर रही है। मृदुला चिंता में पड़ जाती है, ''क्या इसका यह मतलब है कि मेरे दिमाग में कुछ गड़बड़ है?''

''अरे मैडम। मनोचिकित्सक से मिलने का यह मतलब नहीं है कि आप पागल हैं

या आपके दिमाग में कुछ गड़बड़ है। आप एक पढ़ी-लिखी महिला हैं। अगर आप इस तरह बात करेंगी तो दूसरों से हम क्या उम्मीद करें?''

मृदुला जवाब नहीं देती।

''आपके लिए मुझे अपनी व्यक्तिगत समस्याएँ बताना मुश्किल होगा। इसलिए आपको किसी प्रोफेशनल से मिलना चाहिए। आपको पता है कि मन और शरीर के बीच एक संबंध होता है। इसके लिए बस कोई आसान सा उपचार होगा।''

मृदुला चिंता में पड़ जाती है। अगर संजय और शिशिर को उसकी मनोवैज्ञानिक चिकित्सा के बारे में पता चल गया तो? वाणी उसके मन की बात जान लेती है, ''मैडम, आपको किसी को बताने की जरूरत नहीं है। बस जाकर डॉक्टर से मिलिए। अगर आप डिप्रेशन में हैं तो आपको तत्काल उपचार की जरूरत है। मुझे यकीन है कि आप जल्दी ही ठीक हो जाएँगी।''

मृदुला चुप रहती है। वाणी विषय बदल देती है, ''मैडम, मेरी शादी का दिन तय हो गया है। अगर आपने मेरी मदद नहीं की होती तो मैं आज यहाँ नहीं होती।'' उसकी आँखों में कृतज्ञता के आँसू हैं।

मृदुला उसके आँसू पोंछते हुए कहती है, ''यह तो अच्छी बात है। शादी के बाद तुम क्या करना चाहती हो?''

''मुझे अपना पोस्ट ग्रेजुएशन करना है। मेरे प्रोफेसर अभी-अभी रिटायर हुए हैं और उन्होंने प्राइवेट प्रैक्टिस शुरू की है। मैं उनके सभी ब्योरे आपको बाद में दूँगी। वह बहुत अच्छे और अनुभवी हैं। आपको उनसे मिलना चाहिए।''

''तुम्हारे पति क्या करते हैं?''

''वह कॉलेज में मेरे सीनियर थे और अब एक डॉक्टर भी हैं। कुछ साल बाद हम अपना अस्पताल खोलेंगे। आपको हमारी शादी में आकर हमें आशीर्वाद देना होगा।''

''मैं आऊँगी।''

वाणी के जाने के बाद मृदुला उसके लिए प्रार्थना करती है, ''हर लड़की एक अच्छी शादी का सपना देखती है, लेकिन ज्यादातर लड़कियों के लिए वह सपना कभी सच नहीं होता! शादी के बाद की जिंदगी एक लड़ाई है। कुछ ही लड़कियाँ खुशकिस्मत होती हैं। काश कि वाणी हमेशा खुश रहे।''

अगले दिन मृदुला एक ऑटो रिक्शा लेकर बसावनागुडी में डॉ. राव के क्लीनिक जाती है। उसे यह देखकर राहत मिलती है कि प्रतीक्षा-कक्ष में कुछ ही लोग हैं। खुशकिस्मती से कोई उसे पहचानता नहीं। दस मिनट बाद उसे डॉक्टर के ऑफिस में बुलाया जाता है।

डॉ. राव सफेद बालों और शांत आँखोंवाले एक 60 वर्षीय नाटे-मोटे व्यक्ति हैं।

वह मृदुला को देखकर इस तरह मुसकराते हैं, मानो उसे सदियों से जानते हों। शुरू-शुरू में वह असहज होती है, लेकिन डॉक्टर का बरताव उसे सहज कर देता है। वह सौम्यता से उसका नाम पूछते हैं।

"डॉक्टर, मेरा नाम मृदुला है। लेकिन पहले मेरा एक अनुरोध है—कृपया किसी को मेरे यहाँ आने की बात मत बताइएगा।"

"चिंता मत कीजिए। मैं नहीं बताऊँगा।"

"डॉक्टर मुझे डिप्रेशन है। क्या मैं पूरी तरह ठीक हो जाऊँगी।"

"आपको कैसे पता कि आपको डिप्रेशन है?"

"सॉरी डॉक्टर, मैंने अपने-आप अंदाजा लगा लिया। मैंने अपने लक्षणों के बारे में इंटरनेट पर खोजा।"

"कोई बात नहीं। और हाँ, आप ठीक हो जाएँगी।"

"क्या मैं कुछ सवाल पूछ सकती हूँ?"

"बिलकुल। आप जितना बात करेंगी, उतना ही अच्छा होगा। इससे पता चलता है कि आपको जल्दी ठीक होना है।"

"डॉक्टर, मैं सबकुछ से थक चुकी हूँ।"

"मृदुला, खुद को रोकिए मत। आप चाहें तो रो सकती हैं। इससे तनाव कम होगा। कृपया यह ध्यान में रखिए कि आपको अपनी सामान्य अवस्था में आने में थोड़ा समय लग सकता है।"

"कितना समय, डॉक्टर?"

"निर्भर करता है। डिप्रेशन सिर्फ एक हिस्सा है। औसतन ठीक होने में नौ महीने लगते हैं। आपको हर दूसरे दिन मुझसे मिलना होगा।"

"ठीक है।" मृदुला निराश हो जाती है क्योंकि वह एक सप्ताह में ठीक होने की उम्मीद कर रही थी।

"क्या आपके परिवार में डिप्रेशन का इतिहास रहा है?"

"जहाँ तक मेरी जानकारी है, ऐसा नहीं है। क्या यह बीमारी आनुवंशिक होती है?"

"कुछ हद तक। इसके अलावा बाहरी कारक उसे बहुत प्रभावित करते हैं। कभी-कभार दवाओं की जरूरत पड़ती है और कभी-कभार नहीं। आपको उनकी जरूरत नहीं है।"

इस तरह मृदुला सप्ताह में तीन बार डॉ. राव के पास जाना शुरू करती है।

संजय अपने व्यवसाय में व्यस्त रहता है और उसे पता नहीं चलता कि मृदुला नियमित रूप से एक डॉक्टर के पास जा रही है। उसकी दिनचर्या वही रहती है और वह

उससे बात करने की कोई कोशिश नहीं करता।

एक मुलाकात के दौरान डॉ. राव मृदुला से उसके बचपन और परिवार के बारे में बात करना चाहते हैं। वह पूछती है, ''डॉक्टर, मरीज मैं हूँ। आपको मेरे परिवार की जानकारी क्यों चाहिए?''

''मृदुला, मैं आपके डिप्रेशन की जड़ का पता लगाना चाहता हूँ। फिर उपचार आसान और जल्दी होगा। मुझे बताइए जब आप सड़कों पर बेघर लोगों को देखती हैं तो कैसा महसूस करती हैं?''

''मुझे लगता है कि मेरे अलावा हर कोई संतुष्ट है।''

''और आपको दया किस पर आती है''

''भिखारियों पर। उनके पास कुछ नहीं होता,'' मृदुला रोने लगती है।

''मृदुला, क्या आप अगली बार अपने पति को साथ लेकर आ सकती हैं?''

मृदुला कुछ नहीं कहती। उसने डॉ. राव को नहीं बताया है कि उसका पति कौन है।

लेकिन डॉ. राव जोर देते हैं, ''मृदुला, मैं आपके पति से बात करना चाहता हूँ। वह आपके जीवन में बहुत महत्त्वपूर्ण भूमिका रखते हैं। उन्हें हर सत्र में आने की जरूरत नहीं है, लेकिन मैं कम-से-कम तीन-चार सत्र उनके साथ करना चाहता हूँ।''

मृदुला अपने पति से बात करने को तैयार हो जाती है। जब वह घर आती है, संजय सी.एन.बी.सी. न्यूज देख रहा होता है।

मृदुला कहती है, ''मैं बीमार हूँ।''

टीवी की आवाज कम किए बिना संजय जवाब देता है, ''अच्छा, क्या हुआ?''

''मुझे डिप्रेशन है।'' थोड़ा रुक कर मृदुला आगे कहती है, ''मैं नियमित रूप से डॉ. राव के पास जा रही हूँ।''

''कब से?''

''तीन सप्ताह से। वह तुमसे मिलना चाहते हैं।''

संजय डॉ. राव को जानता है। वह सोचता है, 'कितने शर्म की बात है! मैंने इसे जितना कुछ दिया है, उसके बावजूद यह मानसिक रोगी हो गई है। क्या यह अपनी समस्याओं के लिए मुझे जिम्मेदार बना रही है? ऐसा है तो गलत है। मैंने इसके साथ क्या किया है? मैंने बस उससे पूछे बिना अपनी बहन को पैसे दिए। अगर वह इस वजह से मानसिक रोगी बन गई है तो इससे यही पता चलता है कि वह कितनी कमजोर है। मैं डॉ. राव के पास नहीं जाऊँगा। प्रतीक्षा कक्ष में लोग मुझे पहचान लेंगे और फिर बात फैल जाएगी। मेरे मरीज क्या सोचेंगे? अस्पताल और मेरी प्रतिष्ठा का क्या होगा?'

मृदुला दोहराती है, ''डॉ. राव तुमसे मिलना चाहते हैं।''

संजय जवाब नहीं देता।

मृदुला जानती है कि वह नहीं जाना चाहता। फिर भी वह कहती है, ''मैं वहाँ शाम को चार बजे तुम्हारा इंतजार करूँगी।''

अगले दिन संजय डॉक्टर के पास समय पर नहीं पहुँचता। मृदुला शर्मिंदा महसूस करती है। फिर भी वह डॉ. राव से कहती है, ''संजय को कोई बहुत जरूरी काम आ गया होगा।''

डॉ. राव समझ जाते हैं। वह मुसकराकर कहते हैं, ''कोई बात नहीं। उन्हें कहिए कि अगली बार आ जाएँ।''

घर जाने पर मृदुला देखती है कि संजय रात का भोजन कर रहा है। वह पूछती है, ''तुम डॉक्टर के पास क्यों नहीं आए थे? मुझे उनसे कहना पड़ा कि तुम्हें एक इमरजेंसी में जाना पड़ा।''

संजय को बहाना मिल जाता है, वह कहता है, ''हाँ, वही था।''

''फिर अगली बार आ जाना।''

''ठीक है।''

लेकिन संजय कभी किसी सत्र के लिए नहीं आता और हर बार मृदुला को अलग-अलग बहाने बताता है। आखिरकार डॉ. राव कहते हैं, ''मृदुला, आपके पति को हमारे सत्रों के लिए आने की जरूरत नहीं है। हम उनके बिना काम चला लेंगे।''

समय के साथ मृदुला बेहतर महसूस करने लगती है। डॉ. राव अब उसके लिए सिर्फ एक डॉक्टर नहीं हैं। वह एक अच्छे दोस्त बन चुके हैं। वह उसे कोई इंजेक्शन या गोलियाँ नहीं देते। एक दिन वह कहती है, ''डॉक्टर, जब हमने शादी की थी, उस समय मेरे पति ऐसे नहीं थे। उस समय सारे फैसले मेरे होते थे। वह कभी पैसों की परवाह नहीं करते थे।''

''तब स्थिति अलग थी। वह पढ़ाई पर ध्यान लगा रहे थे और मेहनत कर रहे थे। उनका लक्ष्य पैसा नहीं था और आपके फैसले महत्त्वपूर्ण थे। उन्हें मुश्किल हालातों से गुजरना पड़ा होगा, जब सामर्थ्यवान न होने के कारण उन्हें अपमानित किया गया। शायद इसलिए उन्हें लगता है कि पैसा ही ताकत है।''

''डॉक्टर, क्या एक पुरुष को कृतज्ञता और प्यार की जरूरत नहीं होती।''

''बिलकुल होती है। लेकिन राजनीति और व्यवसाय जैसे काफी प्रतिस्पर्धी क्षेत्रों में, इन्हें कमजोर और अवांछित भावनाएँ माना जाता है। सबसे ऊपर सिर्फ एक स्थान होता है और आपको वहाँ तक पहुँचने के लिए दूसरों के ऊपर से गुजरना होता है।''

''लेकिन उससे व्यक्ति के पारिवारिक जीवन पर असर नहीं पड़ता?''

''हाँ, पड़ता है। लेकिन परिवार के लिए नियम व्यवसाय के नियमों से अलग होते

हैं। इन दोनों को एक ही कसौटी पर नहीं कसना चाहिए। खुशहाल परिवार के लिए सौम्यता जरूरी है। लेकिन प्रतिस्पर्धी भावना परिवार को नष्ट कर देती है। आँकड़ों से पता चलता है कि पुरुष लंबे समय तक सफलतापूर्वक व्यवसाय में तभी रह पाते हैं, अगर उन्हें परिवार का समर्थन मिले।''

मृदुला कहती है, ''हाँ, मैंने हमेशा उनका समर्थन करने की कोशिश की है। लेकिन मेरे पति कभी मेरी भावनाओं को नहीं समझते। लेकिन उनकी बहन क्या चाहती है, यह ठीक-ठीक समझ जाते हैं।''

''मृदुला, आप क्या चाहती हैं?''

मृदुला भौंचक्की रह जाती है। वह नहीं बता पाती कि उसे ठीक-ठीक क्या चाहिए। सबकुछ होते हुए भी वह अधूरापन महसूस करती है।

डॉ. राव आगे कहते हैं, ''ज्यादातर शादियों में महिलाएँ नहीं जानती कि वे क्या चाहते हैं और पुरुष समझने की कोशिश नहीं करते। इसका विपरीत भी सच है। इसलिए पति-पत्नी एक-दूसरे को दोषी ठहराने लगते हैं। मैं आपको एक कहानी सुनाता हूँ—

लंबे समय पहले एक खूबसूरत राजकुमार था। वह एक लड़ाई में हार गया और एक राजा ने उसकी जमीन ले ली। राजा युवा राजकुमार को मार डालना चाहता था, लेकिन जब उसने उसकी जवानी और बुद्धिमत्ता देखी तो उसने अपना मन बदल दिया। राजा बोला, ''मैं तुम्हें एक सवाल का जवाब देने के लिए एक साल दूँगा। अगर तुम उसका सही-सही जवाब दे दोगे तो मैं तुम्हें आजादी और तुम्हारा राज्य दे दूँगा। वरना, तुम्हें फाँसी पर चढ़ा दिया जाएगा।''

राजकुमार ने पूछा, ''सवाल क्या है?''

''एक स्त्री एक पुरुष से क्या चाहती है?''

राजकुमार अलग-अलग राज्यों में घूमा और बहुत से लोगों से पूछा, लेकिन वह इसका जवाब नहीं ढूँढ़ सका। आखिरकार उसे पता चला कि एक बूढ़ी जादूगरनी उसकी मदद कर सकती है। जब उसने उससे संपर्क किया तो वह बोली, ''मैं तुम्हें जवाब दे दूँगी, लेकिन मेरी फीस बहुत ऊँची है।''

''कृपया मुझे बताओ।''

''तुम्हें मुझसे शादी करनी होगी।''

राजकुमार के पास कोई चारा नहीं था, वह तैयार हो गया। जादूगरनी ने कहा, ''हर स्त्री अपना जीवन बदलना चाहती है मगर कोई पुरुष नहीं समझ पाता कि ऐसा कैसे करे। वह अपनी पत्नी को अपने पसंद के उपहारों से लाद देता है, लेकिन जो वह चाहती है, वह नहीं देता।''

जब राजा ने यह बात सुनी तो वह खुश हुआ और राजकुमार को उसका राज्य वापस

मिल गया। लेकिन अब उसे बूढ़ी और बदसूरत जादूगरनी से शादी करनी थी। शादी की रात वह उसके बगल में बैठने से डर रहा था, लेकिन उसे आश्चर्य हुआ, जब उसने देखा कि एक खूबसूरत लड़की उसका इंतजार कर रही है। वह मुसकराते हुए बोली, ''मेरे राजकुमार, मुझे आपका धैर्य और वादा निभाना अच्छा लगा। मेरे अंदर बहुत शक्ति है और मैं रात या दिन के समय खूबसूरत रह सकती हूँ। आपकी पसंद क्या है?''

राजकुमार सोच में पड़ गया। अगर वह दिन के समय खूबसूरत लगी तो हर कोई उसकी तारीफ करेगा, लेकिन रात को वह चुड़ैल बन जाएगी और उसके लिए उसे सँभालना मुश्किल होगा। और अगर वह रात को खूबसूरत लगी तो दिन के समय ऐसी रानी होना बहुत लज्जाजनक होगा।

लेकिन अब तक राजकुमार को पता चल चुका था कि एक स्त्री क्या चाहती है। इसलिए वह बोला, ''तुम अपनी इच्छा से चुन सकती हो।''

और जादूगरनी ने हर समय खूबसूरत रहने का फैसला किया।

यह कहानी सुनाने के बाद डॉ. राव कहते हैं, ''मृदुला हमारे जैसे पुरुष प्रधान समाज में सारे महत्त्वपूर्ण फैसले पुरुष द्वारा लिये जाते हैं, यह भी कि उसकी पत्नी क्या चाहेगी। हर स्त्री अपने पति के पैसे या पद की बजाय अपनी आजादी को चुनना अधिक पसंद करती है। जब मैं आपकी जिंदगी को देखता हूँ तो आप एक प्रगतिशील परिवार में पली-बढ़ी, लेकिन फिर भिन्न संस्कृति और आर्थिक हैसियतवाले परिवार में शादी करके आईं। यह भी आपकी समस्याओं की एक वजह है।''

मृदुला की आँखों के आगे पहले की घटनाएँ उभरने लगती हैं।

एक बार संजय ने उससे कहा, ''मृदुला मैंने तुम्हारे लिए एक नई कार का ऑर्डर किया, क्योंकि मुझे वह बहुत पसंद आया।''

''मेरी कार सिर्फ तीन साल पुरानी है और मुझे वह पसंद है। मैं फिलहाल उसे नहीं बदलना चाहती।''

''नहीं, तुम नहीं समझती। वह कार अब पुरानी हो गई है और हमारी हैसियत के मुताबिक नहीं है।''

मृदुला की समझ में नहीं आया कि वह क्या कहे।

एक और दिन संजय ने कहा, ''मैंने नए सीमेंस फोन का विज्ञापन देखा और रोजमेरी को कहा कि हमारे घर के लिए एक ऑर्डर कर दे।''

''क्यों? हमें उसकी जरूरत नहीं है। हमें कितने कम फोन करने होते हैं। शिशिर भी यहाँ नहीं है कि वह उसे इस्तेमाल करे।''

''नहीं, मैं अपने घर में लेटेस्ट टेक्नोलॉजी चाहता हूँ।''

उस समय मृदुला अपना धैर्य खो बैठी और गुस्से में बोली, ''क्या हमारा घर कोई

प्रयोगशाला है, जहाँ तुम नई चीजें रखकर उनके साथ प्रयोग करना चाहते हो?''

''तुम जो चाहो सोच सकती हो। यह मेरा घर है और मेरा फैसला अंतिम है।''

मृदुला ठंडी साँस लेकर डॉ. राव की ओर देखती है। हालाँकि मृदुला ने अपने पति की पहचान नहीं बताई है, डॉ. राव जानते हैं कि वह कौन है। लेकिन वह इस बात को अपने तक रखते हैं।

एक और सत्र के दौरान मृदुला डॉ. राव से कहती है, ''डॉक्टर, मैं अपने भाई की पत्नी वत्सला की इज्जत करती हूँ, लेकिन वह अच्छा व्यवहार नहीं करती। मेरी ननद लक्ष्मी भी मुझे सम्मान नहीं देती। मैं कहाँ गलत हूँ?''

''मृदुला, आप कहीं गलत नहीं हैं। भारत में जब आप किसी व्यक्ति से शादी करते हैं तो आप उसके परिवार से भी शादी करते हैं। लोग सहज ही आपसे पति के परिवार के साथ तालमेल बिठाने की उम्मीद करते हैं। जब एक लड़की बहू बन जाती है तो उसके गुणों को दरकिनार कर उसकी अनावश्यक आलोचना की जाती है। लेकिन सकारात्मक पहलू को देखो। आपकी सास आपको परेशान नहीं करती। आपके पति का विवाहेतर संबंध नहीं है और आपके बेटे को कोई बुरी आदत नहीं है। आपको इसके लिए खुश होना चाहिए। हाँ, आपके पति ने वित्तीय मामले में आपको धोखा दिया है। लेकिन बहुत से पुरुष अधिक दुःखद तरीकों से धोखा देते हैं। अगर आप थोड़ी व्यावहारिक और चतुर होतीं तो स्थितियाँ ऐसी नहीं होतीं।''

''क्या आपको लगता है कि लक्ष्मी को भी मेरी तरह धोखा दिया जा सकता था?''

''मैं लक्ष्मी को नहीं जानता, इसलिए इसका जवाब नहीं दे सकता। आमतौर पर संवेदनशील लोगों को असली दुनिया समझने के लिए अधिक समय चाहिए होता है। मुश्किल माहौल में पलनेवाले लोग तेजी से तालमेल बिठा लेते हैं।''

''लेकिन संजय ने पहले कभी मेरी जानकारी के बिना लक्ष्मी की मदद नहीं की?''

''क्योंकि लक्ष्मी की आर्थिक स्थिति आप दोनों से बेहतर थी।''

''डॉक्टर, क्या पैसा जीवन में इतना महत्त्वपूर्ण है?''

डॉ. राव कहते हैं, ''हाँ, पैसा महत्त्वपूर्ण है। वह बदलाव लाता है। पैसा ताकत, हैसियत और आत्मविश्वास लाता है।''

''लोग पैसे के साथ बदल क्यों जाते हैं?''

''मृदुला, इसका जवाब सिर्फ दार्शनिक ही दे सकते हैं। लेकिन मैं आपको यह बता सकता हूँ कि पैसा लोगों का बेहतरीन और बदतरीन रूप बाहर लाता है। यह चीजों को बढ़ा–चढ़ाकर दिखानेवाला शीशा है। जब कोई व्यक्ति अमीर हो जाता है तो उसकी अंदरूनी

इच्छाएँ सामने आने के लिए मुक्त होती हैं। जब एक स्वार्थी व्यक्ति अमीर बनता है तो वह अपने ऊपर पैसे खर्च करता है, लेकिन जब एक उदार व्यक्ति धनी होता है तो वह दूसरों में उसे बाँटता है। पैसे से प्रभावित न होनेवाले लोगों को ढूँढ़ना मुश्किल है।''

''डॉक्टर, डिप्रेशन होने पर मुझे क्या करना चाहिए?''

''घर पर खाली न बैठें। अपनी पसंद का कोई काम करें। कसरत जरूरी है। लेकिन सबसे जरूरी चीज यह है कि अपनी चिंता दूसरों के साथ बाँटें और यह याद रखें कि डिप्रेशन ठीक हो सकता है। बस उसमें समय लगता है।''

''इतना कुछ होने के बाद मुझे नहीं पता कि मुझे संजय के साथ कैसा व्यवहार करना चाहिए। मैं क्या करूँ?''

''मृदुला, आपके पति एक अच्छे इनसान हैं। लेकिन अपनी कामयाबी के कारण उनका अहम हावी हो गया है। पैसा उन्हें ताकतवर महसूस कराता है। उनमें हीनता की ग्रंथि है और वह पुराने मूल्यों को मानते हैं, जिसमें पुरुषों का वर्चस्व होता है। आपके विपरीत वह एक जटिल व्यक्ति हैं। इसीलिए उन्होंने कभी आपके साथ अच्छा संवाद नहीं रखा।''

मृदुला के गालों पर आँसू ढलक आते हैं। वह सोचती है, मैं इतने लंबे समय तक संजय के साथ कैसे रही? आज उसने मुझे पैसा और समाज में हैसियत दी है, लेकिन वह मेरे दुःख नहीं बाँटता। मैं उसका हाथ पकड़कर कामयाबी की काँटों भरी राह पर साथ-साथ चली हूँ। जब किसी लड़की की शादी होती है तो उसकी खुशी उसके पति के समर्पण और उसके साथ संबंध पर निर्भर करता है। प्यार के कुछ शब्द, थोड़ी सराहना और फूल जैसे छोटे-छोटे उपहार किसी लड़की को विशिष्ट महसूस करा सकते हैं। लेकिन संजय बस यह दिखाना चाहता था कि वह बॉस है।

मृदुला पूछती है, ''डॉक्टर, मुझे अब क्या करना चाहिए?''

''यह आपके ऊपर है। आपका पति हर समय पैसे और अपनी प्रैक्टिस के बारे में सोचता है। आप उसे बदल नहीं सकतीं। उसे बदलाव लाने के लिए तैयार होना होगा। मृदुला, अब जब आप भिखारियों को देखती हैं तो आपको कैसा महसूस होता है?''

''मुझे दुःख होता है, लेकिन उतना नहीं। क्यों?''

''क्योंकि भिखारी उन लोगों के पर्यायवाची होते हैं, जिनके पास कुछ नहीं होता। जब आप यहाँ आईं तो आप अंदर से खाली महसूस कर रही थीं। इसी वजह से आपको भिखारियों पर दया आती थी। इस बीते साल के दौरान आपने अपना आत्मविश्वास वापस पा लिया है और अब आप बिलकुल ठीक हैं। कृपया अपने पति से कोई उम्मीद न करें। बदलने की इच्छा उनमें होनी चाहिए।''

''धन्यवाद, डॉक्टर।''

डॉ. राव के दफ्तर से निकलते हुए, वह हलका और खुश महसूस करती है। जब वह सड़क पर दूसरे लोगों को देखती है तो समझ जाती है कि हर किसी की अपनी-अपनी समस्याएँ हैं।

27

जब जिंदगी मुश्किल हो जाए

कुछ दिन बाद मृदुला एक बार फिर अपने उपचार के बारे में संजय से बात करने की कोशिश करना चाहती है। सुबह संजय के पास समय नहीं होता, इसलिए मृदुला उसी रात उससे बात करने का फैसला करती है। फोन बजता है और उसके विचार भंग हो जाते हैं। वह फोन उठाती है और उसके कुछ कहने से पहले ही, वह एलेक्स की आवाज सुनता है, ''संजय, मुझे खुशी है कि तुमने फोन उठाया। क्या मृदुला ने अपनी स्वीकृति दे दी?''

संजय फोन उठा चुका है। मृदुला फोन रखने ही वाली होती है, लेकिन अपना नाम सुनने पर वह उत्सुक हो जाती है और आगे सुनती है। संजय जवाब देता है, ''नहीं, मैं उससे नहीं पूछना चाहता। मैं उसे करीब पच्चीस सालों से जानता हूँ। वह हमारे साथ सहयोग नहीं करेगी। बल्कि वह समस्याएँ उत्पन्न करेगी, क्योंकि वह एक आदर्शवादी है। उसकी बजाय मैं लक्ष्मी को मूक निदेशक बनाना चाहता हूँ। वैसे भी वह ये बातें नहीं समझती। हम जब चाहें उससे कागजों पर हस्ताक्षर करवा सकते हैं और बदले में उसे कुछ पैसे दे सकते हैं। तुम्हारी तरफ क्या हाल है?''

''अनीता इसमें शामिल नहीं होना चाहती और मेरी बहन बारबरा धूर्त है। इसलिए मैं जूली को इसमें शामिल करूँगा।''

''बढ़िया है। तो हम उत्पाद की कीमत क्या रखें?''

मृदुला फोन रख देती है। संजय और एलेक्स की बातें सुनने के बाद मृदुला अब अपने पति से बात नहीं करना चाहती। उसे कोई परवाह नहीं है कि उनकी रणनीतियाँ क्या हैं या लक्ष्मी को निदेशक क्यों बनाया जा रहा है। अगर संजय उससे चीजें छिपाता है तो वह इस घर में साथ-साथ कैसे रह सकते हैं?

अगर वह अनीता की तरह होती तो अपना जीवन ईश्वर की आराधना में गुजार देती।

अगर वह लक्ष्मी की तरह होती तो पैसों के साथ खुश रहती।

अगर वह रोजमेरी की तरह होती तो वह अपनी आर्थिक आजादी के लिए काम करती।

लेकिन सच्चाई यह है कि वह इनमें से किसी की तरह नहीं है।

वह सोचती है, ''अगर मैं यहीं पर और इसी माहौल में रहती रही तो मैं फिर से डिप्रेशन में जा सकती हूँ। अगर मुझे खुश रहना है तो मुझे अपनी शर्तों पर जीना होगा। और संजय के आस-पास रहते हुए यह संभव नहीं है। वह मेरा मजाक उड़ाता है और मुझ पर हावी रहता है। इससे मेरा आत्मविश्वास डिग जाता है। मैं अब यह सहन नहीं कर सकती। मुझे कुछ करना होगा। लेकिन क्या?''

आखिरकार फैसला उसी पर आता है। वह जानती है कि उसे क्या करना है।

एक महीने बाद संजय और मृदुला की शादी की वर्षगाँठ है, उन्हें साथ-साथ पच्चीस साल हो गए। शिशिर सुबह उन्हें बधाई देने के लिए लंदन से फोन करता है।

शाम को लीला पैलेस में एक भव्य पार्टी रखी गई है। लक्ष्मी, रोजमेरी, शंकर और अनिल इस कार्यक्रम की व्यवस्था करने में व्यस्त हैं। शाम सात बजे एक कॉकटेल, उसके बाद रात्रिभोज है और इस बीच मृदुला और संजय माला बदलेंगे। लक्ष्मी चाहती है कि हर मेहमान को एक महँगा रिटर्न गिफ्ट पेश किया जाए। इसलिए वह एक महँगे ज्वेलर से चाँदी की वस्तुएँ खरीदती है।

संजय ने आमंत्रित लोगों की एक सूची बनाई है और वरिष्ठ अधिकारियों, फार्मास्यूटिकल निदेशकों और बेंगलुरु के दूसरे महत्त्वपूर्ण लोगों और व्यवसायियों को बुलाया है। जब मृदुला के परिवार को डाक से आमंत्रण मिलता है तो भीमन्ना एक टेलीग्राम के द्वारा अपनी शुभकामनाएँ भेज देते हैं। मृदुला को याद आता है कि संजय के कामयाब होने के बाद उसने अपने पिता को पाँच लाख रुपए लौटाने की कोशिश की थी। हालाँकि कृष्णा और वत्सला उसे लेना चाहते थे, लेकिन भीमन्ना नाराज होकर बोले, ''तुम यह पैसे गाँव की झील में डाल दो या हनुमान की पूँछ से बाँध दो। यह तुम पर है। मैं अपनी बेटी के साथ कोई लेन-देन नहीं करना चाहता। मैं इसे स्वीकार नहीं कर सकता।''

इसलिए मृदुला ने उस पैसे को गाँव के पुराने स्कूल की मरम्मत में लगा दिया, जहाँ उसने पढ़ाई की थी।

मृदुला ने जिन लोगों को बुलाया है, उनमें सरला पार्टी में आ रही है, लेकिन अनीता नहीं आ रही। वह मृदुला को फोन करके कहती है, ''जब हम ईश्वर की ओर देखते हैं तो वह हमें उपहार देता है। जब भी वह ऐसा करता है, वह हमें बेहतर बनाने के लिए होता है। उसे खुशी के साथ स्वीकार करो। मैं तुम्हारे लिए बस यही दुआ करती हूँ।''

मृदुला को उसकी बात अच्छी लगती है।

रत्नम्मा बैंक में अध्यक्ष के अपने काम में व्यस्त होती है और अपने मैनेजर के

द्वारा शुभकामनाएँ भिजवाती है। लेकिन लक्ष्मी पार्टी को लेकर उत्साहित है और बार-बार इसकी चर्चा करती है। उसे अब भी यह लगता है कि मृदुला संजय के साथ उसके आर्थिक लेन-देन के बारे में नहीं जानती। वह मृदुला से कहती है, ''मैं तुम्हारे लिए लाल पारवाली एक सफेद कांजीवरम साड़ी और संजय के लिए सिल्क का कुरता-पायजामा खरीद दूँगी। उस साड़ी के साथ हीरे के आभूषण अच्छे लगेंगे, लेकिन मेरे पास तुम्हें उपहार में देने के लिए उतना पैसा नहीं है। मैं संजय से कहूँगी कि वह तुम्हारे लिए खरीद दे।''

एक साल पहले मृदुला उसकी बात मान लेती, लेकिन आज वह उदासीन है और कुछ नहीं कहती।

संजय भी पार्टी को लेकर उत्साहित है। उसे लगता है कि मृदुला अब ठीक है और अपने दुःख से बाहर आ चुकी है। वह पूछता है, ''मृदुला, तुम्हें क्या चाहिए? मुझे बताओ? तुम यूरोप भ्रमण पर जाना चाहती हो या आभूषण चाहती हो?''

वह नहीं जानता कि वह उसे भरोसा नहीं दे सकता, जो अब मृदुला को उस पर नहीं है।

शाम का समय है और मृदुला, संजय को छोड़कर हर कोई लीला पैलेस में दोनों का इंतजार कर रहा है। पच्चीस साल पहले सरल और शर्मीली मृदुला की शादी संजय से अलादाहल्ली के उसके घर में एक सादे समारोह में हुई थी। विडंबना यह है कि उसकी शादी की रजत जयंती उसकी शादी के मुकाबले अधिक धूमधाम से मनाई जा रही है।

घर पर संजय इस शाम के लिए खासतौर पर तैयार कराया गया अपना अरमानी सूट पहन रहा है। वह तैयार है और गलियारे में मृदुला का इंतजार कर रहा है। मृदुला अपने कमरे में कुछ करने में व्यस्त है। संजय नाराज हो जाता है, क्योंकि देर हो रही है। वह ऊँची आवाज में उसे बुलाता है, ''मृदुला, तुम वहाँ क्या कर रही हो? हम लेट हो रहे हैं। हर कोई हमारा इंतजार कर रहा है।''

मृदुला एक सफेद सूती साड़ी में बाहर आती है, उसके चेहरे पर शांति है। वह कहती है, ''मैं अपना सामान पैक कर रही हूँ। मेरा ट्रांसफर हो गया है।''

''कहाँ?''

''अलादाहल्ली।''

संजय हैरान है, ''मैं शिक्षा मंत्री को जानता हूँ। मैं उसे रद्द करवा दूँगा।''

''ऐसा मत करना। मैंने खुद इसके लिए कोशिश की थी।''

''लेकिन तुमने मुझे कभी बताया नहीं!''

''तुम्हारे लिए यह महत्त्वपूर्ण नहीं था।''

"तुम कब लौटकर आओगी?"

"शायद कभी नहीं।"

"तुम वहाँ कहाँ रहोगी और क्या करोगी?"

"मैंने चंपक्का आंटी का घर खरीद लिया है। मुझे तुम्हारी माँ का शुक्रिया अदा करना चाहिए, जिन्होंने मुझे हर महीने अपना कुछ वेतन बचाने की सलाह दी थीं। मैंने वह घर अपने पैसे से खरीदा।"

"तुम अपने पिता के साथ नहीं रहोगी?"

मृदुला की आवाज में न तो गुस्सा है, न निराशा। वह कहती है, "नहीं, मैंने अपने जीवन के सबसे महत्त्वपूर्ण पच्चीस साल तुम्हारे साथ बिताए, फिर भी मुझे कभी नहीं लगा कि मैं तुम्हारा या तुम्हारे परिवार का हिस्सा हूँ। मैं अब भी बाहरी हूँ। मेरे पिता का घर अब वत्सला का है और मैं अपने भाई और भाभी पर बोझ नहीं बनना चाहती। शिशिर आजाद है और तुम मुझसे बेहतर उसका खयाल रख सकते हो। तुम दोनों के प्रति मेरा कर्तव्य खत्म हो चुका है। मैंने एक पत्नी, माँ और बहू के अपने सारे कर्तव्य निभा लिये हैं। अब मैं अपने लिए जीना चाहती हूँ। मेरे पास मेरी नौकरी, मेरा स्कूल और मेरा गाँव है। तुम्हें अब मेरी चिंता करने की जरूरत नहीं है। तुम और शिशिर जब चाहो मुझसे मिलने आ सकते हो।"

दीवार घड़ी साढ़े छह बजाती है, शुभ-मुहूर्त आ चुका है। मृदुला संजय के जवाब का इंतजार नहीं करती। वह घर से बाहर निकलती है, एक ऑटो रिक्शा लेती है, अपना छोटा सा बैग अंदर रखती है और पीछे मुड़े बिना चली जाती है।

संजय बरामदे में उसके पीछे देखता रह जाता है। उसने सपने में भी यह कल्पना नहीं की थी कि मृदुला उसे छोड़कर चली जाएगी। उसने मृदुला पर अपना हक समझ लिया था। अगर वह सरला या लक्ष्मी की तरह होती तो वह उसके साथ व्यवहार में अधिक सावधानी रखता। लेकिन मृदुला ने एक कड़ा फैसला ले लिया था और किसी पर दोष लगाए बिना चली गई थी।

उसे समझ में नहीं आ रहा था कि वह क्या करे।

वह वापस घर में चला जाता है और सोफे पर बैठ जाता है। फोन बज रहा है वह ध्यान नहीं देता। पहली बार उसे महसूस होता है, मानो उसने कोई कीमती चीज खो दी हो। उसे लगा था कि वह पैसे से कोई भी चीज और किसी को भी खरीद सकता है। लेकिन आज इतने पैसों के बावजूद वह भिखारी की तरह महसूस कर रहा है।

आखिरकार फोन बजना बंद हो जाता है। थोड़ी देर में उसे किसी कार के अंदर आने की आवाज सुनाई देती है। वह देखने के लिए नहीं उठता कि कौन आया है। घर में अँधेरा है। लक्ष्मी अंदर आती है और रोशनी करती है। फिर वह अपने भाई को सोफे

...र चकराए हुए और हैरान-परेशान बैठे देखती है। तेज रोशनी में उसे संजय के चेहरे का उड़ा हुआ रंग साफ दिखाई देता है।

''संजय, तुम इस तरह क्यों बैठे हो? मैंने तुम्हें कितनी बार फोन किया, लेकिन कोई जवाब नहीं मिला। तुम ठीक हो? मृदुला कहाँ है?''

संजय अपने हाथों में अपना चेहरा छुपा लेता है और कहता है, ''ओह, मृदुला, मृदुला।''

लक्ष्मी मृदुला को घर में ढूँढ़ती है। आखिरकार वह वापस आकर अपने भाई के सामने खड़ी होती है, पूछती है, ''क्या हुआ? मृदुला कहाँ है?''

''वह चली गई।''

''तुम्हारा क्या मतलब है? कहाँ गई और कब?''

संजय जवाब नहीं देता।

''वह कब लौटेगी?''

''मुझे नहीं पता।''

''तुम्हारी तबीयत खराब है या तुम मेरे साथ मजाक कर रहे हो?''

अचानक संजय को पार्टी की याद आती है। वह अपने आपको सँभालते हुए कहता है, ''लक्ष्मी, पार्टी में वापस जाओ और सबसे कहो कि मृदुला का फ्रैक्चर हो गया है। रुको, मैं तुम्हारे साथ आता हूँ। उनसे कहो कि भोजन करें और चले जाएँ।''

''लेकिन वह गई क्यों? और अब?''

संजय लक्ष्मी के सवालों का कोई जवाब नहीं देता।

संजय और लक्ष्मी लीला पैलेस जाते हैं। वह लोगों से खचाखच भरा हुआ है। संजय जबरन मुसकराता है और हर किसी से माफी माँगता है, ''आपके धैर्य के लिए शुक्रिया। मुझे बहुत खेद है कि आप लोगों को इंतजार करना पड़ा। मृदुला का एक फ्रैक्चर हो गया है और मुझे उसकी देखभाल के लिए भागना पड़ा। कृपया डिनर करके जाएँ।'' संजय रोजमेरी और शंकर को सारी चीजें सँभालने को कहता है और पार्टी छोड़कर चला जाता है।

घर वापस आकर उसे मृदुला के ऊपर गुस्सा आता है। मृदुला ने जिस तरह उसे सार्वजनिक तौर पर शर्मिंदा किया है, वह उसपर आग-बबूला है। वह फैसला करता है कि वह उसे फोन नहीं करेगा। वह सोचता है, 'मैंने उसे किसी रूप में नुकसान नहीं पहुँचाया है। उसके पास घर छोड़कर जाने की कोई वजह नहीं थी। वह बेंगलुरु के एक विख्यात गायनोकॉलोजिस्ट की बीवी है। वह मेरी अवज्ञा कैसे कर सकती है? उसे समझ में आने दो कि मैं कौन हूँ। फिर वह खुद मेरे पास वापस आएगी। एक भारतीय स्त्री के लिए अकेले रहना आसान नहीं है। इस बीच सकम्मा, चिक्की और नंजा आराम

से घर की देखभाल कर सकते हैं।'

फिर वह कपड़े बदलकर सो जाता है।

अचानक वह उठता है और घड़ी की ओर देखता है। रात के दो बजे हैं। संजय को आमतौर पर अच्छी नींद आती है। लेकिन आज वह सो नहीं पा रहा। उसका दिमाग बार-बार उस दिन की ओर लौटकर जाता है, जब वह मृदुला से मिला था, कैसे उसे शादी के लिए मनाया था और उसके बाद से उसके साथ जीवन कैसा रहा है।

जब सुबह वह जगता है तो सकम्मा, चिक्की और नंजा उसके आदेशों का इंतजार कर रहे हैं।

सकम्मा पूछती है, ''आज खाने में क्या बनेगा?''

नंजा कहता है, ''मुझे पेट्रोल के लिए पैसे चाहिए।''

चिक्की भी कहता है, ''पानी की टंकी लीक कर रही है।''

एक मिनट के लिए संजय चकरा जाता है। फिर वह नंजा और चिक्की की ओर मुड़कर कहता है, ''रोजमेरी से बात करके उससे पैसे ले लो।'' फिर वह सकम्मा से कहता है, ''तुम्हारा जो मन करे, बना लो।''

''अम्मा कब तक लौटेंगी?''

''शायद एक महीने में।''

फिर संजय अस्पताल के लिए निकल जाता है। वह सोचता है कि अस्पताल जाने के बाद वह व्यस्त हो जाएगा और जिंदगी फिर से सामान्य हो जाएगी। लेकिन वह किसी अनाथ जैसा महसूस कर रहा है। उसे चिंता है कि अगर उसने छुट्टी ली या किसी ऑपरेशन को रद्द किया तो इससे उसके नर्सिंग होम की प्रतिष्ठा पर असर पड़ेगा।

जब शाम को वह अपने कमरे से बाहर आता है तो रोजमेरी के पति को उसकी डेस्क पर लाल गुलाबों के साथ खड़े देखता है। उसने अच्छे कपड़े पहने हुए हैं, दाढ़ी-वाढ़ी बनाई हुई है और रोजमेरी का इंतजार कर रहा है। संजय जोसेफ को बात करने लायक नहीं समझता, लेकिन आज वह पूछता है, ''जोसेफ, क्या कोई खास मौका है? तुम अस्पताल में बुके लेकर आए हो।''

''आज रोजमेरी का जन्मदिन है।''

एक मिनट बाद ही रोजमेरी अपने डेस्क पर वापस आती है और संजय से पूछती है कि क्या वह जा सकती है। संजय हामी में सिर हिलाता है और कमरे में वापस चला जाता है। खिड़की से वह उन्हें एक-दूसरे का हाथ पकड़कर सड़क पार करते देखता है। वह हैरान है कि फूलों के एक मामूली बुके ने रोजमेरी को कितना खुश कर दिया है। उसने कभी मृदुला को ऐसी खुशी नहीं दी।

फिर वह कैश रजिस्टर जाँचता है। लगभग छह लाख रुपए की आमदनी हुई है, लेकिन उसे कुछ भी महसूस नहीं होता। उसका फोन बजता है। दूसरी ओर अनीता है। वह उससे पूछती है, ''संजय, कल क्या हुआ?''

''कुछ नहीं।''

''मैं जानती हूँ कि मृदुला तुम्हें छोड़कर चली गई है।''

''तुम्हें किसने बताया?''

''मैंने तुम्हारे घर फोन किया था, अलादाहल्ली में मृदुला के पिता का नंबर लिया और आखिरकार मेरी उससे बात हो पाई।'' संजय को समझ में नहीं आता कि वह क्या कहे। अनीता आगे कहती है, ''मैं मृदुला से वापस आने के लिए नहीं कहना चाहती। उसे तुमसे कोई खुशी नहीं मिलेगी। संजय, तुम खुशकिस्मत थे कि तुम्हारी शादी उससे हुई। तुम्हें ईश्वर का आभारी होना चाहिए था। अब तुम उसे खो चुके हो तो तुम अपने अस्पताल से जितना पैसा कमा रहे हो, वह व्यर्थ है। हो सकता है तुम्हें मेरी बात पसंद न आए, लेकिन एक सच्चे दोस्त को सच बोलना चाहिए, चाहे वह कड़वा हो। हाँ, तुम्हारे दोस्त ऊँचे पदों पर हैं। वे तुमसे अच्छा व्यवहार करेंगे और मुसकराएँगे, मगर तुम्हारे पीठ पीछे वे तुम पर हँसेंगे। मैं पिछले तेईस सालों से मृदुला को अच्छी तरह जानती हूँ। उसने सभी मुश्किलों में तुम्हारा साथ दिया है। तुम्हारी माँ या बहन या बेटा उसकी जगह नहीं ले सकते। शिशिर शादी कर लेगा और उसका अपना परिवार होगा। उस समय पिता सिर्फ मेहमान बनकर रह जाता है। तुम्हारी माँ के बारे में जितना कम कहा जाए, उतना सही होगा। तुम्हारी बहन सिर्फ तुमसे पैसा बनाने के मौके तलाशती है। सरलता, मासूमियत और स्नेह के मामले में मृदुला की बराबरी कोई नहीं कर सकता। मैं माफी चाहती हूँ कि मैंने तुम्हारे व्यक्तिगत मुद्दों के बारे में इतना कुछ कहने की हिम्मत की। लेकिन मुझे अपने मन की बात सुननी पड़ती है।''

उसके जवाब देने से पहले ही वह फोन काट देती है। संजय जानता है कि अनीता सीधी बात करती है। वह फोन की बगल में मूर्ति की तरह खड़ा रह जाता है।

कुछ मिनट बाद वह बाहर लक्ष्मी की आवाज सुनता है। आखिरकार वह अंदर झाँकती है। उसने अपने बालों को रँग लिया है और मैचिंग गहने पहने हुए हैं। वह उससे काफी युवा लग रही है। वह उसे अंदर आने का इशारा करता है, शंकर और लक्ष्मी दोनों अंदर आकर उसके सामने बैठते हैं। लक्ष्मी पूछती है, ''संजय, तुम अपनी नई कंपनी में मुझे डायरेक्टर बनाना चाहते हो। तो उद्घाटन कब है? क्या उसका प्रेस रिलीज भी होगा? मैं पहले ही इस बारे में अपने लेडीज क्लब की महिलाओं को बता चुकी हूँ। वैसे कल शाम को बहुत उपहार नहीं आए। ज्यादातर बुके थे···''

लक्ष्मी मृदुला या पिछली शाम की घटना के बारे में कोई बात नहीं करती। वह

बस बिजनेस की बात करना चाहती है। संजय को एहसास होता है कि लक्ष्मी को अपने भाई के व्यक्तिगत जीवन से अधिक चिंता अपने नए पद की है। वह कहता है, ''मुझे इस बारे में खास जानकारी नहीं है। एलेक्स इसपर काम कर रहा है। उससे पूछो।''

''तुम्हारी नजर में अनिल के लिए कोई अच्छी लड़की है? मैं डायरेक्टर बनने के बाद उसकी शादी करना चाहती हूँ।''

संजय के मोबाइल पर एक फोन आता है और वह अपने कमरे से बाहर चला जाता है, लक्ष्मी और शंकर अंदर रह जाते हैं। जब वह फोन पर बात खत्म करके अंदर आता है तो देखता है कि शंकर अपनी पत्नी को डाँट रहा था, ''तुम्हें बिलकुल भी समझ नहीं है। तुमने उसे अनिल के लिए लड़की खोजने को क्यों कहा? उसने उस गाँववाली से शादी की और वह अनिल के लिए भी कोई गाँववाली लड़की सुझाएगा। मृदुला पूरी तरह बेकार है। हालाँकि वह देखने में अच्छी है, लेकिन वह मूर्ख है। मेकअप करके कोई भी खूबसूरत दिख सकता है। लड़की दिखने में साधारण हो तो चलेगी, लेकिन उसे अमीर माँ-बाप की इकलौती संतान होना चाहिए।''

संजय को देखकर शंकर चुप हो जाता है। संजय को मृदुला के बारे में उनकी बातें सुनकर बुरा लगता है। वह जानता है कि यह उसी की गलती है। वह उसे कोई भाव नहीं देता था और उनके सामने उससे रुखाई से बात करता था। इसी लिए वे भी उसके साथ ऐसा ही व्यवहार करते हैं।

वह घर जाता है। घर खाली लग रहा है। उसे चिंता होती है कि अब से हर शाम ऐसी ही होगी। पहले वह अनीता की बातों पर नाराज हो रहा था। मगर अब घर पर वह अनीता की बातों पर सोचता है। वह हर रात कुछ मिनटों के लिए मृदुला से बात करता है और हालाँकि वह उससे लड़ती है, लेकिन वह अब भी उसका अभिन्न हिस्सा है। वह चारों ओर देखता है, कमरे में उसे मृदुला की पहली तनख्वाह से खरीदी घड़ी दिखती है। उसने उसे वह पुराना स्कूटर भी खरीदकर दिया था, जो अब गैराज में पड़ा है।

हालाँकि सकम्मा उसकी चाँदी की थाली में गरम खाना परोसती है, वह खा नहीं पाता। दीवार पर टँगी उनकी शादी की तसवीर पर उसकी नजर जाती है। मृदुला और वह दोनों मुसकरा रहे हैं। वह अपनी विफल शादी के बारे में सोचता है और जानता है कि मृदुला ने उसकी विकलांगता के बावजूद उससे शादी की थी और बिना किसी उम्मीद के उससे प्यार किया था।

उसके बिना कितना खालीपन है।

28
बढ़ता दर्द

शिशिर और नेहा नियमित रूप से मिलते हैं और समय तेजी से गुजरता रहता है। इतिहास और मानविकी में कोई दिलचस्पी न रखनेवाला शिशिर नेहा के समझाने के ढंग से प्रभावित होता है।

नेहा और शिशिर दोनों इंडियन यूथ क्लब के साथ जुड़ जाते हैं, उसमें बेंगलुरु के तीन और लोग हैं—रमेश, ऊषा और रघु। वे सब भी कन्नड़ बोलते हैं। इन पाँचों में केवल शिशिर के पास ही कार है। नेहा के अलावा हर कोई उसपर निर्भर हो जाता है। हालात शिशिर को नेता बना देते हैं, उसे यह अच्छा लगता है। वही फैसले करता है कि कहाँ जाएँ, कहाँ खाएँ और क्या करें। कभ।-कभार लोगों को उसकी पसंद अच्छी नहीं लगती, लेकिन उनके लिए उसके साथ रहना आसान और आरामदेह है। उन्हें बस भोजन के बिल का अपना शेयर देना पड़ता है। बाकी शिशिर सँभाल लेता है।

नेहा को यह पसंद नहीं। इसलिए वह कभी-कभी इस ग्रुप में शामिल नहीं होती। लेकिन शिशिर आग्रह करता, ''चलो भी नेहा। यह तुम्हारे लिए अच्छा है।''

नेहा जानती है कि यह सच नहीं है, लेकिन वह अशिष्ट नहीं होना चाहती क्योंकि शुरुआत में शिशिर ने उसकी मदद की थी। एक दिन शिशिर फैसला करता है कि वे कैंब्रिज नदी में नौकायन करने जाएँगे, जो ज्यादातर विद्यार्थियों के लिए आम बात है।

नाव पर वे पाँचों अपने भविष्य के बारे में बात करने लगते हैं। रमेश कानून की पढ़ाई कर रहा है, वह कहता है, ''मैं एक महिला वकील से शादी करना चाहता हूँ। फिर मैं एक बढ़िया लॉ फर्म खोल सकता हूँ।''

ऊषा कहती है, ''मैं एक अमीर आदमी से शादी करना चाहती हूँ ताकि मुझे काम न करना पड़े। मैं बिना काम किए पढ़ सकती हूँ, घूम-फिर सकती हूँ और जिंदगी का आनंद उठा सकती हूँ।''

रघु कहता है, ''मैं चाहता हूँ कि मेरी पत्नी किसी मॉडल की तरह खूबसूरत और आधुनिक विचारोंवाली हो।''

शिशिर की बारी आने पर वह कहता है, ''मैं ऐसी लड़की चाहता हूँ, जो मुझसे बहस न करे और किसी भी स्थिति में ढल जाए। एक औरत घर का वातावरण और संस्कृति तय करती है। लेकिन उसे घर के बाहर आधुनिक होना चाहिए। वह बुद्धिमान हो और यह समझे कि मेरी सोच क्या है, उसी के मुताबिक काम करे।''

हर कोई उसकी बातों पर हँसने लगता है। वे कहते हैं, ''फिर तुम्हें चार लड़कियों

से शादी करनी चाहिए।''

''क्यों? ऐसी लड़की ढूँढ़ना क्या इतना मुश्किल है? मुझे यकीन है कि बहुत सी लड़कियाँ ऐसी जिंदगी जीना चाहेंगी। एक अच्छा पति मिलना भी एक उपलब्धि होती है।''

उसकी बातों पर सारे फिर से हँसने लगते हैं। अब नेहा की बारी है। वह कहती है, ''मैं ऐसा आदमी चाहती हूँ, जो एक औरत के रूप में मुझे सम्मान दे। हमें एक-दूसरे को साथ-साथ और अलग से एक व्यक्ति के रूप में विकसित होने की आजादी देनी चाहिए। पैसा मेरे लिए अहमियत नहीं रखता। उसकी नौकरी भी कोई मायने नहीं रखती।''

ऊषा कहती है, ''अरे नेहा, तुम किसी काल्पनिक पुरुष के बारे में सोच रही हो, जिसका कोई अस्तित्व नहीं है।''

कुछ महीने बीत जाते हैं और नेहा शिशिर से दूरी बनाए रखती है। वह दोस्ती का रिश्ता बरकरार रखती है। हालाँकि शिशिर ने यह बहुत देखा है कि लड़कियाँ उस पर मरने लगती हैं और उसकी हर बात मानती हैं, लेकिन नेहा उनसे अलग है। इससे शिशिर और अधिक उसकी ओर आकृष्ट होता है और उसे पसंद करने लगता है। वह नेहा को डेट पर ले जाना चाहता है। वे अकसर ग्रुप में ही बाहर जाते हैं, उसने कभी उसे अकेले डिनर के लिए नहीं बुलाया। वह नेहा को फोन करता है, ''क्या तुम आज रात मेरे साथ फिल्म देखने और फिर डिनर के लिए चलोगी? यह हमारी डेट होगी।''

उधर से कोई जवाब नहीं मिलता। वह कहता है, ''नेहा, मैं तुम्हारे कुछ कहने का इंतजार कर रहा हूँ।''

थोड़ा रुककर नेहा जवाब देती है, ''माफ करना, मैं नहीं आ सकती।''

''क्यों? क्या तुम्हें कोई काम है? क्या तुम किसी और से मिल रही हो?''

''नहीं, मुझे कोई काम नहीं है। मैं बस आना नहीं चाहती।''

''चलो भी, नेहा। यह तुम्हारे लिए एक अच्छा बदलाव होगा। मैं छह बजे थिएटर में तुम्हारा इंतजार करूँगा।''

शिशिर फोन काट देता है। घर पर थोड़ा आग्रह करने पर उसकी माँ आखिरकार मान जाती है। उसे यकीन है कि नेहा भी मान जाएगी।

वह थिएटर पहुँचता है, नेहा समय पर नहीं पहुँचती। वह आधे घंटे इंतजार करता है, उसे बुरा लगता है कि वह नहीं आई। वह उसे फोन करता है। नेहा फोन उठाकर कहती है, ''मैं नहीं आ रही हूँ, इसका मतलब यही होता है कि मैं वाकई नहीं आ रही हूँ।''

शिशिर आगबबूला हो जाता है। वह थिएटर वापस जाकर अकेले फिल्म देखने का फैसला करता है। हालाँकि परदे पर फिल्म चल रही है, उसका मन शांत नहीं है।

'कोई मुझे ना कैसे कह सकता है?' शिशिर सोचता है, 'मैं खूबसूरत, अमीर, बुद्धिमान हूँ और मैंने काफी कुछ हासिल किया है। मेरे पिता एक बड़े आदमी हैं। वह एक अस्पताल के मालिक हैं। समाज में हमारी बड़ी प्रतिष्ठा है। एक लड़की को और क्या चाहिए?' उसे अपने कानों पर यकीन नहीं होता। उसने अपने जीवन में कभी ना शब्द नहीं सुना। उसने अपनी मेहनत, बुद्धिमत्ता या पैसे के बल पर और कभी-कभी अपनी आक्रामकता से जो चाहा वह हासिल किया है। अगर उसने डॉली को फोन किया होता तो वह उसका साथ पाने के लिए सात समुंदर पार करके आ जाती।

'चित्रदुर्गा की एक मामूली सी लड़की, जो किसी भी भीड़ में गुमनाम सी है, को मुझसे अच्छा लड़का कभी नहीं मिल सकता। अगर वह ना कहती है तो या तो वह अव्यावहारिक है या मूर्ख। शायद उसकी किस्मत में अच्छी जिंदगी नहीं है।'

वह नीता और कॉलेज की दूसरी लड़कियों के बारे में सोचता है, जिनकी शक्ल-सूरत और समाज में हैसियत नेहा से बेहतर है। वे उसके साथ डेट के लिए गिड़गिड़ा सकती थीं। उसके गुस्से की कोई सीमा नहीं है। वह गुस्से में काँपने लगता है। उसकी हथेलियों में पसीना आ जाता है। फिर वह अपने-आप को शांत करता है और सोचता है, 'मैं चित्रदुर्गा की इस लड़की के बारे में क्यों सोच रहा हूँ। वह किसी भी रूप में मेरी बराबरी की नहीं है। मैं उसकी ओर आकर्षित क्यों हो रहा हूँ? मैंने उससे शादी की बात नहीं की है। मैंने उसे सिर्फ डेट पर बुलाया था।'

शिशिर आधी फिल्म में ही थिएटर से बाहर आ जाता है, अपनी डिनर की रिजर्वेशन कैंसल करता है और अपने कमरे में चला जाता है।

अगले दिन वह नेहा के इनकार की वजह जानना चाहता है। वह नेहा के कॉलेज जाता है और लंचटाइम का इंतजार करता है। जल्द ही उसे वह लंच करती दिख जाती है, वह उसके मेज पर ही अपने लंच के साथ बैठ जाता है। गुस्से में वह पूछता है, ''क्या मैं जान सकता हूँ कि तुम कल क्यों नहीं आईं?''

''शिशिर, तुम्हें कारण जानने की कोई जरूरत नहीं है। ऐसे मामलों में तुम जोर नहीं दे सकते।''

''इसका मतलब है कि तुम्हारे मन में कोई और है? अगर ऐसा था तो तुमने मुझे पहले क्यों नहीं बताया?'' वह ईर्ष्या महसूस करता है।

''नहीं, कोई और नहीं है। तुम एक अच्छे दोस्त और एक अच्छे इनसान हो। लेकिन मैंने सोच-समझकर यह फैसला किया है। मुझे इसके नतीजे पता हैं। हो सकता है कि मुझे तुम्हारी तरह कोई अमीर, प्रसिद्ध और खूबसूरत लड़का न मिले, लेकिन मुझे कोई फर्क नहीं पड़ता। वह मेरा लक्ष्य नहीं है। मैं तुमसे डेट नहीं करना चाहती।''

''फिर भी मैं वजह जानना चाहता हूँ,'' शिशिर आग्रह करता है, ''कम-से-कम

मुझे सच्चाई पता चलेगी।''

''शिशिर, सच बताना कोई बड़ी बात नहीं है, लेकिन निर्भर करता है कि लोग उसे किस तरह लेते हैं। कुछ लोग प्रतिक्रिया करते हैं, कुछ आसानी से स्वीकार कर लेते हैं और खुद को सुधार लेते हैं, जबकि कुछ भावनात्मक रूप से टूट जाते हैं। अगर तुम बिना कड़वाहट के उसे पचा सकते हो तो मैं तुम्हें बता दूँगी।''

''मैं उसे पचा लूँगा। लेकिन मुझे सच जानना है।''

''सच यह है कि हम बहुत अलग हैं। तुम्हारा पालन-पोषण अलग तरीके से हुआ है। इससे अधिक जीवन के प्रति तुम्हारा नजरिया अलग है। आधुनिक शिक्षा के बावजूद मानसिकता नहीं बदली है। एक औरत से हमेशा दोयम दरजे का बनकर रहने की उम्मीद की जाती है। उसे हर परिस्थिति में सामंजस्य बिठाना पड़ता है। हर परिस्थिति में समझौता करने का स्वभाव, गुण माना जाता है। मैं इस तरह नहीं जीना चाहती। मैं दिखावे की दोस्त या पत्नी नहीं बनना चाहती। शादी मेरे लिए आखिरी मंजिल नहीं है। एक औरत के जीवन जीने के और भी तरीके हैं।''

''इसका क्या मतलब है कि जीवन का मेरा नजरिया अलग है?''

''यह नजरिया कि पैसे से सबकुछ खरीदा जा सकता है, आज के समाज में सच हो सकता है। लेकिन हकीकत यह है कि पैसे से हर चीज नहीं खरीदी जा सकती। जीवन सिर्फ पैसा नहीं है। इसका मतलब है—एक-दूसरे की परवाह। वह किसी व्यक्ति को अधिक संतोष और खुशी देता है। इस दुनिया में तीन तरह के पुरुष होते हैं। अधिकांश पहली श्रेणी के होते हैं, जहाँ पुरुष सबसे महत्त्वपूर्ण होता है और वह सोचता है कि वह बाकियों से श्रेष्ठ है। वह अपनी पत्नी से उम्मीद करता है कि वह उसका अनुसरण करे। जब तक वह उसके अधीन होती है, वह उसकी देखभाल करके खुश होता है। उसे लगता है कि पत्नी को जीवन का उतना अनुभव नहीं है या वह पति जितनी बुद्धिमान नहीं होती। वह उसकी ओर से फैसले लेता है। अधिकतर औरतें इसे जीवन का एक तरीका मान लेती हैं और जो लोग इसे स्वीकार नहीं करते या इसके खिलाफ विद्रोह करते हैं, उन्हें समाज में कष्ट उठाना पड़ता है। दूसरी श्रेणी में ऐसे लोग आते हैं, जो स्त्रियों को आगे बढ़ने देते हैं। वे स्त्री के मुताबिक अपना जीवन ढालते हैं और उसे पत्नी की जगह एक व्यक्ति के रूप में सम्मान देते हैं। लेकिन इस श्रेणी में बहुत कम लोग हैं। तीसरी श्रेणी उन पुरुषों की है, जो अपनी स्त्रियों को सच्चे और बराबरी के जीवनसाथी मानते हैं और कदम-से-कदम मिलाकर चलते हैं। मुझे पहली श्रेणी के पुरुष बिलकुल भी पसंद नहीं हैं···''

शिशिर उसे बीच में ही टोकता है, ''क्या तुम यह कहना चाहती हो कि मैं महिलाओं से अच्छा व्यवहार नहीं करता और उन्हें निम्न दरजे का मानता हूँ? तुम मुझसे

इस तरह बात कैसे कर सकती हो?''

''शिशिर, गलत मत समझो। मैंने ऐसा कुछ नहीं कहा। लेकिन तुम्हारा रवैया दिखाता है कि औरत को ही सारे समझौते करने पड़ते हैं। इससे मुझे चिंता होती है। बाद में पछताने से बेहतर है, किसी रिश्ते से पहले एक-दूसरे को जान लेना। मेरे परिवार को इसकी वजह से बहुत कुछ सहना पड़ा है।''

''तुम्हारा क्या मतलब है?''

''मैंने तुम्हें अपने व्यक्तिगत जीवन के बारे में नहीं बताया है। मेरी बहन नीरजा ने अपने सहपाठी से शादी की थी, जिसे वह लंबे समय से जानती थी। हम सबको लगा कि हालाँकि वह बहुत खूबसूरत था, वह और उसका परिवार बहुत हावी होनेवाला था। मेरे माता-पिता ने मेरी बहन को समझाया, लेकिन नीरजा ने कोई ध्यान नहीं दिया। उसने कहा कि वह सिर्फ एक परिचित है। परिचय से प्यार हुआ और प्यार के बाद शादी। आखिरकार उसे बहुत कुछ सहना पड़ा। उसका पति घर से बाहर हर किसी से अच्छा व्यवहार करता था, लेकिन उसके जीवन के हर पहलू में उसका दखल होता था, चाहे नौकरी हो, घर खरीदना हो या बच्चे पैदा करना हो। वह कभी अपनी मरजी से नहीं जी सकती थी। रोज उसका दम घुटता था, वह और बरदाश्त नहीं कर पा रही थी। फिर वे अलग हो गए और तलाक ले लिया। उसने मुझे सलाह दी, 'प्यार अंधा होता है, इसीलिए मैं कभी उसका असली स्वभाव नहीं समझ पाई। अगर मैंने गंभीरता से उसे परखा होता तो बेहतर फैसला ले पाती।' हमारे समाज में खासकर एक लड़की के लिए तलाक लेना नर्क से गुजरने के बराबर है। उसके पति ने एक साल के भीतर फिर शादी कर ली, लेकिन नीरजा दूसरे लड़कों की ओर देखती तक नहीं। वह इतनी डरी हुई है। एक बार दूध का जला छाछ को भी फूँक-फूँककर पीता है। अगर किसी रिश्ते की शुरुआत में दो लोग आपस में बेमेल महसूस करते हैं तो न दोस्ती, न शादी उसे बदल सकती है। इस प्रक्रिया से गुजरने से बेहतर है अविवाहित रहना। इसीलिए जिस दिन हम नौकायन के लिए गए थे, मैंने कहा था कि मैं एक बराबर की साझेदारी चाहती हूँ। अपने दिल से पूछो। क्या तुम वाकई सही अर्थों में स्त्रियों का सम्मान करते हो? क्या तुम उन्हें बराबर का साथी मानते हो? तुम्हारा रवैया दिखाता है कि दूसरों को तुम्हारा अनुसरण करना चाहिए। सच्चा नेतृत्व वह है, जब तुम हर किसी की राय लेकर और जरूरत के बारे में जानकर फिर ऐसा फैसला लो, जो सभी के लिए सबसे अच्छा हो। एक सच्चा नेता प्यार से अगुआई करता है, ताकत से नहीं। तुम्हारा जमीर तुम्हारा सबसे अच्छा जज है।''

नेहा उसके जवाब का इंतजार किए बिना मेज से उठकर चली जाती है।

शिशिर इस पूरे प्रकरण को लेकर बहुत गुस्से में आ जाता है। उसे शांत होने में

थोड़ा समय लगता है। वह वहीं मेज पर बैठा रह जाता है। वह सोचता है, 'सबसे अधिक जिस स्त्री से मेरा संपर्क हुआ है, वह मेरी माँ है। लेकिन मैंने उनके साथ कितनी चीजें बाँटी हैं? मैं अपने पिता को आदर्श मानता हूँ और वह अपनी पत्नी से जैसा व्यवहार करते हैं, वह इस बात का संकेत है कि मैं भी स्त्रियों के साथ वैसा ही व्यवहार करूँगा। माँ कहती हैं कि आदर्श पुरुष या स्त्री परिवार के बाहर नहीं होते। माता-पिता ही आदर्श बन जाते हैं। उनका कहना सही है।'

वह जानता है कि दूसरी लड़कियों की तरह नेहा उसे फँसाने की कोशिश नहीं कर रही है। जब वह पहली बार उससे मिली थी तो वह जानती भी नहीं थी कि वह कौन है। वह एक पारदर्शी और ईमानदार लड़की है, बिलकुल उसकी माँ की तरह। वह सोचता है, 'रसोई के अलावा घर के किसी भी फैसले में मेरी माँ की कितनी भूमिका होती है? उन्हें कहीं भी आजादी नहीं है। हर कहीं मेरे पिता फैसले लेते हैं और मेरी माँ को उन्हें मानना पड़ता है। अगर वह ऐसा नहीं करतीं तो भी वह फैसला किया जाता है और इससे उन्हें दुःख होता है। लेकिन कोई भी मेरे पिता को मेरी माँ की पीड़ा या उनकी गलतियों के बारे में नहीं बताता। हालाँकि मेरी माँ ने इतने त्याग किए हैं, आज भी उनका कोई अस्तित्व नहीं है।'

अचानक उसे समझ में आता है कि नेहा किस चीज की बात कर रही थी। इससे उसे धक्का लगता है। इसका मतलब है कि उसकी माँ ने उसके पिता के साथ रहने में बहुत दुःख पाया होगा। एक आधुनिक लड़की होते हुए नेहा जानती है कि अच्छे पुरुष भी होते हैं, लेकिन मृदुला को तो यह बात भी नहीं पता है। वह नेहा को नहीं खोना चाहता। वह ईमानदार, परवाह करनेवाली और साहसी है। वह उसके लिए सटीक संतुलित साथी होगी। लेकिन तभी, जब वह अपने आप में बदलाव लाए। बदलाव आसान नहीं होगा, लेकिन असंभव नहीं है। अगर वह नहीं बदलता तो वह एक खुशहाल विवाहित जीवन के फायदों से हाथ धो बैठेगा।

उसका दिमाग नेहा और मृदुला के बीच झूलता रहता है। उसकी माँ कहा करती थी, ''शिशिर, आज स्थितियाँ भिन्न हैं। लड़कियाँ अब आत्मनिर्भर हैं। एक साथी से उनकी उम्मीदें बहुत ऊँची होती हैं। लड़कों को लड़कियों के साथ तालमेल बिठाने के लिए उनके मुताबिक ढलना पड़ता है, क्योंकि पहले केवल स्त्री से ही समझौता करने और बदलने की उम्मीद की जाती थी। लेकिन आधुनिक दुनिया में लड़कों से भी बदलने की उम्मीद की जाती है। तुम अपनी पत्नी के साथ ऐसा व्यवहार नहीं कर सकते, जैसा मेरे साथ करते हो। कोई भी आधुनिक लड़की सिर्फ पैसे से खुश नहीं होती। प्यार, साझीदारी और जिम्मेदारी एक आधुनिक शादी के मुख्य तत्त्व हैं।

वह सोचता है, 'मेरी माँ ने चुपचाप इतना कुछ सहा है, उन्हें खुश रहने का हक

है।' अचानक उसे किसी छोटे बच्चे की तरह घर की याद सताने लगती है। वह अपनी माँ को गले लगाना चाहता है और उनकी मुश्किलों के बारे में सोचकर उसकी आँखें भर आती हैं। पहली बार शिशिर अपनी माँ को एक अलग नजरिए से देखता है। वह अपना सेल फोन निकालता है और माँ को फोन करता है।

फोन बजता है। उसके पिता उसे उठाते हैं। शिशिर पूछता है, ''हाय डैड। मैं माँ से बात करना चाहता हूँ। आपकी वर्षगाँठ का जश्न कैसा रहा?''

भरी आवाज में हलके से संजय कहता है, ''पार्टी नहीं हुई।''

''लेकिन क्यों?''

''क्योंकि तुम्हारी माँ मुझे छोड़कर अलादाहल्ली चली गईं।''

''ओह, वह कब लौटेंगी।''

''मुझे नहीं पता।''

''अरे डैड, अम्मा हमेशा के लिए नाराज नहीं हो सकतीं। यह उनका स्वभाव ही नहीं है। वह जल्दी ही वापस आ जाएँगी। आप परेशान न हों।''

''शिशिर, उसने वहाँ ट्रांसफर करा लिया है।''

''फिर तो मामला गंभीर है। आपने हमेशा उन्हें उपेक्षित किया है और उनकी परवाह नहीं की। कम-से-कम उन्हें वापस लाने की कोशिश कीजिए। अगर आप मन से कोशिश करेंगे तो कामयाब होंगे।''

''तो शिशिर, वहाँ काम कैसा है?''

''काम ठीक है, लेकिन मुझे घर और अम्मा की याद आती है। जब मैं वहाँ था तो मैंने कभी एहसास नहीं किया कि वह कितनी महत्त्वपूर्ण हैं। जब मैं यहाँ की स्त्रियों को देखता हूँ तो मुझे अम्मा का नि:स्वार्थ त्याग समझ में आता है। वह भी आपकी तरह महान् हैं, लेकिन अलग रूप में। डैड, उनकी मदद के बिना आप इतना बड़ा साम्राज्य खड़ा नहीं कर पाते। वह हमेशा आपकी ताकत रही हैं और हैं। जब मैं वहाँ था तो मैं उनकी सलाह पर हँसता था, लेकिन आज मैं उनकी हर बात का पालन कर रहा हूँ। डैड, घर सिर्फ चारदीवारों और विलासिता की वस्तुओं से नहीं बनता। घर एक पिता और एक माँ से बनता है। अपनी उदासी तोड़िए डैड, अम्मा को भी आपके बिना रहना मुश्किल लग रहा होगा। उनके फोन करने का इंतजार मत कीजिए। आपको पहल करनी चाहिए। मैं उनसे बात करने की कोशिश करूँगा।''

संजय हैरान रह जाता है। उसे अपने आदर्श की तरह पूजनेवाला उनका बेटा घर से दूर रहने पर कितना बदल गया है। वह एक अलग रोशनी में जिंदगी को देख रहा है। कुछ घंटे बाद संजय थकान महसूस करता है और सोने चला जाता है।

अगले दिन संजय मृदुला के फोन का इंतजार करता है। वह सारे फोन आतुरता

से उठाता है, लेकिन मृदुला फोन नहीं करती। उसका अहम उसे फोन करने की इजाजत नहीं देता।

समय पंख लगाकर उड़ता रहता है। संजय धीरे-धीरे हर काम में दिलचस्पी खो देता है। कुछ सप्ताह के भीतर उसकी अस्पताल में भी दिलचस्पी खत्म हो जाती है।

शिशिर उसे रोज फोन करके उसका हाल-चाल लेता है।

29

एक नई उम्मीद

दो महीने बीत जाते हैं।

मृदुला हनुमान मंदिर के सामने बरगद के पेड़ पर पड़े झूले पर बैठी है।

यह उगुडी का समय है और फरवरी या मार्च का महीना है। गरमियाँ अभी शुरू ही हुई हैं। आम के पेड़ों पर नरम लालिमा लिये हरे पत्ते आ गए हैं और कोयल मीठी आवाज में गा रही हैं। गाँव में हर कोई त्योहार की तैयारी में व्यस्त है। फिर भी मंदिर के पास बिलकुल सन्नाटा है।

लेकिन मृदुला के लिए कुछ भी मायने नहीं रखता। वह बिना किसी बंधन के और मुक्त मन के साथ झूल रही है। वह खुश है।

मृदुला हर किसी की तरह नहीं है। वह अलग है। झूले से उसे अपना घर दिख रहा है। उसमें जीवन के लिए भरपूर उत्साह और पढ़ाई, खाना पकाने और चित्रकारी के लिए असीमित ऊर्जा है। वह हर एक पल को भरपूर जीना चाहती है। सूरज उसके लिए ही उगता है और इंद्रधनुष के रंग सिर्फ उसी के लिए हैं। हर दिन को भरपूर जीना है और हर खूबसूरत पल का आनंद उठाना है।

अचानक मृदुला को लगता है कि कोई झूले को रोकने की कोशिश कर रहा है। वह आश्चर्यचकित होकर पीछे मुड़ती है।

संजय ने अपने मजबूत हाथों में झूला पकड़ा हुआ है।

❑❑❑❑